BIBLICUS ET ORIENTALIS

Im Auftrag des Biblischen Institutes der Universität
Freiburg Schweiz
herausgegeben von
Othmar Keel und Bernard Trémel

Zum Autor des vorliegenden Bandes:

Walter Bühlmann (1938) ist Priester der Diözese Basel (Schweiz).
Nach dem theologischen Grundstudium in Luzern und Rom wirkte
er als Vikar in Willisau. 1970 setzte er sein Studium in Freiburg
(Schweiz) und Jerusalem fort und doktorierte 1974 mit der vorliegenden Arbeit in Freiburg. Zur Zeit wirkt er als Dozent für
Altes Testament am Katechetischen Institut der Theologischen Fakultät Luzern und leitet die Arbeitsstelle für Religions- und Bibel-
unterricht im Kanton Luzern. Von Walter Bühlmann (zusammen
mit Karl Scherer) ist 1973 «Stilfiguren der Bibel. Ein kleines Nachschlagewerk», erschienen.

INHALTSVERZEICHNIS

VORWORT

Die vorliegende Arbeit wurde im Sommersemester 1974 von der
Theologischen Fakultät der Universität Freiburg i.Ue. als Dis-
sertation zur Erlangung des Doktorgrades angenommen. Erster
Referent war Professor Dr. O. Keel, zweiter Referent Professor
Dr. A. Schenker. Für die Veröffentlichung wurde sie leicht ge-
kürzt und überarbeitet.

Diese Arbeit ist auf Anregung von Professor Dr. O. Keel entstanden. Er hat ihr Werden mit innerster Anteilnahme begleitet und
mit vielen Hinweisen und Anregungen wesentlich gefördert. Für
seine unermüdliche Hilfe und die vielen Ratschläge möchte ich
ihm ganz besonders danken. Danken möchte ich auch Professor Dr.
A. Schenker für seine wertvollen kritischen Hinweise und Vor-
schläge.

Neben ihnen förderten den Fortgang dieser Studie vor allem Gespräche mit Professor Dr. M. Weiss und Professor Dr. E. Pax
in Jerusalem. Weiteren Dank schulde ich den Professoren des
Bibelinstitutes, besonders Professor J.-D. Barthélemy, die mir
wertvolle Hinweise erteilten und vor allem den Zugang zu ihren
Bibliotheken gewährten.

Zu danken habe ich ferner Frau A. Birbaum, die mit viel Einfüh-
lungsvermögen das Offset-Manuskript niedergeschrieben hat. Beim
Zusammentragen des Stellenregisters sind mir Fräulein B. Amrein
und Fräulein M. Zeltner in sorgfältiger Weise beigestanden.

Ich schliesse diese Vorbemerkungen mit einem besonderen Dank an
meine Eltern, deren Opferbereitschaft mir den Weg zum Studium
aufgeschlossen hat.

Eschenbach, den 15. Juni 1976   Walter Bühlmann

EINFUEHRUNG

1. Die Aufgabe dieser Arbeit

Die Statistik zeigt, wie überaus häufig in den Proverbien 10-31 auf die positive und negative Rede hingewiesen wird. Weniger zahlreich sind die Stellen in der Sammlung 1-9. SKLADNY hat die Spruchsammlungen untersucht[1]. Nach ihm befassen sich in der Sammlung A (10-15) 16,3% aller Sprüche (davon 55% positive) mit dem richtigen Reden, in der Sammlung B (16-22,16) 21,5% (davon positive 27%), in der Sammlung C (25-27) 34% (davon positive 18%) und in der Sammlung D (28-29) 15,4% (davon positive 39%)[2]. Aus der Zusammenstellung ist erkenntlich, dass die Sprüche über die negative Rede - mit Ausnahme der Sammlung A - vorherrschen (65,25%).

Für eine Untersuchung der rechten Rede wäre es nun aufschlussreich, alle negativen Aeusserungen einer sorgfältigen Exegese zu unterziehen. Doch da dieses Unternehmen den Rahmen dieser Arbeit gesprengt hätte, musste ich darauf verzichten. Dies hatte den Vorteil, dass mir für die Behandlung der positiven Aussagen umsomehr Raum blieb. Da viele Proverbien antithetisch formuliert sind[3], wurden ohnehin auch viele Aussagen über die schlechte Rede berücksichtigt. Zudem hat der Berner

---

1 SKLADNY, Spruchsammlung 70.

2 In diese Zusammenstellung sind nicht miteinbezogen: Die aegyptisierenden Sprüche 22,17-24,22, die Sammlung 24,23-34, die Worte Agurs 30,1-14, die Zahlensprüche 30,15-33, die Worte an Lemuel 31,1-9 und das Lob der tugendsamen Hausfrau 31,10-31.

3 Nach SKLADNY, Spruchsammlungen 67, sind in der Sammlung A 89,1% aller Sprüche antithetisch aufgebaut, in B 24,7%, in C 11% und D 61,8%.

Alttestamentler KLOPFENSTEIN in seiner Dissertation einem wichtigen Aspekt der schlechten Rede eine umfassende Monographie
gewidmet[1].

Ziel dieser Arbeit ist es also, die Proverbien über die positive Rede zu untersuchen und vor allem festzustellen, was unter der rechten Rede zu verstehen ist, d.h. welche Kriterien
entscheidend sind, dass einer seine Rede richtig benutzt. Hat
man sich unter der richtigen Rede ungefähr das vorzustellen,
was etwa bei uns von ihr verlangt wird, dass sie dem wahren
Sachverhalt entspricht? Muss also etwas objektiv wahr sein,
dass es von den Weisheitslehrern als gute Rede taxiert wird,
oder sind andere Voraussetzungen ebenso wichtig?

Bei dieser Untersuchung wurde die Sammlung 1-9 ausgeklammert.
Ich habe mich für die Gattung der Sprüche entschieden, weil
diese für unser Thema wesentlich ertragreicher ist als die
Gattung der Instruktion. Konsequenterweise hätte ich dabei
auch die Abschnitte 22,17-24,22 und 31,1-9 ausklammern müssen.
Doch befanden sich gerade darin einige Stellen, die zu unserem
Thema Wesentliches beitragen (22,20f.; 23,9; 23,15f.). Ebenso
schien mir auch das Mahnwort 30,32f., das unter den Zahlen-
sprüchen eingeordnet ist, für meine Untersuchung interessant[2].

Bei der Auswahl der Texte ging ich zunächst den Sprüchen nach,
in denen die Begriffe דבר,אמר und vor allem die Sprachorgane
"Mund" (   ), "Lippe" (שפה), "Zunge" (לשון), "Gaumen" (חך)
enthalten sind. Dann suchte ich nach den Verben, die für das
menschliche Sprechen gebraucht werden.

Interessanterweise sind nicht etwa die abstrakten Ausdrücke
für "Wort" דָּבָר,אֵמֶר und מִלָּה die häufigst verwendeten Begriffe.
Viel zahlreicher werden die Sprachorgane für die Rede gebraucht.
Zwar sind die beiden Wörter אמר und דבר in den Proverbien oft

---

1 KLOPFENSTEIN, Lüge.
2 Vgl. GEMSER, Sprüche 105-107; McKANE, Proverbs 643-665.

anzutreffen (דבר 4x in 1-9; 31x in 10-31; אמר 13x in 1-9, 9x
in 10-31). מלה kommt nur in 23,9 vor. Da aber אמר und דבר an
vielen Stellen für Weisheitsworte stehen, sind sie nicht mit-
einzubeziehen[1]. Zudem wird דבר öfters allgemein für "Sache"
verwendet (11,13; 13,5; 25,2; 26,6). Häufig gebraucht ist
das Wort "Mund" (פה). Von den 55 Belegen im Proverbienbuch
steht es 38x (davon 3x in 1-9). Das Wort "Lippe" (שפה), das
oft die Sprache als solche bedeutet (z.B. Jes 19,18), wird in
den Proverbien ausschliesslich für Rede gebraucht (6x in 1-9,
42x in 10-31). Dasselbe gilt von "Zunge" (לשון). Dieses Wort
bezeichnet neben dem eigentlichen Körperglied auch die Sprache (z.B. Sach 8,23). Aber in den Proverbien wird es nur für
die rechte oder falsche Rede verwendet (2x in 1-9, 17x in 10-
31). Auch das Wort "Gaumen" (חך) bezeichnet nicht nur den
Sitz des Geschmacks (Spr 24,13), sondern wird ebenso auch als
Sprachorgan (Spr 8,7) oder für Reden (Spr 5,3) gebraucht.
Nicht selten stehen all diese Ausdrücke parallel nebeneinander (פה und שפה 10x[2]; פה und לשון 3x[2]; לשון und שפה 2x[2]).

Der häufige Gebrauch der Sprachorgane (לשון,שפה,פה) für das
Reden scheint nicht zufällig zu sein. Während אמר und דבר einfach das Wort als solches, ganz abstrakt bezeichnen - oft in
der theologischen Sprache als "Wort Jahwes"[3] (vgl. Jes 55,10f.)
-, geht es in den Sprüchen um die Person, die richtig oder
falsch redet. Im Vordergrund steht der Mensch (z.B. der Zeuge,
der Bote usw.), auf dessen Worte man sich verlassen, bzw.
nicht verlassen kann[4].

---

1 So kommen die beiden Ausdrücke oft am Anfang der Lehrreden
  in der Aufforderung zum Hören vor (z.B. Spr 2,1; 4,10.20;
  7,1). Zu דבר als Weisheitswort vgl. BAUCKMANN, Proverbien
  36-39.

2 In Spr 1-31.

3 Vgl. DÜRR, Wertung; ZIMMERLI, Wort Gottes, RGG VI, 1809-
  1812; PROCKSCH, ThWNT IV 89-100; GERLEMAN, THAT I 439-442.

4 Vgl. KLOPFENSTEIN, Lüge 25.

Ausserdem musste jenen Tätigkeitswörtern nachgegangen werden,
die für "reden" stehen. Wie gewöhnlich wird אמר (9x in 1-9,
16x in 10-31) nur als Einleitung zu einer Rede verwendet[1] und
bedeutet nie "reden" ohne Angabe des Mitgeteilten. Das Verb דבר
kommt in 1-9 2x, in 10-31 8x vor. Oft wird dabei die Art des
Redens mit Objekten (z.B. "Gerade", "Verkehrtheit", "Böses")
versehen (Spr 2,12; 8,6; 16,13; 23,33; 24,2) oder die Art des
Redens wird mit Hilfe adverbieller Zusätze näherbestimmt (18,
23; 21,28).

Andere Verben sind: "antworten" (ענה 1x in 1-9, 6x in 10-31;
השיב אמרים/דבר in 10-31), "Mund öffnen" (פתח פה 4x in 10-31),
"vorbringen" (נגד 2x in 10-31), "murmeln" (הגה Spr 8,7). Nur
für negatives Reden erscheinen "unbedacht reden" (בטה Spr 12,
18), "mit den Lippen täuschen"(פתח בשפתיך Spr 24,28; vgl. 16,29),
"verleumden" (לשן Spr 30,10).

Vereinzelt werden auch metaphorische bzw. metonymische Ausdrücke, besonders für das negative Reden, gebraucht. So treten auf: "hervorsprudeln" (נבע 1x in 1-9, 3x in 10-31, davon
2x für negatives Reden), "träufeln" (נטף in Spr 5,3 negativ,
in 15,2 [t. em.] positiv), "aushauchen" (פוח mit כזבים 1x in
1-9, 4x in 10-31; mit אמונה Spr 12,17), "Lippen spreizen"
(פשק שפתיו Spr 13,3; vgl. Ps 22,8)[2].

Bei der vorliegenden Arbeit ging es nun darum, all diese Texte
zu prüfen, ob sie etwas über die rechte Rede hergeben. Dabei
konnten viele Stellen zum vornherein ausgeschieden werden.
Beim Sammeln der in Frage kommenden Proverbien ergab sich sofort, dass sich die verschiedenen Sentenzen in einzelne Gruppen zusammenstellen liessen. So wurden die entsprechenden Texte nach bestimmten Themen geordnet. Dabei tauchte eine Schwie-

---

1 SCHMID, THAT I 213; KEEL, Feinde 141 Anm. 45 weist aber auf
  Ausnahmen hin.

2 Vgl. KEEL, Feinde 142 Anm. 50.

rigkeit auf. Einzelne Proverbien konnten zu mehreren Gruppen
eingereiht werden. So kann man z.B. Spr 10,20: "Auserlesenes
Silber die Zunge des Gerechten, der Frevler Herz wenig wert
(zuverlässig)" als Aussage über die Kostbarkeit und den Wert
der Rede des Gerechten auffassen oder aber aufgrund des Ausdrucks "auserlesenes Silber" wird eher die Zuverlässigkeit der
Rede hervorgehoben[1]. Diese verschiedenen Interpretationen sind
auf die Vieldeutigkeit der Metaphern zurückzuführen. So wurden
solche Sprichwörter jeweils unter den verschiedenen Gruppen
eingeordnet.

Einleitend soll nun zunächst die Frage gestellt werden, wieso
der richtigen Rede in den Proverbien soviel Beachtung geschenkt wird. Es ist einleuchtend, dass zunächst der Miss-
brauch dazu führte, Anleitungen zur guten Rede zu geben. Wir
werden im folgenden zunächst den Aussagen über die schlechte
Rede nachgehen. In einem weiteren Abschnitt werden wir aber
auch noch nach andern Gründen zu fragen haben.

2. Die Charakterisierung der schlechten Rede in den Proverbien

Wie schon betont wurde, konnten in dieser Arbeit die negativen
Aussagen nicht auch einer eingehenden Prüfung unterzogen werden. Die vielen Belege aber geben uns ein eindrückliches Bild,
wie vielfältig die Rede missbraucht wurde (und wird), so dass
man erahnen kann, wieso die Weisheitslehrer so eindringlich
vor der falschen, verlogenen und heimlichen Rede warnen und
demgegenüber die richtige Rede so oft zu propagieren versuchen.
Nachfolgend sollen die wichtigsten Sprichwörter zur Sprache kommen, die das schlechte Reden charakterisieren.

---

1 Vgl. unten Kapitel I 38-42 und Kapitel II 132.

a) Lügenworte

Relativ häufig begegnet uns der Ausdruck שקר (20x) und wird
oft in Verbindung mit "Zunge", "Lippen" und "Wort" für "Lügenworte" verwendet. KLOPFENSTEIN hat darauf hingewiesen, dass
שקר deutlich von כזב unterschieden werden muss. Im Gegensatz
zu שקר, das im Sinn von "perfid" interpretiert wird und mehr
die praktische Seite einer Lüge unterstreicht, nämlich ihre
gegen den Mitmenschen gerichtete Spitze, kommt כזב mehr dem
gleich, was wir mit dem Wort "Lüge" als unwahre Aussage, er-
logene Behauptung und unrichtige Darstellung ausdrücken[1].

Von einem Herrscher wird gesagt:

> "Ein Herrscher, der auf Lügenworte (דבר־שקר) horcht,
> alle seine Diener werden zu Frevlern" (Spr 29,12).

Die "Lügenworte" können als "höfisches Denunziantentum" mit
dem Hofleben des Herrschers in Verbindung gebracht werden[2].
Dass es bei solchen "Lügenworten" um ein gemeinschaftswidri-
ges Verhalten geht, zeigt besonders der Gegenbegriff in Spr
12,22:

> "Ein Greuel Jahwes treuebrecherische Lippen (שפתי־שקר),
> aber die Treue üben (ועשי אמונה), sein Wohlgefallen."

In einer grundsätzlichen Aussage wird in Spr 12,19 festgestellt:

> "Zuverlässige Lippe (שפת־אמת) besteht für immer,
> aber nur einen Augenblick Lügenzunge (לשון שקר)."

Mit dem Ausdruck "Lügenzunge" wird hier auf die Unzuverlässigkeit dieses Menschen aufmerksam gemacht.

Nach Spr 17,4 gehört der "Lügner" ins Gebiet der böswilligen,
verderbenbringenden Tat. In Spr 17,7 wird die Unvereinbarkeit
eines edlen Charakters mit Verlogenheit festgehalten.

---

1 KLOPFENSTEIN, Lüge 321.
2 Ebd. 162.

An zwei Stellen wird der ungerechte Erwerb von Reichtum durch
Lügenzunge erwähnt (Spr 21,6 und 20,17). Beidemal bedeutet das
Wort שקר bewussten, gewollten und geplanten Betrug am Nächsten
zum Zweck der Bereicherung seiner selbst.

Auch Spr 19,22b schildert einen Menschen, der durch Lüge zu
Reichtum gekommen ist. Aber hier geht es weniger um ein Unrecht gegen den Nächsten. Vielmehr wird betont, dass die Bereicherung durch eine unwahre Aussage erschwindelt wird.

b) Verleumdungen

Auch die Verleumdung scheint ein gefürchtetes Uebel gewesen zu
sein. In Spr 10,18b steht der Ausdruck דבה[1] parallel zu ver-
stecktem Hass. Auch Spr 13,5 wird den Verleumder meinen:

"Trugwort (דבר־שקר) hasst der Gerechte,
    der Frevler aber bringt (andere) in Verruf (יבאיש)
    und Verlegenheit."

Oft wird יבאיש als ein unorthographisches Hif. zu בוש verstanden[2]. Doch muss die Form als Hif. zu באש "stinken" gedeutet
werden[3] und somit ist die Korrektur zu יביש überflüssig[4]. Der
רשע macht andere anrüchig und beschämt, d.h. er gefällt sich
darin, andere Leute in üblen Geruch zu bringen und sie dadurch
in "Verlegenheit" hineinzustossen[5].

---

1 דבה bezeichnet in Jer 20,10 (= Ps 31,14) und in Ez 36,3
   "Gezischel feindseliger Menschen". Das Wort hat nicht unbedingt die Bedeutung von bösartiger Rede (vgl. Sir 42,11 und
   25,10).

2 So z.B. FRANKENBERG, Sprüche 82; ACKROYD, Note 160f., bemerkt,
   dass sowohl בוש wie באש die Bedeutung "beschämt sein" haben
   können; deshalb auch im Hif. "Scham verursachen".

3 Vgl. KBL 106; DUESBERG-AUVRAY, Proverbes 50; KLOPFENSTEIN,
   Lüge 163 und Anm.711; ders., Scham 173; McKANE, Proverbs 460.

4 BH; GEMSER, Sprüche 62.

5 Zur Auslegung vgl. KLOPFENSTEIN, Lüge 163; ders., Scham 173f.;
   McKANE, Proverbs 460.

18

Dem Sinn nach meint wahrscheinlich auch das Wort נרגן (Spr 16,
28; 18,8; 26,20.22; Sir 11,31) einen Verleumder. Das Nif. von
רגן bedeutet "sich mürrisch zeigen" (Dtn 1,27; Ps 106,25).
Da das Wort in Spr 16,28 parallel zu איש תהפכות steht, geht
es um mehr als bloss um einen Plauderer. Bewusst will jener
durch seine Worte die Freundschaft anderer zerstören[1]. Solche
Verleumdungen werden mit Wonne aufgenommen. Sie sind "wie Lek-
kerbissen" und dringen tief ein (Spr 18,8; 26,22). Ist einmal
eine Verleumdung ausgesprochen, so ist sie nicht leicht rück-
gängig zu machen. Die Leute sind dazu hellhörig und vergessen
solches Geschwätz nicht mehr so schnell[2]. Dadurch entsteht natürlich viel Streit und Zank (vgl. Spr 16,28; 26,20).

c) Falsches Zeugnis und Bestechung vor Gericht

Eine besonders gefürchtete Erscheinung ist der lügnerische
(falsche) Zeuge (vgl. Ex 20,16, Dtn 5,20)[3]. Allerdings ist der
Bedeutungsumfang von "Zeugnis, Zeugenschaft, bezeugen" im Hebräischen nicht identisch mit demjenigen im Deutschen[4]. Die
häufige Erwähnung mag darauf hinweisen, dass das Delikt der
Lügenzeugenschaft in Israel wie im Alten Orient verbreitet
war[5]. Vor allem dem Zeugen vor Gericht kam damals eine solche
Bedeutung zu, weil man wenig andere Mittel hatte, um einen Tatbestand festzustellen. In den Proverbien erscheint עד sechsmal
in Verbindung mit שקר, bzw. שקרים (6,19; 12,17; 14,5; 19,5.9;
25,18). KLOPFENSTEIN bemerkt, dass שקר dort, wo das Wort zur
Qualifizierung der forensischen Funktion von Zeugen verwendet
wird, Lüge - im Sinn von Rechtsbruch - bedeutet. Es handelt

---

1 Die Stelle ist mit McKANE, Proverbs 494, zu deuten.
2 Ebd. 519f.
3 Vgl. SCHÜNGEL, Dekalog 62-67.
4 Darüber ausführlicher unten Kapitel II 97.
5 Vgl. KLOPFENSTEIN, Lüge 23.18-32. 184-187. 222-226.

sich deshalb in diesen Fällen immer um eine aggressive und ge-
meinschaftszerstörende, m.e. W. asoziale Haltung[1].

Neben der falschen Aussage war auch die Bestechung der Richter
ein häufiges Delikt. So tadelt Jesaja in 1,23 und 5,23 die Un-
sitte der Bestechung und steht darin mit Micha 3,11 in einer
Front. Mit dem gleichen Wort שֹׁחַד wird sie auch in Spr 17,23
erwähnt:

> "Bestechung aus dem Busen nimmt der Frevler an,
> um zu verkehren die Pfade des Rechts" (vgl. Ijob 15,34).

Dadurch, dass sich die Richter bestechen lassen, sind die
rechtlich Wehrlosen (Arme, Waisen, Witwen) jeder Willkür ausgeliefert[2].

d) Mit Gewalttaten verbundene Intrigen und böswillige
   Anschläge

Relativ häufig werden den רשעים Bosheiten in den Mund gelegt:

> "Der Frevler Mund sprudelt Bosheiten (רעות) aus"
> (Spr 15,28b).

> "Der Frevler Mund birgt Gewalttat (חמס)" (Spr 10,11b).

> "Denn Gewalttat (שד) plant ihr Herz,
> und Unheil reden ihre Lippen" (Spr 24,2).

> "Der Frevler Mund (kümmert sich) um Verkehrtheit
> (תהפכות)" (Spr 10,32b).

> "Mit dem Mund verdirbt der Heuchler seinen Nächsten"
> (Spr 11,9a).

> "Der Frevler Worte sind ein Lauern auf Blut" (Spr 12,6a).

Um welche Verbrechen es sich dabei handelt, ist aus den Stellen nicht ersichtlich. Sicher ist aber, dass es sich bei ihren
Reden immer um etwas Schweres, dem Sippenethos Widersprechen-

---

1 KLOPFENSTEIN, Lüge 23-32.

2 Zur Zerrüttung des Rechtswesens vgl. KÖHLER, Hebräische
  Rechtsgemeinde 160-169.

des gehen muss und dass diese Menschen dadurch vor der Gemeinschaft schuldig werden[1]. An gewissen Stellen könnte man sogar
vermuten, dass es sich um falsche Zeugen oder um parteiische
Richter handeln könnte (vgl. Spr 11,9; 12,6; 12,13).

Eine besonders verwerfliche Art ist auch das Sinnen und Trachten der Bösen nach hinterlistigen Worten, um die Gegner auf
gemeine Weise zu hintergehen. In Spr 16,30 wird uns anschaulich ein solch durchtriebenes Verhalten geschildert:

> "Einer, der seine Augen zukneift, (ist daran) Ver-
> drehungen zu planen; einer, der seine Lippen zusam-
> mendrückt, hat das Böse schon fertig."

An dieser Stelle entpuppt sich jener, welcher die Absicht hat,
etwas Schlechtes anzustiften. Das Gemeine besteht darin, dass
der Falsche hier seine Gebärdensprache verwendet, um das Unheil heraufzubeschwören (vgl. Spr 10,10). Noch eindrücklicher
wird uns die böse Absicht eines solchen unheimlichen Menschen
in Spr 6,12-15 geschildert. Er benutzt eine raffinierte Zei-
chensprache, um seine abscheulichen Pläne zu verwirklichen. Man
hat den Eindruck, dass es hier um eine heimliche Verschwörung
geht.

e) Verschiedene Arten von Heuchelei und Schmeichelei

An dieser Stelle muss auch die Heuchelei erwähnt werden. Die
häufigen Wörter der verstellten Rede sind in den Proverbien:
חלה פנים,חלק,סלף,עקש,הפך u.a.

Für die falsche, verkehrte Rede werden die Begriffe עקש und
הפך[2] verwendet. Es scheint, dass in diesen Ausdrücken die Bilder vom "krummen Weg" zugrunde liegen (für עקש vgl. Spr 2,15;
22,5; 28,6; für הפך vgl. 21,8). Der krumme, verkehrte Weg ist

---

1 KEEL, Feinde 110-113.
2 Vgl. DUESBERG, Scribes 284f.

immer gefährlich. Er birgt viele heimtückische Stellen. Dagegen bietet der gerade Weg (יׁשר) Sicherheit[1]. Die verkehrte Rede ist deshalb so schlimm, weil sie Hinterabsichten verbirgt
und die andern auf falsche Wege führen will (Spr 22,5). In
Spr 8,6-9 bekennt die Weisheit, dass ihre Reden aufrichtig
sind und dass sie nichts Verdrehtes (נפתל) und Verkehrtes
(עקׁש) enthält. Wer auf solche gemeine Weise redet, geht an seiner eigenen Bosheit zugrunde (Spr 17,20; vgl. 4,24; 6,12).

Das von הפך abgeleitete Wort תהפכות wird viermal direkt in
Verbindung mit Reden gesetzt (Spr 2,12; 8,13; 10,31f.)[2]. In
2,12 wird der Rat gegeben, sich vor dem Mann der Verkehrtheit
zu retten. In 8,13 bekennt die Weisheit, dass sie den Mund der
Verkehrtheit hasse. In 10,32 sind es die Frevler, die sich um
diese verkehrte Rede kümmern. Aber wer auf solche Weise spricht,
wird zugrunde gehen (10,31).

Mit den beiden Begriffen עקׁש und הפך ist סלף verwandt. Auch dieses Wort hat die Bedeutung von "verdrehen", "verkehren" (vgl.
Ex 23,8)[3]. Eine verdrehte Zunge wirkt sich auf andere sehr negativ aus. Sie verursacht Zusammenbruch (שבר ברוח) (Spr 15,4)[4].

Der Bösewicht bringt seine Bosheiten nicht offen zutage. Oft
zeigt er sich in der Rolle eines Schmeichlers. Dazu wird das
Verb חלק "glatt machen", "umschmeicheln" gebraucht. Die Worte
dieses Heuchlers sind schwindlerisch. Mit solchen Worten macht
sich die fremde Verführerin an den Unerfahrenen heran (Spr
2,16; 5,3; 7,21).

Die bösartige Absicht eines solchen Schmeichlers wird in Spr
26,28 deutlich:

---

1 Vgl. zu Spr 23,15f. unten Kapitel II 102f.
2 Vgl. unten Kapitel VI 291f.
3 DUESBERG, Scribes 284.
4 Vgl. unten Kapitel VI 283.

"Falsche Zunge hasst den Freispruch (oder: den unschuldig Erklärten[1]) und glatter (חלק) Mund bereitet
Sturz."

Ein solcher Mann hat keine Ruhe, bis er mit seinen schmeichlerischen Worten den Freigesprochenen ins Verderben gebracht
hat. Die gleiche Absicht zeigt sich auch in Spr 29,5:

"Ein Mann, der seinem Nächsten schmeichelt,
bereitet ein Netz[2] vor seine Füsse."

Seine glatten Worte sind nur ein Deckmantel, um seine verderb-
liche Gesinnung zu verbergen[3]. In Spr 28,23 stehen die schmeichlerischen Worte im Gegensatz zur offenen Rüge[4]. Dass sich oft
hinter schönen Worten Trug und List versteckt, wird treffend
in Spr 26,23 gezeigt:

"Silberglasur[5] über Tongeschirr
brennende[6] Lippen und ein böses Herz."

Wie die wertvolle Glasur das weniger kostbare Material über-
deckt, so versucht der Falsche seine bösartige Absicht mit

---

1 Zur Uebersetzung vgl. DRIVER, Hebrew Studies 168 Anm. 3.

2 Zum Bild "ein Netz spannt er aus" vgl. KEEL, AOBPs 80-82.

3 Diese heuchlerische Gesinnung findet man noch heute bei den
  Orientalen. HAEFELI, Spruchweisheit Nr. 180 zitiert dazu fol-
  gendes Sprichwort: "Die Hand, in die du nicht beissen kannst,
  küsse, lege sie auf deinen Kopf und wünsche ihr, sie möge zerbrechen". Man soll unüberwindlichen Gegnern gegenüber Unter-
  würfigkeit und Zuneigung heucheln, inwendig aber auf ihren
  Untergang sinnen.

4 Vgl. unten Kapitel II 116-119.

5 Zur Uebersetzung vgl. McKANE, Proverbs 603f.

6 Anstelle des etwas fremden דלקים wird oft חלקים (nach der
  LXX λεῖα) vorgeschlagen (TOY, Proverbs 479; OESTERLEY, Proverbs 236; DUESBERG-AUVRAY, Proverbes 107; RINGGREN, Sprüche
  104; GEMSER, Sprüche 94; SCOTT, Proverbs 158; ALONSO-SCHÖKEL,
  Proverbios 116). Vgl. auch GEMSER, Sprüche 113, der דלקים mit
  dem arabischen dalaqa I "ausgiessen", "ausgleiten lassen" in
  Verbindung bringt: "strömende, triefende, rasche Lippen".
  KOPF, Arabische Etymologien 170f., weist vom Arabischen her,
  dass דלק auch "scharf", "spitz", "beredt" bedeuten könnte.

freundlichen Worten zu überdecken.

Ebenso wird uns in Spr 26,24f. von einem Menschen berichtet,
der seine Worte entstellt, um andere zu täuschen:

> "Mit seinen Lippen verstellt sich der Hasser,
> aber in seinem Innern hegt er Trug;
> wenn er seine Stimme holdselig macht (יְחַנֵּן), trau
> ihm nicht, denn sieben Greuel in seinem Herzen."

Dieser Mensch missbraucht seine Sprache für seine böswilligen
Absichten. Er ist ein Meister der Heuchelei.

Während in den bisherigen Beispielen hinter der Heuchelei immer eine böse Gesinnung versteckt war[1], kann man auch mit
schmeichlerischen Worten die Gunst eines andern erschleichen:

> "Viele umschmeicheln den Vornehmen[2]
> und jeder ist ein Freund des freigebigen Mannes"
> (Spr 19,6).

Der Ausdruck חִלָּה פָּנִים meint "ein starres Gesicht durch Strei-
cheln weich machen", daher "jd. besänftigen, umschmeicheln".
Dieser Ausdruck wird noch in Ps 45,13 und Ijob 11,19 von der
Bemühung um die Gunst eines Menschen gebraucht, sonst von der-
jenigen um Gottes Gunst (vgl. 1 Sam 13,12 u.a.)[3]. Die beiden
Stellen (Spr 19,6 und Ijob 11,19) machen deutlich, wie oft an-
gesehene Leute von Schmeichlern umgeben waren (vgl. auch Spr
29,12).

f) Geschwätz

Im folgenden soll nun noch vom Geschwätz die Rede sein. Die
vielen Zeugnisse scheinen darauf hinzudeuten, dass die Schwätzer
von den Weisheitslehrern besonders verabscheut waren. An ver-

---

1 חלק hat in den Proverbien diese Bedeutung.
2 נדיב bedeutet hier "generöser Mann" (vgl. zu Spr 17,7).
3 FOHRER, Hiob 231.

schiedenen Stellen erkennt man, dass es sich meistens um ein
gedankenloses Gerede handeln musste, das aber seine schweren
Folgen haben konnte. Es wird meistens den Toren (כסיל und אויל)
in den Mund geschoben. Ein solcher Schwätzer wird zweimal רכיל
genannt (11,13 und 20,19). Das Wort lässt sich wahrscheinlich
von רכל "hausieren", "Handel treiben" ableiten. Da der Hausierer gerne Verbreiter von Neuigkeiten und Geschwätz ist, wurde
der Ausdruck vermutlich auch für Schwätzer gebraucht[1]. Weil
aber Geschwätz oft gar nicht so harmlos ist, hat das Wort später die Bedeutung "Verleumder", bzw. "Verleumdung" angenommen
(vgl. Lev 19,16; Ez 22,9)[2].

Auf die Folgen des Geschwätzes wird in den Proverbien mehrmals
aufmerksam gemacht:

> "Es gibt einen unbesonnenen Schwätzer - (das ist) wie
> Schwertstiche" (Spr 12,18a).

Das Wort בטה bezeichnet wahrscheinlich ein gedankenloses Sprechen. Im Bild "Schwertstiche" wird deutlich, wie gefährlich das
unüberlegte Gerede sein kann[3]. Sicher bleibt auch, dass man mit
viel Geschwätz kein Vergehen (פשע) gutmachen kann, im Gegenteil,
je mehr man darüber spricht, umso schlimmer wird die Sache
(Spr 10,19)[4].

Ganz vom Leben her sind die folgenden Sprüche genommen:

> "Bei jeder Mühe gibts Gewinn, aber blosses
> Gerede (ודבר שפתים) führt nur zum Mangel" (Spr 14,23).
> "Die Lippen des Toren 'führen'[5] in Streit
> und sein Mund ruft nach Schlägen" (Spr 18,6).

Durch seinen Klatsch verliert der Tor in seiner Umgebung unnötig Sympathie und macht sich Feinde (vgl. 18,7; 13,3b; 10,14b).

---

1 Vgl. unten zu Spr 11,13 und 20,19 Kapitel IV 240f.

2 Zur näheren Begründung vgl. unten 241.

3 Vgl. unten Kapitel VI 293f.

4 Vgl. unten Kapitel III 175-178.

5 Vgl. GEMSER, Sprüche 75.

RICHARDSON hat vor einiger Zeit die Frage aufgeworfen, ob
nicht auch bei ליץ, das meistens mit "spotten" übersetzt wird,
die Grundbedeutung "schwätzen" vorliege und dementsprechend
לץ eher mit "Schwätzer" als mit "Spötter" zu übersetzen sei[1].
In der Frage, wie das Wort wiederzugeben ist, lassen uns schon
die alten Uebersetzungen im Stich. Die verschiedenen Beleg-
stellen in den Proverbien (לץ 14x) geben aber keinen eindeutigen Aufschluss. Allerdings bieten eine Anzahl Sprüche Anlass,
das Wort mit "Schwätzer" zu übersetzen (vgl. Spr 14,6; 19,25).

Ausserdem tritt das Wort parallel mit "Tor" auf (Spr 1,22 zu
פתים und כסילים ; 19,29 zu כסילים ; 24,9 zu אולת[2]).

Doch wird man an einigen Stellen eher die Grundbedeutung
"spotten" im Sinne von "lächerlich machen" annehmen müssen
(vgl. Ps 119,51; Spr 19,28).

In diesem Sinne ist auch das Wort לעג zu verstehen. Nur bezeichnet es eher ein harmloses Spotten. Es bedeutet "sich
lustig machen", indem man etwas nachhäfft, nachstammelt und
nachstottert (vgl. Metathesis עלג Jes 32,4)[3]. So steht das
Wort in Spr 1,26 parallel zu שהק "lachen" und in 17,5 zu שמח
"freuen".

Der altorientalische Mensch war gegenüber den kritischen Aeusserungen seiner Umwelt äusserst empfindlich. Schon ein nach
unseren Begriffen harmloses Spottwort konnte den stark gemein-
schaftsverbundenen Menschen schwer verletzen (Spr 15,1b)[4].

---

1 RICHARDSON, Some Notes 161-179; ders., Two Addenda 434-436.
2 Abstractum pro concreto.
3 KEEL, Feinde 142.
4 Ebd., 38 und Anm. 14.

3. Die Bedeutung des rechten Redens

a) Die mündliche Kommunikation

Die mündliche Kommunikation spielte im Alten Orient eine viel grössere Rolle als bei uns. Während der Zeit, da man bei uns Zeitung liest, Radio hört, und Fernsehen sieht, hat man miteinander gesprochen. Man traf sich im Freien[1], auf dem Marktplatz, in der Gasse[2], am Tor[3], am Brunnen[4]. Selbst bei der Arbeit fand man Zeit zum Plaudern[5]. An all diesen Orten konnte man den neuesten Klatsch einander austauschen.

Wer besonders gut reden und erzählen konnte, fand überall dankbare Zuhörer. Noch heute spielt im Orient das schöne Erzählen der Storytellers eine bedeutende Rolle. Man trifft sie besonders im Fastenmonat Ramadan in den Kaffeehäusern der Altstadt Jerusalem einzeln an, die eine kleine Schar um sich sammeln, welche ihnen gespannt lauscht. Sie erzählen mit Mimik und Gesten und ziehen so die Zuhörer in ihren Bann[6].

1 Einen interessanten Einblick in das soziale Verhalten der heutigen Araber gibt LUTFIYYA, Baytin. Er untersucht sein Heimatdorf Baytin, das frühere Bethel, soziologisch. Er beschreibt dort, wie auch heute noch die Leute sich auf öffentlichen Plätzen, in Kaffeehäusern, am Arbeitsplatz treffen und miteinander plaudern oder wichtige Angelegenheiten besprechen (82f.) (vgl. auch PAX, Bethel/Baytin 316-326).

2 LUTFIYYA, Baytin 20f.

3 Man darf sich die Versammlungen am Tor nicht bloss als Gerichtszusammenkünfte (Dtn 21,19; 25,7; Am 5,10; Ps 127,5) oder als wichtige Verhandlungen (Gen 23,10; Rut 4,1-12; Ijob 29,2-25) denken. Es war auch eine Stätte, wo die Neuigkeiten des Tages berichtet wurden, wo man sich ausgiebig dem Geschwätz widmete, wo Erfahrungen und Weisheit ausgetauscht wurden (vgl. KÖHLER, Der hebräische Mensch 91; PAX, Palästinensische Volkskunde 287).

4 DALMAN, AuS I,2, 527; LUTFIYYA, Baytin 25.31.

5 LUTFIYYA, Baytin 26f. 30f.

6 PAX, Palästinensische Volkskunde 287f.; vgl. KÖHLER, Der hebräische Mensch 90f.

In vielen Bereichen, wo wir über zahlreiche Kontrollmittel
(z.B. kriminalistische Spurensicherung) verfügen, war man im
Alten Orient allein auf das Wort der Zeugen angewiesen (vgl.
Spr 25,18; 6,19; 14,5; 14,25; 19,5.9; 12,17; Ex 23,7; Ps 27,
12).

Während wir ein ganzes Instrumentarium für direkte Kommunikationsmittel besitzen (Radio, Telephon, Fernsehen usw.), musste
man sich damals auf Boten verlassen können (Spr 13,17; 15,30;
25,13).

Wo viel geredet wird und wo die mündliche Uebermittlung das
einzige Kommunikationsmittel darstellt, besteht die Gefahr,
dass häufig Worte entstellt oder missverstanden werden. Deshalb versuchten die Weisheitslehrer ihre Schüler vor falscher
Rede und allzu leichtsinnigem Geschwätz zu warnen und sie
gleichzeitig auf das richtige Reden aufmerksam zu machen.

b) Das Reden in bestimmten Formen

Man darf nicht vergessen, dass im Orient das Reden in festen
Formen stattfindet. Das gemeinsame Leben, das Gespräch auf der
Gasse, auf dem Platz vor dem Tor, am Hofe haben ihre geordne-
ten, aus weiter Vorzeit herkommenden festen Formen. Da gibt es
die ungeschriebenen Regeln einer Unterhaltung, die niemand ungestraft verletzt[1]. Die Umgangssprache ist geprägt durch
Sprichwörter und Zitate, die dem Gespräch eine entscheidende
Wendung geben. Jeder Clan besitzt auf diese Weise seine eigene Sprache, die nur im engeren Kreis, der mit den Begebenhei-
ten vertraut ist, wirklich verstanden wird[2]. KÖHLER schreibt
dazu richtig: "Man kann noch heute echte Bauern eine längere

---

1 KÖHLER, Der hebräische Mensch 64f.; vgl. auch ders., Hebräische Gesprächsformen 36-46. Noch heute ist jemand in Baytin
  verachtet, wenn er die formelhafte Rede nicht beherrscht
  (LUTFIYYA, Baytin 52).
2 LUTFIYYA, Baytin 52. 160; PAX, Bethel/Baytin 321; ders., Biblische Stilfiguren 360f.

Unterredung führen hören, die aus lauter formelhaften Wendungen besteht. Keine ist ohne Sinn und Schick, keine irrt vom
Gegenstand ab, keine verrät die persönliche Art des Redenden,
keine gibt preis, was er nicht sagen will, keine bleibt dem
Verstehenden ohne ihren wahren Sinn und ihr volles Gewicht; es
fehlt nicht am heimlichen Schalk des Wortes, es fehlt weder an
Zugeständnis noch Versagung noch Eröffnung eines Versprechens
noch Unklarheit einer Drohung noch an vielem anderem: und das
Ganze mag dem Fremden und Unvertrautem als das Zusammensetz-
spiel herkömmlicher, ja selbst inhaltsloser Wendungen erscheinen"[1].

LANDE hat in ihrer Dissertation solche im täglichen Leben entstandenen Formeln zusammengestellt[2].

Bei der Beurteilung solcher Erscheinungen muss man sich von
modernen Vorstellungen freimachen, sie allzu rasch als "leere
Formeln" zu bezeichnen. Jede von ihnen hat ihren besonderen
Hintergrund, den wir nicht immer so leicht verstehen können[3].

Dieses Reden in bestimmten Formen hat auch den Sinn, dass man
sich nicht exponieren muss. Man kann sich sozusagen hinter der
objektiven Rede schützend bergen. Man äussert z.B. nicht eine
private Meinung, sondern die Weisheit der Alten (vgl. 1 Sam
24,14). Der Hörer wird nach Massgabe seines Verständnisses die
Bedeutung des Wortes für die aktuelle Situation erkennen. Ein
schönes Beispiel finden wir bei der Begegnung der Frau von
Tekoa mit dem König. Sie schildert ihm, ihr Sohn sei ein Bru-
dermörder. Nun werde sie von der Sippe aufgefordert, ihn auszu-
liefern. Sie bittet den König, er möge den Mörder in Schutz nehmen. Dieser will sie mit einer mehr vertröstenden als wirklich
verbindlichen Zusage nach Hause schicken. Da die Frau die Ab-

---

1 KÖHLER, Der hebräische Mensch 65.
2 LANDE, Formelhafte Wendungen.
3 PAX, Biblische Stilfiguren 360f.

sicht hat, den König zu einer verbindlichen Verpflichtung zu bringen, kritisiert sie die Worte des Königs: "Auf mir, mein König, ruht die Schuld... der König aber ist schuldfrei" (2 Sam 14,9). Die Erklärungen, die in den Worten der Frau eine Beruhigung des Gewissens des Königs sehen, indem die Frau die Schuld auf sich nimmt, sind fehl am Platz[1]. Wären ihre Worte als Beschwichtigung für den König gemeint, wie würde sie ihn damit zu einer stärkeren Verpflichtung anspornen? Mit diesem Ausspruch will sie vielmehr klarlegen, dass nicht sie die Schuldige ist, sondern dass der König die ganze Verantwortung trägt, weil er den Mörder nicht in Schutz nimmt. Indem die Frau hier die Form der Erlebten Rede[2] wählt, fordert sie den König zu einer eindeutigen Stellungnahme heraus.

Man wird deshalb verstehen, wieso die Weisheitslehrer soviel Gewicht auf die richtige Rede setzen. Der Junge muss durch aufmerksames Zuhören diese formelhafte Umgangssprache erlernen, so dass er selber in der Lage ist, das rechte Wort am rechten Ort zu gebrauchen.

c) Das Reden am Tor

Als Glied der hebräischen Rechtsgemeinde musste der junge Hebräer redetüchtig sein. Er musste in der Lage sein, ein verständiges Wort zu sagen und einen guten Rat zu geben. Er hatte "mit seinem Wort seine eigene Sache zu führen" und musste für die Armen, Rechtlosen, Witwen und Waisen eintreten[3]. Ein anschauliches Beispiel bietet Ijob 29,7-25, wo Ijobs Stellung in der Versammlung am Tor dargestellt wird. Sein kluges Wort

---

1 Zu den einzelnen Interpretationen vgl. WEISS, Bauformen des Erzählens 473f.
2 Zur Erlebten Rede vgl. BÜHLMANN-SCHERER, Stilfiguren 90f.
3 DÜRR, Erziehungswesen 134-136; FOHRER, Hiob 408-410.

traf stets das Richtige und besass so viel Gewicht, dass eine
weitere Auseinandersetzung unnötig und die fragliche Angelegen-
heit entschieden war (29,22-25.11). Er war der Verfechter der
Rechte der Armen, Witwen und Waisen (29,12-17). Eindrücklich
wird uns auch in Rut 4,1-12 geschildert, wie sich Boas am Tor
vor den zehn Aeltesten für Noemi und ihre Schwiegertochter
einsetzte.

Gewöhnlich war der Verhandlungsort der Rechtsgemeinde am Tor
(Gen 19,1; 23,10; Dtn 21,2-6.19; 22,15-18; 25,7-9; Am 5,10;
Ps 127,5; Ijob 29,7-9; Rut 4,1-12). Die Versammlungen fanden
wohl im Tor, d.h. in den Torkammern oder eher vor dem Tor (vgl.
1 Kön 22,10[1]) statt[2]. Es wäre auch möglich, dass solche Zusam-
menkünfte gelegentlich hinter dem Tor abgehalten wurden. Die
archäologischen Ausgrabungen in Gezer haben tatsächlich dort
Sitzbänke zutage gebracht[3].

Auch in Aegypten muss es solche bestimmte Plätze gegeben haben,
wo man öffentlich diskutierte und Streitfälle schlichtete. In
der Lehre des Cheti scheint ein Text darauf hinzuweisen:

> "Ich sage dir auch noch andere Worte, um dich zum Ge-
> lehrtsein zu erziehen, aufzustehen am Platz, da man
> streitet, dich zu nahen dem Ort, wo man diskutiert
> (?)" (9,5f.).

---

1 In diesem Text handelt es sich zwar um keine Rechtsversamm-
lung.

2 GALLING, BRL 525; KEEL, AOBPs Abb. 159-161; LANG, Frau
Weisheit 26-30; de VAUX, Lebensordnungen I 245f.;.
WOLFF, Dodekapropheton 2, 289. Die Sitzbänke in den
Torkammern waren wohl eher für die Wache bestimmt.

3 Vgl. den Bericht von den Ausgrabungen: BA 34, 112-116, bes.
114 Abb. 8.

d) Das Reden am Hof

Wie in der aegyptischen Erziehung[1] spielte auch in Israel das
richtige Wort bei der Heranbildung der jungen Beamten eine
entscheidende Rolle. Die Beamten und Schreiber mussten "Künstler im Wort" werden. Es war wohl nicht leicht in den Dienst am
Hofe aufgenommen zu werden. Man musste dem König oder den Vorgesetzten Rat (vgl. Jes 3,3) geben, man musste reden und seine
Sache in wohlgeformten Worten überzeugend vortragen können. Man
musste an fremden Höfen mit klug ausgedachten Worten die Interessen seines eigenen Landes vertreten[2]. Diese Eigenschaft
wird uns in 1 Sam 16,18 mit דבר נבון charakterisiert. Gerne
übersetzt man das Wort mit "des Wortes mächtig" oder "redege-
wandt"[3]. נבון bedeutet "verständig" in der Sache und im Wort,
mit dem man sie beschreibt und bezeichnet so mehr als bloss
Redegewandtheit. DUESBERG bestimmt נבון folgendermassen:
"raisonnable est le terme juste pour désigner cet esprit calme
et maître de soi qui ne fait rien sans avoir froidement analy-
sé les termes du problème"[4]. Diese Eigenschaft ist die beste
Voraussetzung zum richtigen Reden. Wer sie besitzt, erkennt den
Augenblick, wann er zu sprechen hat und weiss, wie er reden
muss, ohne jemanden zu verletzen (vgl. Spr 15,28).

---

1 So beginnt die Lehre des Ptahhotep: "Beginn der Knotungen der
  schönen Rede, die der ... Wesir Ptahhotep gesprochen hat, indem er die Unwissenden zum Wissen erzieht und zu den Regeln
  guter Rede für den, der davon abweicht" (42-50). Weiter
  heisst es: "Ein Künstler ist es, der im Rate redet und schwie-
  riger ist das Reden als jede andere Arbeit" (467-468). Bei
  Merikare steht die Mahnung: "Sei ein Künstler im Reden, damit du stark seiest, denn die Kraft eines (Menschen) ist die
  Zunge und das Reden ist kräftiger als jedes Kämpfen" (32).
  Am Anfang der Lehre des Amenemope heisst es: "Um eine Rede beantworten zu können dem, der sie sagt, um einen Bericht zu erstatten dem, der einen ausschickt" (1,5f.) (vgl. Spr 22,21).

2 von RAD, Theologie I 443f.; ders., Weisheit 29; vgl. auch
  ZIMMERLI, Weisung 282.

3 HERTZBERG, Samuelbücher 108; von RAD, Krieg 41; ders., Theologie I 443.

4 DUESBERG, Scribes 247.

4. Exkurs

Bei der Behandlung der einzelnen Sprüche ist auf einzelne grammatikalische Besonderheiten hinzuweisen, die wir hier kurz er-
läutern werden.

a) Nominalsätze und zusammengesetzte Nominalsätze

HERMISSON hat festgestellt, dass in Proverbia 10-29 die grammatikalischen Formen des Nominalsatzes stark vorherrschen[1].
Verbalsätze finden sich nur selten. Während bei den Nominalsätzen das Subjekt am Anfang steht[2], wird im Verbalsatz das
finite Verb an den Anfang gestellt; lediglich adverbielle Bestimmungen können vor es treten[3]. Das Wesen der Verbalsätze besteht darin, dass sie einen Handlungsverlauf angeben[4]. In den
Nominalsätzen dagegen macht das Prädikat eine Aussage über das
Subjekt[5]. Manche scheinbare Verbalsätze sind im Blick auf die
Intention der Aussage besser als zusammengesetzte Nominalsätze
zu verstehen[6]. Der zusammengesetzte Nominalsatz gehört zu den
am häufigsten verwendeten grammatikalischen Formen in den Aussageworten[7]. Bei ihm besteht das Prädikat aus einem ganzen
Satz (Nominalsatz oder Verbalsatz)[8]. Er enthält ein "Uebersub-

---

1 HERMISSON, Studien 142-144.
2 MICHEL, Tempora 178; vgl. auch ALBRECHT, Wortstellung 219f.;
  GESENIUS-KAUTZSCH, Grammatik § 141 1; JOÜON, Grammaire §
  154f.; BROCKELMANN, Syntax § 27a; WILLIAMS, Hebrew Syntax §
  556.
3 NYBERG, Grammatik § 85 b; MICHEL, Tempora 177.
4 MICHEL, Tempora 177f.
5 Ebd. 178.
6 HERMISSON, Studien 141.158f.
7 Vgl. ebd. 157-162.
8 NYBERG, Grammatik § 85 g-k; MICHEL, Tempora 179f.

jekt"[1], das immer an erster Stelle steht. Das Subjekt des Prädikatsatzes kann mit dem "Uebersubjekt" identisch sein:

"Die Lippen des Gerechten: sie weiden viele,
aber die Toren: sie sterben durch Unverstand"
(Spr 10,21).
"Die Reden des Gerechten: sie kümmern sich um
Wohlgefallen" (Spr 10,32a).

Der Prädikatsatz kann aber auch ein anderes Subjekt haben:

"Die Sünder: es verfolgt (sie) Unheil" (Spr 13,21a).

In diesem Fall kann das "Uebersubjekt" im Prädikatsatz durch ein persönliches Pronomen, das sogenannte Bindepronomen wieder aufgenommen werden:

"Der Mensch: seine Tage (יָמָיו) sind wie Gras" (Ps 103,15).

Oft aber wird das Bindepronomen weggelassen:

"Denn meine Feinde: ich kann (sie) erkennen" (Ps 51,5;
vgl. Spr 13,21a)[2].

Der zusammengesetzte Nominalsatz findet sich auch in der Syntax des Arabischen[3].

Er wird deshalb in den Proverbien den Vorrang vor dem Verbal-

---

1 MICHEL, Tempora 179.

2 Ebd. 179-181; vgl. auch NYBERG, Grammatik ¦ 85 g.

3 Ebd. 179. RICHTER, Exegese 85 Anm. 34, glaubt, dass das
hebräische Verbalsystem nicht mit dem arabischen identifiziert werden kann. Er unterscheidet zwischen Nominalsatz,
Verbalsatz und invertiertem Verbalsatz. "Da der iVS als
transformierter Satz verstanden werden kann, umfasst er mehr
als nur Hauptsätze. Die verschiedenen Arten der Transforma-
tion bedingen auch unterschiedliche Verhältnisse in der Bedeutung". HERMISSON, Studien 142f. Anm. 2, bemerkt, dass die
verschiedene Terminologie von geringer Bedeutung sei. Man
könnte auch statt "zusammengesetzter Nominalsatz" "inver-
tierter Verbalsatz" sagen. Wichtiger sei die dieser Satzform
im Gegensatz zum normalen zukommende Funktion, und da werde
sich die Bestimmung des zusammengesetzten Nominalsatzes als
praktikabel und den Tatbestand in den Proverbien treffend er-
weisen.

satz haben, weil in ihm nicht eine Handlung beschrieben wird,
sondern eine Aussage über ein Subjekt gemacht wird[1].

"Wer die Augen zudrückt: er verursacht Kummer"
(Spr 10,10a; vgl. 10,9.22; 14,31a; 15,1; 17,5a u.a.).

Dem Subjekt "wer die Augen zudrückt" wird ein bestimmtes Handeln zugeordnet (vgl. auch Urteilssätze, in denen das Subjekt
das Urteil enthält[2]). Der zusammengesetzte Nominalsatz als gan-
zer beschreibt keinen Handlungsverlauf, sondern prädiziert ein
Subjekt. Wohl aber muss der Prädikatsatz meistens als Verbalsatz aufgefasst werden.

b) <u>Zum wertenden Charakter der Proverbien</u>

Eine häufige Form der Nominalsätze und zusammengesetzten Nominalsätzen bilden die Urteilssätze, auf die wir hier noch
speziell eingehen müssen. Wie HERMISSON feststellt, könnte man
zwar schon von einem "Urteil" reden, wo die Zusammengehörig-
keit verschiedener Phänomene konstatiert wird[3]. Das weisheitliche Denken hat sich aber nicht mit diesen Nebeneinanderstel-
lungen begnügt, sondern eine besondere Form für die Beurteilung von Tatbeständen und Verhaltensweisen gefunden. Hier sind
zunächst jene Nominalsätze zu erwähnen, in denen das Prädikat
in einem Wertbegriff besteht:

"Parteilichkeit im Gericht ist nicht gut" (Spr 24,23b).
"Ein Greuel Jahwes - falsche Lippen" (Spr 12,22a).

Zu dieser Gruppe sind auch jene Sprüche zu zählen, in denen ein

---

1 HERMISSON, Studien 157.

2 Vgl. unten 35f.

3 Zwei Phänomene werden ohne nähere Bestimmung unmittelbar nebeneinander gestellt: "Einer der Zucht liebt - einer der Erkenntnis liebt" (Spr 12,1) (HERMISSON, Studien 144-147).

bestimmtes Tun einem bestimmten Menschen zugeschrieben wird:

"Der Narr: am gleichen Tag tut er kund seinen Aerger,
einer, der seine Schmach verhüllt: der Schlaue (Kluge)" (Spr 12,16).

"Ein Schlauer (Kluger): alles tut er mit Einsicht,
aber der Tor: er breitet Narrheit aus" (Spr 13,16).

Hier stellt sich die Frage, was das Ziel in diesen Aussagen
ist. Wollen die Weisheitslehrer in diesen Sätzen über das Verhalten eines bestimmten Menschen berichten (z.B. "ein Schlauer:
er tut alles mit Einsicht") oder aber wird in diesen Weisheitssprüchen ein Urteil über ein bestimmtes Verhalten gefällt
("einer, der alles mit Einsicht tut, ist schlau"). Es scheint,
dass es in den Proverbien nicht darum geht, die Idee der Klugen, resp. Toren, darzustellen, sondern bestimmte Verhaltensweisen als klug oder einfältig zu qualifizieren[1]. Daraus
folgt, dass die Begriffe כסיל, רשע, אויל, נבון, חכם, ערום, פתי
praktisch adjektivische Funktionen haben und neben die Begriffe von "gut", "nicht gut", "Greuel Jahwes" usw. gestellt werden müssen.

Da auch die Aussagesätze neben den Mahnworten eine lehrhafte
Absicht haben, war es naheliegender, dass die Weisheitslehrer
nicht einfach bestimmte Ideale (z.B. der Weise ist sparsam im
Reden) darstellten, sondern vor allem gegenüber ihren Schülern
bestimmte Verhaltensweisen als gut oder schlecht qualifizieren
wollten. Gewiss soll in solchen Sätzen auch ausgesagt werden,
was der "Weise" oder "Einfältige" tut, aber in erster Linie
wird doch ausgedrückt, "ein Weiser" oder "Einfältiger" ist,
der sich so und so verhält.

Man kann allerdings entgegenhalten, dass bei einzelnen Sprichwörtern die Begriffe "Weiser", "Tor" u.a. nicht als Prädikate,
sondern als Subjekte erscheinen. Besonders trifft dies bei zu-

---

1 Vgl. KEEL, Feinde 112f. und 110f. Anm. 53.

sammengesetzten Nominalsätzen zu:

> "Ein Einfältiger: er glaubt jedem Wort, aber ein
> Schlauer: er achtet auf seinen Schritt" (Spr 14,15).

Die Schwierigkeit löst sich, wenn man in solchen Fällen nicht
nur nach dem grammatikalischen Subjekt und Prädikat des Satzes,
sondern auch nach dem Ziel einer Aussage fragt. Es zeigt sich
nämlich, dass auch in diesen Beispielen das Subjekt ein Wertbegriff ("einfältig", "schlau") darstellt[1]. Wie schon oben bemerkt wurde, soll in solchen Sätzen sicher auch gesagt werden,
was der "Einfältige" tut. Aber der Hauptakzent liegt auf der
Qualifizierung. Man wird also in diesen Aussagesätzen die beiden Satzteile nicht nur vom formalen Aspekt her sehen dürfen,
sondern muss zugleich auch den funktionalen ins Auge fassen.

---

1 HERMISSON, Studien 156f.

I

VON DER KOSTBAREN SCHOENHEIT
DER RICHTIGEN REDE

Eine Anzahl Sprüche vergleichen die gute Rede mit kostbaren
Gegenständen (10,20; 20,15; 25,11f.). Meistens sieht man darin
das Wertvolle der richtigen Rede ausgedrückt. Es stellt sich
aber die Frage, ob in diesen Bildern nicht noch mehr ausgesagt
werden will. Wird vielleicht nicht auch auf die Schönheit der
Rede angespielt. Einzelne Sprüche weisen jedenfalls in dieser
Richtung. Daneben verwenden die Weisheitslehrer andere Bilder
(z.B. süsser Honig) und Begriffe, um auf die anmutige und liebliche Rede hinzuweisen. Ich werde im folgenden all diesen Sprüchen nachgehen und sie auf ihre genaue Aussage hin befragen.

1. Die wertvolle, kostbare (schöne) Rede

10,20   כֶּסֶף נִבְחָר לְשׁוֹן צַדִּיק   לֵב רְשָׁעִים כִּמְעָט:

> Geläutertes (auserlesenes) Silber - die Zunge des
> Gerechten,
> das Herz des Frevlers - wie wenig (wert).

Grammatikalisches und Stilistisches:

V.20a ist ein Nominalsatz, bei welchem das Prädikat am Anfang
steht (Emphase). Die Voranstellung von Vergleichen und Metaphern ist in den Proverbien besonders häufig (vgl. 18,4; 24,26;
25,11 u.a.). Dies hängt wohl damit zusammen, weil man hier mit
Hilfe von Phänomenen aus dem aussermenschlichen Bereich menschliches Verhalten in seiner ihm eigenen Dynamis verdeutlichen
will. Durch diese Voranstellung der Vergleiche (bzw. Metaphern)
wird betont, dass nicht "der Mensch das Mass aller Dinge ist,
sondern umgekehrt: der Mensch wird an der Welt, in die er eingefügt ist, gemessen, und was der Mensch ist, lässt sich erst
in Bildern aus dieser ihn umgebenden Welt zur Sprache bringen"[1].

---

1 Zu den Vergleichssätzen vgl. HERMISSON, Studien 58-62,
  148-152, besonders 150f.

Weil V.20b die normale Satzstellung aufweist, entsteht ein
Chiasmus. Dadurch wird einerseits der krasse Gegensatz zwischen
der "Zunge des Gerechten" und dem "Herz des Frevlers" hervorgehoben, anderseits aber auch die strenge Entsprechung betont.
V.20a/b bilden zwei Urteilssätze. Die Subjekte werden in ein
einfaches Wertsystem eingestellt[1].

Am Schlusse von V.20b ist zu כמעט "wie wenig" noch ein Wort
zu ergänzen: z.B. "wert". Wird am Ende eines Satzes etwas aus-
gelassen, so spricht man von einer Aposiopese. Diese Stilfigur deutet das Unsägliche an[2]. "Zunge" und "Herz" sind Metonymien (Concretum pro abstracto).

In den Vs. 19-22 ist auf die Alliteration שפ (bzw.ספ) hinzuweisen: שפתיר (V.19), כסף (V.20), שפתי (V.21), יוסף (V.22).

Auslegung:

Wie die Exegese zeigen wird, ist nicht ganz klar, welches die
Hauptaussage der Metapher כסף נבחר ist. Meistens sieht man darin den hohen Wert der Rede ausgedrückt[3]. Der Ausdruck כסף נבחר
bedeutet wörtlich "auserlesenes (erwähltes) Silber" (vgl. Jer
8,3; Spr 8,10.19; 16,16; 21,3; 22,1), in Verbindung mit מן
"wünschenswerter als etwas anderes"[4]. Die LXX gibt das Wort
נבחר mit πεπυρωμένος wieder. Somit denkt sie hier an Silber,
das im Feuer geläutert wird. GEMSER bemerkt, dass das syrische
בחר auch "im Feuer gereinigt" bedeuten könne[5]. Auch der Thesaurus Syriacus erwähnt unter bḥr die Bedeutung "im Feuer prüfen"[6].

---

1 Vgl. HERMISSON, Studien 154f.
2 BÜHLMANN-SCHERER, Stilfiguren 54f.
3 McKANE, Proverbs 423.
4 GB 92; KBL 118.
5 GEMSER, Sprüche 112.
6 Thesaurus Syriacus I 506; COSTAZ, Dictionnaire 27.

Die syrische Uebersetzung hat hier gb° "auswählen". Auch dieses Wort kann "reinigen" heissen (vgl. Mal 3,3)[1]. Es ist deshalb nicht auszuschliessen, dass die LXX hier richtig übersetzt hat[2].

Durch die Läuterung werden die Edelmetalle auf Reinheit und
Echtheit geprüft (vgl. im AT stehen "prüfen" [בחן] und "zur
Läuterung schmelzen" [צרף] oft parallel [Ps 17,3; 26,2; 66,10])[3].
Im Altertum konnte die Echtheit und Reinheit eines Edelmetalls
nur durch den Schmelzprozess festgestellt werden[4].

Da es sich um geläutertes Silber handelt, kann es als echt und
somit besonders wertvoll bezeichnet werden. Mit dieser Metapher
wird die Rede des Gerechten zunächst als etwas Zuverlässiges,
Erprobtes charakterisiert. Allerdings ist damit auch der hohe
Wert einer solchen Rede miteingeschlossen. Darin liegt ja gerade die Kraft der Metapher, dass sie verschiedene Nebenvorstellungen und Assoziationen stiftet[5].

Dagegen wird die Rede des Frevlers (לב), d.h. eigentlich sein
Inneres, wo die Worte gebildet werden, geringschätzig beurteilt.
כמעט heisst oft "beinahe" (Gen 26,10; Ps 2,12; 73,2; 81,15;
94,17; 119,87; Spr 5,14). An unserer Stelle wird כמעט als ver-
stärkte Form von מעט erklärt[6] oder man liest כמעה von מעה "Körn-
chen", "kleines Gewicht", "kleine Münze" (vgl. Jes 48,19)[7].
Doch kann das Wort auch anders erklärt werden. מעט wird oft verwendet um irgend eine Kleinigkeit zu unterstreichen: מעט מים
"ein wenig Wasser" (Gen 18,4; 24,17.43), מעט אכל "ein wenig

---

1 Thesaurus Syriacus I 636.

2 GEMSER, Sprüche 112; McKANE, Proverbs 423.

3 KEEL, AOBPs 162.

4 Ein hübsches Beispiel findet sich auf den El-Amarnatafeln
  (KNUDTZON, El-Amarnatafeln 93; vgl. auch KEEL, AOBPs 162).

5 KAYSER, Kunstwerk 125f.

6 GB 444 "nichts wert".

7 KBL 546.

Speise" (Gen 43,2), מְעַט מִזְעָר "eine geringe Zahl" (Jes 10,25;
16,14; vgl. Ps 105,12). So ist wahrscheinlich auch Jes 1,9 gebraucht, wobei dort מִזְעָר weggelassen ist[1]. Auch an unserer
Stelle steht כְּמַעַט allein und es müsste etwa "Wert" oder "Sache"
ergänzt werden. Somit erscheint die Rede des Frevlers als etwas Minderwertiges, etwas Verächtliches, dem man nicht Beachtung schenkt.

Wahrscheinlich hat der Ausdruck "geläutertes Silber" hier eine
ästhetische Nebenbedeutung. In für uns befremdlichen Schilderun-
gen werden in der altorientalischen Literatur z.B. lebende Wesen mit ihren kostbaren Abbildungen identifiziert und wie diese
dargestellt. So beschreiben im Hld 5,10-16 die Bilder der Kör-
perteile aus Gold, Marmor und Elfenbein die Kostbarkeit und
Schönheit des Bräutigams[2].

Beim Bild "auserlesenes Silber" wird dem Hebräer sofort das
Schöne und das Anziehende in die Augen gesprungen sein. Die
Worte des Gerechten haben etwas Verlockendes. Wenn er spricht,
so wird man ihm schweigend zuhören. Durch seine meisterhaften
Formulierungen, durch seinen angenehmen Vortrag trifft er die
Zuhörer und vermag sie zu überzeugen. Hier kann an Ijob gedacht
werden, der wohl durch seine wohlgeformten Worte, die andern
zum Verstummen brachte (29,22f.11)[3].

Zusammenfassung:

Die Auslegung hat gezeigt, dass wohl die Metapher "geläutertes
Silber" zunächst die Zuverlässigkeit der Rede des Gerechten
hervorheben will. Dies schliesst nicht aus, dass damit auch
der hohe Wert dieser Rede mitgemeint ist. Man würde aber die

---

1 WILDBERGER, Jesaja 19.

2 KEEL, Weisheit 17 Anm. 35 zitiert verschiedene ägyptische
  Texte, in denen Götter und Könige als kostbare Standbilder
  aus Edelmetall beschrieben wurden.

3 Zur Umstellung der Verse vgl. FOHRER, Hiob 402.

Metapher zu eng interpretieren, wenn man in diesem Bild nicht
auch eine Anspielung auf die schöne Sprache des Gerechten sehen würde.

20,15   יֵשׁ זָהָב וְרָב־פְּנִינִים   וּכְלִי יְקָר שִׂפְתֵי־דָעַת:

> Es gibt Gold und viel Korallen, aber etwas
> Seltenes (Kostbares) sind die Lippen der
> Erkenntnis.

Grammatikalisches und Stilistisches:

Wie die Auslegung zeigen wird, handelt es sich hier um einen
antithetischen Parallelismus.

יקר in V.15b ist eine Näherbestimmung der Eigenschaft einer
Sache (vgl. Spr 17,8 אֶבֶן־חֵן "ein kostbarer Stein"; Num 28,6;
Jes 13,8; 28,4; Ps 23,2 u.a.) (Génitif de matière)[1].
שפתי־דעת ist hier Metonymie (Concretum pro abstracto).

Auslegung:

FRANKENBERG sieht in der Uebersetzung "es gibt Gold" wenig Sinn.
Ausserdem werde יש immer gebraucht, wenn eine Ausnahme von der
Regel, eine überraschende, die Aufmerksamkeit erregende Tatsache angeführt werde, was im Deutschen gewöhnlich durch "mancher"
übersetzt werde. Das Wort יש bedeute "Besitz", "Vermögen" (Spr
8,21; 13,23): "Besitz an Gold und Menge an Perlen, doch ein
kostbares Gefäss sind verständige Lippen"[2]. Tatsächlich wird יש
in Spr 8,21 mit "Besitz" übersetzt, aber neben diesem seltenen
Gebrauch steht יש häufig mit einem Substantiv in Verbindung mit
der Bedeutung "es gibt" (Spr 19,18; 20,15; 23,18; 24,14 u.a.).
Wie wir noch sehen werden, besteht der Gegensatz in V.15 nicht
zwischen Kostbarem und weniger Kostbarem. Auch Gold und Koral-

---

1 JOÜON, Grammaire § 129f.; BROCKELMANN, Syntax § 76 c.
2 FRANKENBERG, Sprüche 117.

len gelten durchaus als etwas Hochgeschätztes und Auserlesenes. Obwohl es in Palästina keine Goldminen gab[1], muss das
Gold recht häufig für die verschiedensten Zwecke verwendet
worden sein (von Schmuck und Gefässen bis zu Möbel- und Ge-
bäudeverzierungen). Besonders waren kultische und königliche
Gegenstände aus Gold und vergoldet[2]. Deshalb wird die Weisheit
oder die Rede häufig an der Kostbarkeit des Goldes gemessen
(חרוץ: Spr 3,14; 8,10.19; 16,16; זהב: 22,1; 25,11f.).

Ebenso wurden Korallen für Schmuck, Ornamentik und Amulette
verwendet. Obwohl ihr Gebrauch seltener war, waren sie offenbar verbreitet (vgl. ר'ב). Sie konnten ja im Roten Meer gewon-
nen werden. Weisheit (Ijob 28,18; Spr 3,15; 8,11), eine gute
Frau (Spr 31,10; Sir 7,19), ein fröhlicher Mut (Sir 30,15)
sind höher als Korallen zu preisen[3].

Das Wort כלי kann "Gefäss", "Geschirr", "Gerät", "Werkzeuge",
"Waffen"[4], kurz allerlei Dinge im weitesten Sinne bezeichnen[5]. In Verbindung mit יקר wird es gewöhnlich mit "ein kostbares Gefäss"[6], "ein kostbarer Schmuck"[7], "une chose précieuse"[8]
übersetzt. Da כלי alle möglichen Bedeutungen haben kann, hat
es hier am ehesten den Sinn von דבר "Sache"[9] (vgl. Gen 24,53:
כלי־כסף וכלי זהב   "silberne und goldene Sachen"; Ex 3,22).

---

1 Vgl. die Quellen für das Gold Israels: FRERICHS, BHH I
  582.

2 Vgl. ebd. 582f.

3 FRERICHS, BHH II 986f.

4 KBL 439.

5 GB 348.

6 FRANKENBERG, Sprüche 117; TOY, Proverbs 388.

7 OESTERLEY, Proverbs 169; RINGGREN, Sprüche 81, GEMSER,
  Sprüche 78.

8 BARUCQ, Proverbes 160.

9 BOMAN, Das hebräische Denken 161.

Aehnlich wie דבר kann deshalb כלי auch mit "etwas"[1] übersetzt
werden. TOY denkt hier an den persönlichen Schmuck der Braut
(vgl. Jes 61,10)[2]. Der Schmuck der Frau ist bis heute der persönliche Schatz und darf von keinem angetastet werden. Deshalb gilt er als besonders kostbar[3]. So gut diese Bedeutung
passen würde, ist es kaum denkbar, dass gerade hier an Braut-
schmuck gedacht werden soll, da dieser Sinn nur einmal belegt
ist und dieser Gebrauch durch nichts angedeutet ist.

יקר[4] wird meistens mit "Kostbares" übersetzt (Ijob 28,10; Jer
20,5; Ez 22,25). Da in V.15a sich der Sinn ergibt: es gibt ge-
nügend Gold und Korallen, erwartet man in V.15b eher "Seltenes". Man kann sich deshalb fragen, ob hier יקר nicht eher diese Bedeutung hat. In den übrigen drei Stellen (Jer 20,5; Ez
22,25; Ijob 28,10) muss man zwar mit "Kostbarem" übersetzen.
Dagegen hat das Adjektiv יקר auch den Sinn von "selten" (vgl.
1 Sam 3,1; Ijob 28,16)[5]. Die beiden Wörter "kostbar" und "selten" sind sich ja sehr nahe. Was selten ist, ist teuer, kostbar und das Teure, Kostbare wird oft als schön empfunden[6].
Gerade die Götterbilder sind im Alten Orient aus kostbaren

---

1 Vgl. דבר in der Bedeutung von "etwas": דברים טובים "etwas
  Gutes" (2 Chr 19,3); דבר רע "etwas Böses" (Dtn 17,1) (vgl.
  KBL 201).

2 TOY, Proverbs 389.

3 An Schmuck und Putz lässt es die Orientalin von heute ebensowenig wie die kokette Isebel (2 Kön 9,30) und die Frauen
  zur Zeit der Apostel (1 Tim 2,9; 1 Petr 3,3) fehlen. Während dieser Schmuck bei den vornehmen Damen aus kostbaren
  Silber-, Gold-, Edelstein- und Elfenbeinstücken besteht,
  ist er bei den einfachen Frauen bedeutend ärmer. Aber fehlen darf er nicht (vgl. den Geldputz bei vielen Fellachen-
  frauen und Beduinen: BAUER, Volksleben 60.64 und Abb. 61.
  63; DALMAN, AuS V 328 und Abb. 112.114).

4 Zur Form יקר vgl. BARTH, Nominalbildung § 88 c.

5 Uebersetzung nach FOHRER, Hiob 390.

6 Vgl. BOMAN, Das hebräische Denken 79.

Materialien zusammengestellt[1]. Wie etwas Kostbares durch seine
Pracht andere erfreut, so finden die Leute an einem Menschen
Gefallen, dessen Lippen von דעת erfüllt sind[2].

Zusammenfassung:

Wir haben gesehen, dass יקר in erster Linie die Bedeutung von
Seltenheit annimmt, wobei natürlich auch auf die Kostbarkeit
und Schönheit der erkenntnisvollen Lippen angespielt wird. Jene Person, die in ihrem Reden mit דעת erfüllt ist, hat etwas Anziehendes und ihre Worte erfreuen die andern.

2. Die schöne (schöngeformte) Rede
_____

25,11   דָּבָר דָּבֻר עַל־אָפְנָיו: תַּפּוּחֵי זָהָב בְּמַשְׂכִּיוֹת כָּסֶף

Aepfel[a] aus Gold an Prunkgebilden[b] aus Silber,
ein Wort gesprochen in vollendeter Form[c].

Textanmerkungen:

a   BH schlägt פְּתוּחֵי "eingeritzte Verzierung (auf
    Stein, Gold, Holz)" vor. Doch da auch die LXX
    mit μῆλον (vgl. auch Vulgata: mala) übersetzt,
    ist das Wort "Aepfel" beizubehalten.

b   LXX übersetzt mit ἐν ὁρμίσκῳ σαρδίου "an einem
    Halsband aus rötlichem Edelstein". Symmachus und
    Theodotion, die משכית mit ἐν περιβλέπτοις ἀργυρίου
    "an einem silbernen Gerät, das die Blicke von über-
    all her anzieht" wiedergeben, sind dem hebräischen
    Wort näher als die LXX.

c   Sehr unklar ist auch der Ausdruck עַל־אָפְנָיו. Das
    Wort ist noch in Sir 50,27 מושל אופנים zu finden
    "in rechter (metrischer?) Form"[3]. Die LXX über-
    geht dieses Wort. Dagegen übersetzen Aquila und

_____

1 Vgl. oben 41.
2 Zum Begriff דעת vgl. unten Kapitel VI 298.
3 HAL 76.

Theodotion das 2. Glied mit λαλῶν ῥῆμα ἐπὶ ἁρμό-
ζουσιν αὐτῷ, Symmachus mit λαλῶν λόγον ἐν καιρῷ
αὐτοῦ (vgl. Vulgata: qui loquitur in tempore suo).
Diese Uebersetzungen stützen sich auf eine andere
Vokalisierung als der MT. Sie müssen verstanden
haben: דֹּבֵר דָּבָר "einer, der ein Wort redet".

Grammatikalisches und Stilistisches:

Es handelt sich hier um einen Vergleichsspruch. In der ersten
Hälfte wird ein Tatbestand aus der aussermenschlichen Welt und
in der zweiten Hälfte aus der Welt des Menschen genannt[1]. Die
meisten Sprüche dieser Art finden sich in Kap. 25-27[2]. In diesen Sprüchen ist der Nominalsatz auf die beiden Glieder verteilt. Sowohl dem Subjekt, das nachgestellt wird, wie auch dem
Prädikat (Vergleich) sind adverbielle Bestimmungen "an Prunkgebilden", "in vollendeter Form" beigefügt. Wie HERMISSON gezeigt hat, ist die gleiche Form solcher Vergleichssprüche häufig in der aegyptischen und babylonischen Literatur anzutreffen[3]. Dadurch, dass der Vergleich vorangestellt ist, wird
deutlich, dass menschliches Tun hier an der Welt, in die der
Mensch eingefügt ist, gemessen wird[4].

זהב und כסף bestimmen das Nomen regens näher (Génitif de
matière)[5].

Auffällig ist die Präposition in עַל־אָפְנָיו . Eigentlich würde
man ב erwarten. Falls die Uebersetzung "zu seiner Zeit" richtig ist, kann BROCKELMANN auf einige parallele Fälle in den semitischen Sprachen hinweisen, wo על auf die Zeit übertragen

---

1 HERMISSON, Studien 58-64.

2 Ausserhalb dieser Sammlung: Spr 10,26; 11,22; 17,3; 24,13f.;
  28,3.15.

3 Ebd. 61 Anm. 4.

4 Vgl. oben 38.

5 Siehe oben 42 Anm. 1.

wird[1]. Bedeutet aber אֹפֶן "Rad", so wird עַל wie gewöhnlich mit
"auf" übersetzt "auf den beiden Rädern"[2].

אָפְנָיו ist entweder Dual oder Plural[3] mit Suffix. Ist die Form
Plural, so bildet das Wort wie בָּטְנִים "Pistazien" ein Analogon
zu den Pluralen ohne Vorton-Qames[4]. Nach BARTH ist אָפְנָי Sing.
(אָפְנָה), abgeleitet von פָּנָה [5]. דָּבָר דָּבֻר ist eine Paronomasie.
Zwei Wörter der gleichen Wurzel stehen in verschiedener Funktion.

Alliteration mit ב : זהב במשכיות דבר דבר
Zusammen mit V.12 Stichwortverbindung: זהב und Alliterationen
mit עַל . und כת : V.11 עַל־אָפְנָיו במשכיות
V.12 עַל־אֹזֶן כתם

Auslegung:

תַּפּוּחַ steht dreimal für "Apfelbaum" (Hld 2,3; 8,5; Joel 1,12)
und dreimal für "Apfel" (Hld 2,5; 7,9; Spr 25,11). Oft wird
gerätselt, um was für eine Frucht es sich handelt. OESTERLEY
und TOY glauben, dass kaum ein Apfel in unserem Sinne gemeint
sei, da Apfelbäume eher eine Seltenheit seien[6]. Doch die ein-
gebürgerte, von den alten Versionen überlieferte Uebersetzung
"Apfel" ist wahrscheinlich richtig[7]. Wie die mit תפוח zusammengesetzten Ortsnamen vermuten lassen (1. westlich von Hebron:
Jos 15,34; 2. Šeh Abu Zarad, 52 km nördlich von Jerusalem: Jos

---

1 BROCKELMANN, Grundriss II § 249 k; ders., Syntax § 110 h.
2 GB 585f.
3 GB 59; KBL 78.
4 GESENIUS-KAUTZSCH, Grammatik § 93 r.
5 BARTH, Vergleichende Studien, ZDMC 41, 630 und ZDMG 42,
   345f.
6 TOY, Proverbs 462; OESTERLEY, Proverbs 223f.
7 GERLEMAN, Das Hohelied 116; vgl. LÖW, Aramäische Pflanzennamen 155f.; FELIKS, BHH I 105.

12,17; 16,8; 17,8, auch עֵין תַּפּוּחַ Jos 17,7)[1], war der Apfelbaum
im alten Palästina weniger selten als heutzutage. In Joel 1,12
wird er zusammen mit den wichtigen Fruchtbäumen des Landes gerechnet und unterscheidet sich vom Granatapfel (רִמּוֹן). Hld
7,9 weist darauf hin, dass der Apfel wegen seinem Duft und
Geschmack geschätzt war. DALMAN berichtet, dass man in der Gesellschaft Aepfel zum Riechen herumreichte[2].

Dass es in unserem Sprichwort nicht um einen Naturapfel (z.B.
um einen gelblich aussehenden Apfel) handelt, sondern um ein
künstliches Gebilde, darauf weist der Genitiv hin, der den
Stoff näher bestimmt, aus dem der Apfel gemacht ist (Génitif
de matière).

מַשְׂכִּיּוֹת kommt nur sechsmal im AT vor. Drei Stellen weisen auf
den Götzenkult hin. In Lev 26,1 bedeutet es wahrscheinlich ein
"Stein mit Reliefdarstellung"[3]. In Num 33,52 ist das Wort zu
einem Sammelbegriff für alles Bildwerk geworden. In Ez 8,12 bezeichnet es einen Verehrungsgegenstand ("Bildwand" oder "Bil-
derwinkel") in den Häusern der Vornehmen[4]. Daneben bedeutet
das Wort auch "ein Phantasiegebilde", "Einbildung", "Vorstellung" (Ps 73,7 und Spr 18,11). Die Wurzel שׂכה "sehen", "schau-
en" hebt hervor, dass ein Gebilde gemeint ist, das man in der
Phantasie sich ausmalt oder das man schauen kann und vor dem
man fasziniert ist.

Die Präposition בּ kann hier entweder "in" (in einem Raum) oder
"an", "bei", "auf" bedeuten. Meistens wird mit "in" übersetzt
und man denkt an eine Schale: "goldene Aepfel in einer silbernen Schale". Doch ist die Bedeutung von Schale nicht belegt[5].

---

1 KBL 1037.
2 DALMAN, AuS I,1 60.
3 ZIMMERLI, Ezechiel I 194.
4 Ebd. 218.
5 Vgl. auch FRANKENBERG, Sprüche 140.

Es ist wahrscheinlich eher an ein Prunkstück gedacht, an dem
goldene Aepfel hangen oder an dem solche eingraviert oder dargestellt sind.

Freilich ist der Apfel als Ziergegenstand, soweit mir bekannt
ist, nicht zu finden. Dagegen sind die Granatäpfel als Dekora-
tionsmotiv gut belegt[1]. So schmückten 200 Granatäpfel die Aufsätze der beiden Säulen des salomonischen Tempels (1 Kön 7,15-
22; vgl. Jer 52,21-23). Auch ein Dreifuss aus Ugarit zeigt, wie
ein Kultgerät mit ringsum frei herabhängenden Granatäpfeln geschmückt werden konnte[2] (vgl. auch den aus Amathus stammenden
Dreifuss, 11. Jh., Cypern)[3]. Ferner enthält auch die aus Ugarit stammende Gussform für einen Bildstreifen nach unten hän-
gende Granatäpfel[4]. Ein schönes Beispiel ist die Halskette mit
goldenen Granatäpfeln aus Hagios Iakovos in Cypern (späte Bron-
zezeit)[5].

Es lässt sich aber auch an ein silbernes Prunkstück denken, das
mit goldener Einlegearbeit verziert ist. Die Verarbeitung von
mehreren Metallen ist nichts Neues wie die Schmuckindustrie in
der Eisenzeit in Mesopotamien zeigt[6]. Die Filigrantechnik war
schon um 2500 v.Chr. bekannt. So wurden oft Silbergefässe mit
Bändern aus Elektron[7] geschmückt. Der mit einem Onager ver-
zierte Zügelring aus Ur (1. Hälfte 3. Jt.) ist aus Silber und
Elektron[8]. Das Gefäss des Entemena aus Lagasch bestand aus Sil-

---

1 BENZINGER, Archäologie 228; NOTH, Könige I 151f.; KEEL, AOBPs
  Abb. 224.

2 KEEL, AOBPs Abb. 224.

3 KARAGEORGIS, The Ancient Civilisation Abb. 93.

4 BOSSERT, Altsyrien Abb. 787.

5 KARAGEORGIS, The Ancient Civilisation Abb. 81.

6 PARROT, Assur 234.

7 Durch eine spezielle Legierung durch den Zusatz von Silber
  erreichte man eine besondere Färbung des Goldes (Elektron
  "Gelbgold") (PARROT, Assur 234).

8 PARROT, Assur Abb. 291 A.

ber mit Bronzefüssen[1]. Aus Alaca Hüyük (Zentralanatolien) stammen von den berühmten Königsgräbern viele Gegenstände (abstrakte Symbole, Statuetten, Würdezeichen, Tierfigurinen) aus Gold, Silber und Elektron, aus Bronze und Eisen[2]. Einzelne davon sind ebenfalls aus verschiedenen Metallen zusammengesetzt. Eine Kultstandarte (Hirschfigur) besteht aus Bronze mit Silbereinlagen[3]. Vor allem aus der archämenischen Zeit sind uns prächtige Metallbearbeitungen bekannt, die mit raffiniertem Geschmack und ungewöhnlichem Geschick ausgeführt wurden. Besonders eindrücklich ist der Gefässhänkel in Gestalt eines geflügelten Steinbocks aus Samsun (?) (5.-4. Jh.). Körper und Flügel des Tieres sind aus Silber mit inkrustierten Goldfäden[4].

Die Verbindung von Gold und Silberarbeit scheint ein besonders anziehendes und beliebtes Schmuckstück gewesen zu sein. Im Hld 1,10f. werden die feinen Ohrengehänge und Halsketten aus durchbohrten Steinen und Muscheln von den noch kostbareren Gehängen aus Gold mit Silberperlen übertroffen[5]. Ebenso werden in Sir 26,18 die schönen Beine der Frau mit "goldenen Säulen über Silbergrund" (στῦλοι χρύσεοι ἐπὶ βάσεως ἀργυρᾶς) verglichen. Die goldenen Aepfel am Silbergebilde werden in unserem Vers als ein prächtiges Kunstwerk geschildert, das durch eine Kumulation kostbarster Materialien und durch das Zusammenspiel von Farbe und Form den Betrachter fasziniert hat.

So ähnlich muss das Wort gesprochen עַל־אָפְנָיו auf den Zuhörer wirken. Die Frage bleibt nur, was unter diesem Ausdruck zu verstehen ist.

---

1 Ebd. 235.

2 ALKIM, Anatolien I Abb. 63-69.72-75.

3 Ebd. Abb. 64.

4 PARROT, Assur Abb. 254.

5 Zur Stelle vgl. GERLEMAN, Das Hohelied 105.107f., RUDOLPH, Das Hohelied 126f.

KÖHLER fasst אפני als Dual von אֹפֶן , welches mit dem arab.
fann, Plur. ʾafnān "Art", ʾiffan "Zeit" in Beziehung gebracht
wird, und er übersetzt "zur rechten Zeit"[1]. Für diese Interpretation entschliessen sich viele Exegeten, die sich zum Teil
auch auf Symmachus (ἐν καιρῷ αὐτοῦ) und auf die Vulgata (in
tempore suo) berufen[2]. SCOTT vermutet einen Schreibfehler und
liest אֹזֶן "is a secret which has been wispered in the ear"[3].
BOSTRÖM denkt an einen Ausdruck für eine bestimmte Form von
Sprüchen[4]. Auch WILCH lehnt die Bedeutung "zur rechten Zeit"
ab und stützt sich auf Sir 50,27. מושל אופנים habe den
speziellen Sinn "the simile of parallels". Von daher müsse
Spr 25,11 verstanden werden: "a word spoken according to its
parallels". Dazu schreibt er: "Words parallels were found
especially beautiful to the understanding Hebrew ear. Of cour-
se, it is parallelisme in sense which is meant and not poetic
meter"[5]. KÖHLER vertritt in der 1. Ausgabe auch die Ansicht,
dass אפני eine Dualform von אוֹפֶן "Rad" sein könnte[6]. Interessanterweise wird schon in Bereschit rabba (Sect 93) die
Form אפן von אוֹפֶן "Rad" hergeleitet. Im Anschluss an die
Proverbienstelle (25,11) heisst es: "Sowie das Rad sich von
allen Seiten zeigt, so beleuchteten Jehudas Worte die Sache
von allen Seiten, als er mit Joseph sprach"[7].

Nach KÖHLER bedeutet dann der 2. Halbvers: "ein Wort gesprochen auf beiden Rädern = Vershälften", d.h. ein gut gedrehter

---

1 HAL 76.

2 OESTERLEY, Proverbs 223; KUHN, Beiträge 64; RINGGREN, Sprüche 100; GEMSER, Sprüche 90; BARUCQ, Proverbes 194.

3 SCOTT, Proverbs 153.

4 BOSTRÖM, Paronomasi 51.

5 WILCH, Time and event 29 und Anm. 1.

6 KBL 78. Dieser Vorschlag wird in der 3. Auflage nicht mehr
aufgenommen.

7 Midrasch Bereschit Rabba III 1152; vgl. FREEDMAN, Midrash
Rabbah. Genesis II 858.

(geformter) Satz. So verstehen auch BARUCQ und McKANE das zweite Glied[1].

Wenn auch das Wort אפני nicht sicher gedeutet werden kann, so
scheinen doch die Lösungen, wie sie BOSTRÖM, WILCH, KÖHLER und
McKANE vorschlagen, wahrscheinlich zu sein, da vor allem eine
solche Interpretation sich vom Bild in V.11a aufdrängt. Aehnlich wie ein kunstvoll verarbeitetes Prunkstück das Auge erfreut, so vermag eine wohldurchdachte, feindurchformte, in-
haltsvolle Rede den Zuhörer durch ihre Schönheit zu bezaubern.
Sie öffnet durch ihre vollendete Form Ohr und Herz des Zuhörers.
Erst ein solches kunstvoll vorgetragenes Wort macht auf die andern Eindruck und vermag dadurch auch zu überzeugen. Die schöne
Form verleiht einem gesprochenen Wort Autorität und Macht. Es
scheint so, dass ein Weisheitslehrer, "der eine ihm von Gott
oder den Vätern zuteil gewordene Einsicht oder Lebensregel"
weitergeben wollte, erst dann die nötige Beachtung fand, wenn
er seine Worte in eine Kunstform kleidete (vgl. Koh 12,9f.)[2].

Zusammenfassung:

In Spr 25,11 ist die Rede von wohlgeformten Worten oder Sentenzen, die den Zuhörer erfreuen mussten. Die enge Verbindung mit
25,12 (vgl. Stichwortverbindung und Alliteration) scheinen darauf hinzuweisen, dass es sich in V.11 - wenigstens zur Zeit
der Redaktion dieses Abschnittes - um das Wort des Weisen handelt, das so vorgetragen ist, dass es den Zuhörer erfreuen und
überzeugen konnte. Dass natürlich ein solches Wort nur dann an-
kommen konnte, wenn es einen hörenden Menschen gefunden hat,
darauf wird in V.12 speziell eingegangen.

---

1 BARUCQ, Proverbes 194; McKANE, Proverbs 584.
2 SELLIN-FOHRER, Einleitung 45; vgl. HERMISSON, Studien 136.

25,12   נֶזֶם זָהָב וַחֲלִי־כָתֶם   מוֹכִיחַ חָכָם עַל־אֹזֶן שֹׁמָעַת:

> Ein goldener Ring mit einem Schmuckstück aus Feingold,
> ein weiser Mahner am hörenden Ohr.

Da es in diesem Sprichwort um das offene Zurechtweisen geht, das nicht übelgenommen wird, werden wir diese Sentenz an anderer Stelle behandeln[1].

15,2   לְשׁוֹן חֲכָמִים תֵּיטִיב דָּעַת   וּפִי כְסִילִים יַבִּיעַ אִוֶּלֶת:

> Der Weisen Zunge macht das Wissen schön (lieblich)[a],
> aber der Mund der Toren sprudelt Narrheit aus.

Textanmerkungen:

a   Viele schlagen für תיטיב das ähnlich klingende תַּטִיף vor (von נטף)[2]. DRIVER vokalisiert zu תַּטֵּב von טבב (Syr. ṭab(b)) "made clear", "divulged" (vgl. auch Arab. und Aethiopisch)[3] DAHOOD nimmt eine mit נטף verwandte Wurzel יטף "träufeln" als Dialektvariante an. In den nordwestsemitischen Sprachen sei der Austausch zwischen b und p häufig: "the tongue of the wise drops knowledge"[4]. Die LXX bietet hier keine Hilfe. Die Vulg. folgt dem MT: "ornat scientiam".
Die Aenderung zu תַּטִיף ist an dieser Stelle nicht nötig, da das Verb auch im MT einen guten Sinn gibt.

Grammatikalisches und Stilistisches:

Die beiden Glieder bilden je einen zusammengesetzten Nominalsatz und sind parallel gebaut.

Das alliterierende ת (bzw. ט und ד) hebt den Ausdruck תיטיב

---

1 Vgl. unten Kapitel II 119-123.

2 Vgl. FRANKENBERG, Sprüche 91; OESTERLEY, Proverbs 118; GEMSER, Sprüche 68; ALONSO-SCHÖKEL, Proverbios 75 u.a.

3 DRIVER, Problems in the Hebrew Text 181.

4 DAHOOD, Proverbs 32f.

דעת besonders hervor.

Auslegung:

Das Hif. von יטב bedeutet "gut machen" und hat an dieser Stelle den Sinn von "verschönern". Die Weisen verstehen es, ihr
Wissen mit lieblichen Worten vorzutragen. Richtig schreibt
McKANE: "they have style as well as knowledge; they are eloquent and turn their phrases nicely"[1]. Aehnlich übersetzt auch
BARUCQ: "Une langue des sages rend aimable la science"[2]. Dadurch, dass die Weisen ihr Wissen in anmutige und freundliche
Worte kleiden, gewinnen sie bei den andern die Aufmerksamkeit
(vgl. Spr 16,21). Aber es scheint, dass die anmutigen Reden
von den Weisheitslehrern nicht einfach gewählt wurden, um das
Interesse auf sich zu lenken, sondern doch wohl auch, um andere zu erfreuen[3].

Diesem kultivierten Reden ist das nutzlose Geschwätz der כסילים
entgegengesetzt. Das Verbreiten von אולת[4] ist ein besonderes
Merkmal der Rede der Toren (vgl. Spr 12,23; 13,16; 15,14; 26,
4.5). נבע erscheint hier als metaphorischer Ausdruck und bedeutet im kausativ "sprudeln", "fliessen lassen" (Ps 19,3;
119,171; Sir 16,25b). In diesem Bild ist offenbar an die Quelle angespielt. Aehnlich wie in Spr 18,4 ist auch hier die Vorstellung vom unaufhörlich hervorsprudelnden Wasser enthalten.
Das Wasser fliesst so reich, dass es gar nicht ausgeschöpft
werden kann. In Spr 1,23 wird das Wort im positiven Sinn gebraucht. Dasselbe נבע hat aber oft einen negativen Sinn (Spr
15,2; 15,28; Ps 59,8)[5]. So wird das in Fülle fliessende Wasser

---

1 McKANE, Proverbs 478.
2 BARUCQ, Proverbes 130.
3 Vgl. von RAD, Weisheit 401f.
4 Zum Begriff אולת siehe unten Kapitel II 134f.
5 נבע heisst hier "aus der Fülle innerer Erregung sprechen"
  (KEEL, Feinde 171).

in V.2b als ein Bild für das törichte Sprechen genommen. Dies
ist nicht erstaunlich; denn in einem Lande, in dem jeder
Tropfen Wasser kostbar ist, kann das in Menge überfliessende
Wasser durchaus die Vorstellung des nutzlosen "Verschwendens"
hervorrufen. Jedes Wort, das der Tor ausspricht, ist zuviel,
da er nichts Wesentliches zu sagen hat.

Selbst wenn der Tor noch schöngeformte Worte gebrauchen würde,
so wären sie in seinem Munde unsinnig und wirkungslos. In zwei
originellen Sprüchen wird dies sehr eindrücklich dargestellt:
"Ein Dornbusch geriet[1] in eines Trunkenen Hand, ein Spruch im
Munde von Toren" (Spr 26,9). Ein an sich guter Spruch ist im
Munde eines Toren gefährlich. Einen etwas anderen Sinn hat
Spr 26,7: "'Herabbaumeln' die Schenkel am Lahmen und ein Spruch
im Munde der Toren"[2]. Ein an sich kraftvoller Spruch ist im
Munde eines Toren lahm.

Spr 16,21 und 16,23 sind wahrscheinlich zwei Variationen desselben Themas. Während in V.21 der Ton auf "süsse Lippen" liegt,
wird in V.23 vor allem gezeigt, dass der Weise diese Gabe der
Ueberzeugungskraft besitzt.

16,21   לַחֲכַם־לֵב יִקָּרֵא נָבוֹן   וּמֶתֶק שְׂפָתַיִם יֹסִיף לֶקַח:

Wer weisen Herzens ist, nennt man einen Kundigen[3],
aber süsse[a] Lippen steigern die Ueberzeugungskraft
(bzw. Aufnahmebereitschaft).

---

1 וְעָלָה bedeutet hier wahrscheinlich "kommt in die Hand von",
  "geraten" (vgl. TOY, Proverbs 475; OESTERLEY, Proverbs 232;
  McKANE, Proverbs 599).

2 Zur Stelle vgl. McKANE, Proverbs 597f.

3 Kundig vor allem im Hinblick auf das Wort.

16,23   לֵב חָכָם יַשְׂכִּיל פִּיהוּ   וְעַל־שְׂפָתָיו יֹסִיף לֶקַח:

> Des Weisen Herz macht erfolgreich seine Rede
> und[b] seinen Lippen fügt es Ueberzeugungskraft hinzu.

Textanmerkungen:

a   BH schlägt מֶתֶג "Zaum" vor. Doch kann sich dieser Vorschlag auf keine textliche Grundlage stützen.

b   BH korrigiert וְעַל zu וּבַעַל "wer aber Herr seiner Lippen ist"[1].

Grammatikalisches:

16,21

Hier sind zwei zusammengesetzte Nominalsätze. In V.21a wird ein Urteil über das Subjekt חֲכַם־לֵב gefällt.

Die Form יִקְרָא (Nif.) drückt das unbestimmte persönliche Subjekt aus und wird mit "man" übersetzt[2].

16,23

Auch V.23a und V.23b sind als zusammengesetzte Nominalsätze aufzufassen. Das Subjekt לֵב חָכָם steht für beide Glieder. Damit der zusammengesetzte Nominalsatz in V.23b erkenntlich wird, muss das Subjekt ergänzt werden: "(und des Weisen Herz): es fügt seinen Worten Ueberzeugungskraft hinzu".

Auslegung:

16,21

לֵב bezeichnet hier die intellektuellen Funktionen des Menschen[3] und meint jemanden, der ein weises Erkenntnisvermögen,

---

1 Vgl. KUHN, Beiträge 40; SCOTT, Proverbs 105; McKANE, Proverbs 489f.

2 GESENIUS-KAUTZSCH, Grammatik § 144 k.

3 WOLFF, Anthropologie 77-84.

eine klare Vernunft und ein gesundes Urteil besitzt. Ein solcher Mensch wird נבון genannt[1].

Da in V.21b ein adversatives Waw steht, ergibt sich in V.21a
folgender Sinn: einer, der ein weises Erkenntnisvermögen besitzt, ist zwar ein Wortkundiger, aber dies allein genügt noch
nicht. Es braucht noch etwas dazu. Dies wird nun in V.21b ausdrücklich genannt. Etwas unklar ist in V.21b das Wort לקח . Es
hat häufig die Bedeutung "Lehre" (Dtn 32,2; Spr 4,2; Ijob 11,4).
An einigen Stellen wird es mit "Einsicht" übersetzt (Jes 29,24;
Spr 9,9; 1,5; Sir 8,8). In Spr 7,21 bezeichnet es "Ueberre-
dungskunst".

Umstritten ist das Wort in 16,21 und 16,23. GEMSER und RINGGREN
übersetzen mit "Ueberzeugungskraft" und meinen "das Belehrungs-,
Erörterungs- und Darlegungsvermögen"[2].

McKANE lehnt diese Interpretation ab: "leqaḥ is not persuasiveness... rather it is the persuasiveness of the teacher (meteq
$\check{s}^e$patāyim) which increases leqaḥ in those who are taught, leqaḥ
being the process of understanding and approprating the words
of the teacher"[3]. Sicher ist das Wort von der Grundbedeutung
des Verbs לקח "fassen", "ergreifen", "annehmen" her zu verstehen und kann somit die Aufnahmebereitschaft der Schüler bezeichnen. Doch wie V.23 zeigt, bedeutet לקח eher die Ueberre-
dungskraft. Es hat aber keinen grossen Sinn, über die Bedeutung
sich lange zu streiten, da der Sinn des Sprichworts dadurch
nicht geändert wird.

In der Metapher "süsse Lippen" spielt sicher die Vorstellung
einer süssen Speise oder des süssen Honigs eine Rolle. So ähnlich wie süsse Sachen angenehm zu essen sind, sind anmutige
Worte bei den Zuhörern beliebt. Damit eine Rede wirkungsvoll

---

1 Zum Begriff נבון siehe unten Kapitel II 124f.
2 GEMSER, Sprüche 70f; vgl. RINGGREN, Sprüche 70.
3 McKANE, Proverbs 489.

wird, muss einer sie in schöner Form vortragen. Mit "süssen
Lippen" ist aber nicht nur die Kunst des Ausdruckes und der
Darstellung gemeint, ebenso wichtig ist auch die Art und Weise,
wie einer seine Rede vorbringt (z.B. mit angenehmer Stimme und
lebhaftem Vortrag). Wer alle diese Regeln des Redens beachtet,
dessen Rede gewinnt an Ueberzeugungskraft und er findet auch
dementsprechend dankbare Zuhörer.
Wie notwendig es war, dass der Weise durch überzeugende Worte
die Schüler für sich gewinnen konnte, zeigen die Stellen in
der Sammlung 1-9, die davon sprechen, wie die fremde Frau sich
mit schmeichelnden Worten und mit Charme an den Unerfahrenen
heranmacht, um ihn zu überreden: "Denn Honigseim träufeln die
Lippen der Fremden und glatter als Oel ist ihr Gaumen" (Spr
5,3; vgl. auch 7,6-22).

16,23

Im Gegensatz zu V.21 handelt es sich hier um einen synonymen
Parallelismus. Aus dem Erkenntnisvermögen und Wissensschatz
macht der Weise seinen Mund klug. McKANE schlägt vor, an dieser Stelle mit "ist erfolgreich mit seinem Munde" zu übersetzen[1]. Aus der menschlichen Tüchtigkeit und Lebensklugheit
resultiert ja der Erfolg. Diese Interpretation entspricht gut
dem zweiten Glied. An verschiedenen Stellen ist יַשְׂכִּיל auf diese Art zu verstehen. In 1 Sam 18,5 heisst es von David: "und
David 'zog' zu Feld, überall, wohin ihn Saul nur schickte...
war er erfolgreich (יַשְׂכִּיל)" (vgl. 1 Sam 18,5.14f.; Spr 17,8;
Jer 20,11; 23,5; 50,9)[2].
Der Ausdruck יֹסֵף עַל bedeutet hier "den Lippen (עַל) etwas (לֶקַח)
hinzufügen (יֹסִף)". Demzufolge wird לֶקַח am besten mit "Ueberzeugungskraft" übersetzt (Num 5,7; 2 Kön 20,6; Koh 3,14).

---

1 McKANE, Prophets 67f.; ders., Proverbs 489; STOEBE, Samuelis
   I 343.
2 Vgl. DUESBERG, Scribes 249f.

Die Rede des Weisen zeichnet sich dadurch aus, dass sie wirksam ist und die Zuhörer überzeugt.

Der Weise unterscheidet sich somit von den andern, dass er seine Rede so vortragen kann, dass sie zum Erfolg wird (vgl. Ijob 29,21ff.).

Zusammenfassung: 16,21 und 16,23

Mit dem Ausdruck "süsse Lippen" (V.21) wird auf die schöne Form der Rede des Weisen aufmerksam gemacht. Deutlich wird aber in diesen Sprichwörtern gezeigt, dass solche Worte nicht nur erfreuen, sondern auch andere zu überzeugen vermögen.

22,11 אֹהֵב טְהוֹר (טְהָר־ ק') לֵב   חֵן שְׂפָתָיו רֵעֵהוּ מֶלֶךְ:

Ein Freund Jahwes[a], wer reinen[b] Herzens ist[c],[d], wessen Lippen anmutig[e] sind, dessen Freund ist der König[f].

Textanmerkungen:

Die Unstimmigkeiten zwischen dem MT und der LXX haben zu verschiedenen Textänderungen geführt: Ἀγαπᾷ κύριος ὁσίας καρδίας, δεκτοὶ δὲ αὐτῷ πάντες ἄμωμοι. Χείλεσι ποιμαίνει βασιλεύς.
"Der Herr liebt die frommen Herzen, angenehm sind ihm alle Untadeligen. Ein König regiert mit den Lippen".

a   Mit der LXX wird oft "Jahwe" ergänzt. Diese Erweiterung ist durchaus möglich, da sie dadurch gut dem Ausdruck "dessen Freund ist der König" entspricht.

b   Das Ketib liest טָהוֹר ; das Qere aber טְהָר .

c   Die LXX hat an dieser Stelle noch einen weiteren Halbvers. δεκτοὶ δὲ αὐτῷ πάντες ἄμωμοι. BH und GEMSER ergänzen mit der LXX וּרְצוֹנוֹ כֹּל הַתְּמִימִים (od. mit 3 MSS der LXX ἐν ταῖς ὁδοῖς αὐτῶν תְּמִימֵי דֶרֶךְ) "und sein Wohlgefallen sind alle Unsträflichen".[1]

1 GEMSER, Sprüche 82.

    d   BH und GEMSER nehmen an, dass hier ein Glied ausge-
        fallen ist.

    e   Anstelle von חֵן ergänzt OESTERLEY zu יְחַגֵּן "he maketh
        gracious (vgl. Spr 26,25) his lips"[1].

    f   Die LXX hat ποιμανεῖ = רֹעֶה . DRIVER ändert רֵעֵהוּ
        zu רֵעֵהוּ und erklärt die Form als ein Denominativ
        von רֵעַ "makes him friendly with a king"[2]. McKANE
        liest für רֵעֵהוּ רְצוֹנוֹ [3].

Bei der Interpretation dieses Spruches muss man sich hüten,
sich auf die LXX zu verlassen, da sie eine moralische und
theologische Deutung vornimmt[4].

Grammatikalisches und Stilistisches:

Die beiden Glieder 11 a/b sind nicht ganz gleich aufgebaut.
In V.11a ist ein einfacher Nominalsatz mit dem Subjekt אֹהֵב.
Dagegen in V.11b erfolgt eine Näherbestimmung des Substantivs
"sein Freund" in Gestalt eines einfachen Relativsatzes: "wessen Lippen anmutig sind"[5]. Auf das regierende Substantiv wird
durch das Pronominalsuffix שְׂפָתָיו zurückgewiesen[6]. Dadurch ist
die Korrektur zu שפתים nach der LXX nicht nötig[7].

"Freund Jahwes" und "Freund des Königs" bilden eine Inclusio.
Dadurch werden die beiden Ausdrücke "reinen Herzens" und "anmutige Lippen" eng aneinandergeknüpft (gleichzeitig auch Chiasmus).

Es wäre auch möglich, dass in diesem Vers noch ein antithetischer Zug steckt: Der König schaut auf die Rede, Jahwe aber auf
das Herz (vgl. Auslegung).

---

1 OESTERLEY, Proverbs 186.

2 DRIVER, Hebrew Notes on Prophets 174.

3 McKANE, Proverbs 568; vgl. TOY, Proverbs 418.

4 GERLEMAN, Studies 41.

5 GESENIUS-KAUTZSCH, Grammatik § 155 e.

6 Ebd. § 155 c.

7 Vgl. GEMSER, Sprüche 82.

V.11 kann auch eine ἀπο-κοινοῦ -Konstruktion enthalten[1].
Dann bezieht sich מלך auf V.11a. Dadurch entsteht im 1. Halbvers eine Spannung: "Ein Freund ist" (wessen Freund? - des Königs). Bei dieser Erklärung muss der MT nicht verändert werden[2].

טהור steht ähnlich wie in Ijob 17,9 und Hab 1,13 in einer
Konstruktusverbindung: "die Reinheit des Herzens". Man würde
eigentlich לב טהור (vgl. Ps 51,12) erwarten. טהור ist hier
substantivisch gebraucht "Reines", "Reinheit". Wie BAUER-LEAN-
DER vermutet, ist der Konstruktus von טהור entweder טְהָר (Qere)
oder טְהוֹר (Ketib; vgl. Hab 1,13)[3] (vgl. auch Ijob 17,9).

Auslegung:

Das Part. אהב steht hier ähnlich wie in Spr 18,24 für "Freund"
(vgl. auch Ps 88,19: אהב ורע ; Jer 20,4.6; Est 5,10.14;
"Freund Gottes": Jes 41,8; 2 Kön 20,7). So steht אהב parallel
zu רע in V.11b (vgl. Ps 88,19).

Wenn auch der MT befriedigend erklärt werden kann, scheint
doch in V.11a ein Wort ausgefallen zu sein. Aufgrund der LXX
ist deshalb wohl "Jahwe" zu ergänzen.

Die beiden Ausdrücke "Freund Jahwes" und "Freund des Königs"
können ebenfalls fast synonym aufgefasst werden. In der Weisheit wird über den König in einer Weise gesprochen, wie man
über Jahwe redet. Dieselbe hohe Auffassung und Verehrung des
Königs tritt uns entgegen[4] (vgl. Spr 14,35; 16,10.12-15;

---

1 Vgl. BÜHLMANN-SCHERER, Stilfiguren 52f.

2 Auch McKANE, Proverbs 567f. glaubt, dass κύριος in der LXX
  bereits eine Interpretation sei. Er bezieht deshalb מלך
  auch auf V.11a, deutet aber das Ganze nicht als ἀπο-κοινοῦ -
  Konstruktion (vgl. auch TOY, Proverbs 418; DRIVER, Problems
  in the Hebrew Text 186).

3 BAUER-LEANDER, Grammatik § 68 i; vgl. GB 271.

4 DÜRR, Erziehungswesen 129f. Vgl. auch die besondere Stellung
  des Königs im Alten Orient in: Ebd. 31f., 78ff.

19,12; 20,2.8.26). So wie Jahwe die Ordnung in der Welt setzt
und über sie wacht, so ist der König der Garant der gesell-
schaftlichen Ordnung[1]. Sein Wohlgefallen und seine Liebe gelten dem Gerechten (Spr 16,13a), dem Aufrichtigen (Spr 16,13b)
und dem Reinen[2].

Der Ausdruck "rein" ist hier im moralischen Sinn gebraucht.
"Reines Herz" steht für lautere Gesinnung[3] (vgl. Ps 24,4; 73,1).
Es lässt sich nicht mehr genau feststellen, ob der Begriff טהר
ursprünglich schon im Kult verwurzelt war[4] oder ob er zunächst
für die Bezeichnung für Läutern der Metalle angewendet wurde.
Ein erster Ueberblick zeigt, dass der Gegenbegriff von "rein"
טמא "unrein" immer als kultischer Begriff gebraucht oder doch
von daher gedacht wurde. Anders steht es bei טהר . Es gibt eine
Reihe von Texten, die vom "reinen Gold" reden (Ex 25,11.31;
auch von Sachen aus Gold: Ex 31,8; 39,37; Lev 24,4.6) oder der
Begriff des Reinigens wird auf das Läutern der Metalle angewandt (Mal 3,3)[5]. So ist es möglich, dass in unserem Begriff
das Bild von der Metallschmelze im Hintergrund steht. "Reinen
Herzens" hiesse dann, ihr Inneres ist nicht vermischt mit un-
reinen, d.h. falschen Gedanken, die in verkehrten Worten geäussert werden.

Das Wort חן ist in der Weisheitsliteratur ein häufiger Begriff (13x in den Proverbien). חנן meint "die in einem bestimmten, gütigen Tun sich dem andern zuwendende Haltung einer
Person" (vgl. Spr 28,8)[6]. Man könnte vermuten, dass das Wort
חן gleichgelagert ist, wie חנן , indem es die gnädige Guttat

---

1 GESE, Lehre 35-37.48.
2 Vgl. SKLADNY, Spruchsammlung 28.
3 PASCHEN, Rein 70.
4 HERMISSON, Sprache 84-99; von RAD, Weisheit 242.
5 HERMISSON, Sprache 85f.; vgl. MAASS, THAT I 647f.
6 ZIMMERLI, ThWNT IX 367.

aussagt, die vom Geber herkommt. ZIMMERLI weist aber nach, dass חן eine "ganz auffällige Ablösung der gnädigen Guttat vom Geber und die Verlagerung des dadurch geschaffenen Wertes in den Gabeempfänger" zeigt[1]. Damit verlegt sich das Schwergewicht der Aussage einseitig auf den Empfänger, der zum Besitzer wird (vgl. 13,15; 22,1). Schliesslich nimmt חן als visuell annehmbare Eigenschaft eines Besitzers oder Gegenstandes die Bedeutung "Anmut", "Lieblichkeit" an (Spr 1,9; 4,9; 5,19; 11,16; 31,30)[2]. In derselben Richtung ist nun auch unsere Stelle zu deuten. So bezeichnet חן die "anmutigen", "schönen" Worte. Nicht nur unverfälschte Worte, sondern auch sorgfältig formulierte, mit Eleganz vorgetragene und ausgewählte Worte wurden von den jungen Weisheitsschülern verlangt[3]. Wer diese Redekunst beherrschte, der vermochte auch andere zu überzeugen. Er war in der Gemeinde angesehen und man hörte ihm gerne zu. Besonders am Hofe war diese Begabung etwas Wichtiges und die Redekunst musste von jedem Beamten geübt und gelernt werden.

Man kann sich fragen, ob hinter diesem Sprichwort nicht auch eine leise Dämpfung des Ansehens der königlichen Gunst gegenüber der Gunst Gottes liegt. In diesem Falle enthält die Stelle einen antithetischen Zug. Der König kann nur beurteilen, was man ausspricht ("wessen Lippen anmutig sind, dessen Freund ist der König"). Gott aber ist einem Menschen "Freund" aufgrund der allerinnersten Qualität.

---

1 ZIMMERLI, ThWNT IX 370.
2 STOEBE, THAT I 591f.
3 Vgl. McKANE, Proverbs 568.

3. Die freundliche, liebliche (auch schöne) Rede

Auch die folgenden Sprichwörter (16,24; 15,26) handeln von der
"schönen", "anmutigen" Rede. Aber aus dem Zusammenhang ist doch
ersichtlich, dass in ihnen speziell auf die liebliche, wohlwollende, gutmeinende Rede angespielt ist.

16,24   צוּף־דְּבַשׁ אִמְרֵי־נֹעַם   מָתוֹק לַנֶּפֶשׁ וּמַרְפֵּא לָעָצֶם:

> Honigseim (sind) liebliche Worte,
> süss für "seinen Lebensdurst" und
> Heilkraft fürs Gebein (sein Selbst)[a].

Textanmerkung:

a   Die LXX übersetzt γλύκασμα δὲ αὐτῶν ἴασις ψυχῆς
    "und ihre Süsse ist Heilung der Seele".

Grammatikalisches und Stilistisches:

Im Nominalsatz V.24a steht nicht das Subjekt, sondern das Prädikat am Anfang. Die Voranstellung von Vergleichen und Metaphern findet sich in den Proverbien besonders häufig[1].

Im zweiten Glied wird der angeschlagene Gedanke weitergeführt
im Sinne einer Präzisierung. Das Prädikat wird mit מתוק   und
מרפא ergänzt. Diese Form wird gewöhnlich synthetischer oder
weiterführender Parallelismus genannt[2].

Neben dem Substantiv מרפא ist das Wort מתוק auffällig. Es
wird meistens als Adjektiv aufgefasst. Dann würde sich מתוק
eher zu "Honigseim" als zu "liebliche Worte" beziehen; obwohl
nicht unbedingt das Adjektiv nach Zahl und Geschlecht übereinstimmt. So kann es im Nominalsatz gelegentlich unflektiert

---

1 Siehe oben 38.

2 Zur Problematik des Ausdrucks vgl. PODECHARD, Notes 299;
  SELLIN-FOHRER, Einleitung 47.

bleiben, z.B. Ps 119,137: ישר משפטיך "gerecht sind deine Ge-
richte" (Ps 22,2; 119,155; vgl. auch Ex 17,12)[1]. מתוק kann
aber gut als Substantiv parallel zu מרפא stehen. Auch an andern Stellen ist der substantivische Gebrauch möglich (Ri 14,14;
Jes 5,20; Hld 2,3; Spr 24,13; 27,7; Koh 5,11; 11,7; Ez 3,3).
Dagegen eher ein Adjektiv (Ri 14,18; Ps 19,11)[2]. Die LXX bezieht מתוק (γλύκασμα δὲ αὐτῶν) auf "Worte" (λογοί).
אמרי־נעם ist eine Enallage. נעם steht anstelle eines Adjektivs (Gen. qualitatis).

Die Alliterationen auf מ und ר unterstreichen die Wirkung
der "lieblichen Worte": אמרי נעם מתוק מרפא לעצם

Auslegung:

אמרי־נעם werden hier mit dem Honig, der damals in Palästina
als besonders hochgeschätztes Genussmittel (vgl. Ri 14,18;
1 Sam 14,25ff.; Ps 19,11 u.a.) und als schneller Kraftspender
(1 Sam 14,27ff.) galt, gleichgesetzt[3].

נעם hat zunächst die Bedeutung von einem vertraulichen Umgang.
So wendet David das Wort im Klagelied über Jonatan an: "Wie
weh ist mir um dich, ... du warst mir so lieb (ועמת לי)" (2
Sam 1,26). Aehnlich drückt Ps 27,4 das Verlangen nach einem
vertrauten Umgang mit Jahwe aus (vgl. Ps 90,17).

Ferner bedeutet das Wort auch "anmutig", "schön". So wird es
in Gen 49,15 von einer Gegend ausgesagt. Auch der Bräutigam
spricht mit diesem Wort seine Braut an: "Wie schön bist du
(מה־יפית) und wie anmutig (מה־נעמת), Geliebte" (Hld 7,7).

In welchem Sinne nun נעם an unserer Stelle gemeint ist, lässt

1 GESENIUS-KAUTZSCH, Grammatik § 145 r; JOÜON, Grammaire
  § 148 b.

2 BARTH, Nominalbildung § 23 b.

3 Vgl. SILBERMAN, BHH II 747; siehe auch unten Kapitel III 181f.

sich vor allem durch die beiden Wörter מתוק und מרפא bestimmen. Einige Exegeten beziehen מתוק und מרפא zu "Honigseim"
und übersetzen נפש mit "Kehle". So wie Honig süss für den
Gaumen ist und Heilkraft hat, so sind angenehme Worte denen
schmackhaft, an die sie gerichtet sind[1]. Doch ist es wahrscheinlicher, die beiden Begriffe mit "Worte" zu verbinden
(vgl. Grammatikalisches).

נפש bezeichnet das vitale Verlangen, Begehren des Menschen[2].
Jeder dürstet nach Anerkennung und Lob. Parallel dazu steht
עצם und meint hier sein Selbst, den Kern seiner Persönlichkeit (= Identität) (Jer 20,9; 23,9; Ijob 4,14; 20,11; 30,17;
Ps 6,3; 35,10; 51,10; Spr 3,8)[3]. Solche Worte sind süss, d.h.
sie sind angenehm zu hören und befriedigen das Verlangen des
Menschen (נפש). Sie haben für ihn selbst (עצם) eine heilende Wirkung (מרפא). Der Ausdruck אמרי־נעם meint hier nicht
nur "anmutige", "schöne" Worte; es sind vielmehr "liebevolle",
"mit Wohlwollen gesprochene Worte", die heilend wirken (vgl.
Spr. 12,18; 15,4)[4]. Sie entstehen aus einem echten Bedürfnis,
dem andern zu helfen. So erwecken sie im Hörenden Vertrauen
und fördern dadurch das gegenseitige Verhältnis zueinander.

15,26   תּוֹעֲבַת יְהוָה מַחְשְׁבוֹת רָע   וּטְהֹרִים אִמְרֵי־נֹעַם:

> Ein Greuel für Jahwe sind Pläne des Bösen,
> aber rein[a] sind liebliche Worte
> (od. aber die Reden der Reinen sind Lieblichkeit).

---

1 Vgl. BARUCQ, Proverbes 142; SCOTT, Proverbs 105; ALONSO-
  SCHÖKEL, Proverbios 81; McKANE, Proverbs 493.

2 WOLFF, Anthropologie 33-35.

3 KBL 728; vgl. HENNINGER, Neuere Forschungen 673-702, bes.
  699f.

4 Zu Spr 12,18 siehe unten 294; zu 15,4 siehe unten 280.

Textanmerkungen:

a   Die LXX liest ἀγνῶν δὲ ῥήσεις σεμναί   "die Worte
der Reinen sind ehrbar". Die BH schlägt deshalb die
Lesung טְהֹרִים וְאִמְרֵי vor[1]. Symmachus (ἀγναί) und
Theodotion (καθαραί) halten sich aber an den MT
(vgl. auch Targ., Peschitta, Vulg.). FRANKENBERG
glaubt, dass in טהרים ein ursprüngliches רְצֹנוֹ
stecke mit Verwechslung der Laute ט und צ [2]. Wie
schon EHRLICH richtig bemerkt, ist diese Erklärung
sicher zu weit gesucht[3]. Am besten wird man טהרים
als ein Synonym zu רצון erklären (vgl. Auslegung).

Grammatikalisches und Stilistisches:

Nach dem MT sind in V.26 zwei Nominalsätze, bei denen die Prädikate am Anfang stehen. Dadurch werden die beiden Wertbegriffe besonders hervorgehoben (Emphase). Häufig steht der Ausdruck
"ein Greuel Jahwes" am Anfang (Spr 11,20; 12,22; 15,9; 16,5;
17,15b; 20,10b; 20,23).

Nach der Lesung der LXX אמרי טהרים   wird ein Chiasmus gebildet. Dann entsprechen sich תועבת יהוה   und   נעם .

רע ist wahrscheinlich ein Abstractum pro concreto. Häufig
werden die Feinde mit einem abstrakten Begriff gefasst (vgl.
Spr 2,12; Ps 5,5) [4].

Die Alliterationen auf בת   und   רמ   verbinden die Wertbegriffe
mit den Subjekten und heben dadurch das Greuelhafte der bösen
Pläne, bzw. das Wohlgefällige der lieblichen Worte speziell hervor: נעם אַמְרֵי טהֹרִים / תועבת מחשבת

---

1 GEMSER, Sprüche 69, lässt diese Interpretation offen.
Dagegen McKANE, Proverbs 483, hält den MT für wahrscheinlicher.

2 FRANKENBERG, Sprüche 94.

3 EHRLICH, Randglossen 86.

4 Vgl. KEEL, Feinde 70.

Auslegung:

Das Wort מחשבת wird für "Denken und Planen" im positiven wie
negativen Sinne verwendet. Es sind die planenden Gedanken, die
auf Gutes oder Schlechtes aus sind. Die guten Pläne werden gelingen, wenn ihnen weisheitliches Verhalten entspricht (Spr
15,22; 20,18; vgl. auch 16,3; 19,21). Häufig wird aber das
Wort oder das Verb חשב im negativen Sinne gebraucht[1].

Da in V.26 מחשבת den Worten gegenübersteht, ist dieses "Denken, Trachten und Planen" eng mit dem Reden verbunden (vgl. Ps
52,4). KEEL hat darauf hingewiesen, dass in den Psalmen im Zusammenhang mit den schlimmen Absichten und Plänen der Feinde
regelmässig ihre Lügen und Verleumdungen genannt werden. Sie
planen in ihrem Herzen, wie sie den Gegner durch Lüge, Verleumdung und Täuschung verwirren und zugrunderichten können[2]. So
macht sich der Böse Pläne, wie er durch geschickte Worte seinen Gegner hintergehen kann, um ihm Schaden anzurichten. Solches Verhalten wird unter Jahwes Urteil gestellt (vgl. Spr 6,
16.18)[3].

Da der Ausdruck "Worte" den bösen menschlichen "Plänen" gegenübergestellt ist[4], bezeichnet der Ausdruck hier mehr als ästhe-
tisch "schöne Worte". Solche Worte fördern den vertraulichen
Umgang und sind auf das Wohlwollen gegenüber den andern ausgerichtet. Es sind liebliche Worte mit guter Absicht (im Gegen-

---

1 Vgl. SCHOTTROFF, THAT I 645f.; KEEL, Feinde 164-166.

2 KEEL, Feinde 165.

3 Zum Ausdruck תועבת יהוה siehe Kapitel II 140f.

4 Man kann sich fragen, ob hier ein Gegensatz besteht zwischen
  מחשבת (unausgesprochen) und אמרי (Worte = ausgesprochen)
  oder ob אמרים ähnlich wie אמר "denken" (z.B. Ps 14,1) auch
  "Gedanken" heissen könnte. Ein Vergleich mit den Belegstel-
  len aber zeigt, dass אמרים nirgends "Gedanken" bedeutet,
  sondern immer für ausgesprochene Worte steht. Vielfach kommt
  das Wort in Verbindung mit פי vor.

satz zu מחשבת), "words of goodwill spoken with benevolent
intent, words which are the cement of a society"[1]. Der צדיק
in Ps 141,6 nimmt für sich in Anspruch, dass seine Worte lieb-
lich sind. Deshalb wünscht er, dass es zu einer gerichtlichen
Auseinandersetzung mit den רשעים käme, denn dann müsste man
bald erkennen, wie "wohlwollend" seine Worte sind (ושמעו
אמרי כי נעמו)[2].

Nach dem MT bildet טהרים die Antithese zu תועבת יהוה
und scheint anstelle des gewöhnlich gebrauchten רצון zu
stehen[3]. Nach der LXX werden die "Worte der Reinen" als נעם
beurteilt. Der Ausdruck טהרים ist dann ähnlich wie in Spr
22,11 im moralischen Sinn gebraucht und bezeichnet Menschen
mit lauterer Gesinnung. Sie hegen keine schlechten Gedanken
und ihre Rede enthält weder Lüge noch Verleumdung.

Zusammenfassung: 16,24 und 15,26

Die Auslegungen haben bestätigt, dass der Ausdruck אמרי-נעם
mehr als nur "anmutige, schöne Worte" bezeichnet. Man versteht
darunter eine Rede, die keine versteckte Absicht verbirgt und
auf das Wohl und gute Verhältnis untereinander ausgerichtet
ist. Solche Reden finden deshalb das Wohlgefallen bei Jahwe.

---

1 McKANE, Proverbs 483.

2 Vgl. KRAUS, Psalmen II 927.929f.; dagegen aber GUNKEL, Psalmen 596.598.

3 Aehnlich interpretieren HARTOM, משלי 51; SCOTT, Proverbs
  101; ALONSO-SCHÖKEL, Proverbios 78; McKANE, Proverbs 483.

12,25   דְּאָגָה בְלֶב־אִישׁ יַשְׁחֶנָּה   וְדָבָר טוֹב יְשַׂמְּחֶנָּה:

Kummer im Herzen eines Mannes drückt einen nieder[a],
aber ein freundliches Wort erfreut einen[b].

Textanmerkungen:

a   Oft wird תַּשְׁחֶנּוּ oder תַשְׁחֶנָּה vorgeschlagen.
DRIVER leitet יַשְׁחֶנָּה von שׁוח (שׁיח) "zerfliessen"
ab[1] und punktiert zu יְשִׁיחֶנָּה [2]. Später liest
DRIVER יְשִׁיחֶנְהוּ von שׁוח I "sinken"[3]. DAHOOD
sieht eine energische Form ("energic form") von
der Wurzel שׁחן (Hif.), die mit dem Ugaritischen
šḥn "heiss sein", "brennen" zu vergleichen ist.
Im Hebräischen ist diese Wurzel nur noch im Wort
שְׁחִין "entzündete Stelle" erhalten. Danach müsste
keine Korrektur vorgenommen werden[4]. Doch ist hier
die übliche Uebersetzung vorzuziehen, da der Gegensatz zwischen "niederdrücken" und "erfreuen"
doch eher anzunehmen ist. Obwohl die LXX deutlichere Antithesen setzt und moralisierend wirkt,
hat auch sie noch diesen Gegensatz bewahrt:
Φοβερὸς λόγος καρδίαν ταράσσει ἀνδρὸς δικαίου,
ἀγγελία δὲ ἀγαθὴ εὐφραίνει αὐτόν.
"Ein furchtbares Wort trübt das Herz des Gerechten, aber eine gute Nachricht erfreut ihn"[5]. Auch
die Vulg. übersetzt ähnlich: meror in corde viri
humiliabit illud et sermone bono laetificabitur.

b   Meistens liest man יְשַׂמְּחֶנָּה oder יְשַׂמְּחֶנּוּ (vgl. BH).
Nach GREENFIELDs Studien kann die Wurzel שׂמח auch
in einigen biblischen Texten "hell scheinen" heissen. Z.B. Spr 13,9: "Das Licht des Gerechten wird
hell erscheinen (יִשְׂמָח), aber die Lampe des Frevlers erlischt"[6].
DAHOOD schliesst deshalb, dass auch hier diese Bedeutung anzunehmen sei, falls in V.25a die Wurzel

---

1 Vgl. KBL 954.

2 DRIVER, Studies in the Vocabulary 280: "anxiety in a man's
heart maketh it melt".

3 Ders., Hebrew Studies 176: "anxiety in a man's heart de-
presses him".

4 DAHOOD, Proverbs 27.

5 Vgl. GERLEMAN, Studies 22f.41.

6 GREENFIELD, Lexicographical Notes 147.

שׁחֹן vorliegt. Er übersetzt: "Kummer im Herzen
eines Mannes macht Fieber, aber ein freundliches
Wort macht leuchtend"[1]. Wenn auch die Wurzel שׁמחה
die Bedeutung "glühen" haben kann, wie GREENFIELDs
Zusammenstellung der verschiedenen semitischen
Sprachen zeigt (Ugaritisch, Aramäisch, Hebräisch,
Syrisch)[2], ist doch hier die übliche Interpretation von "niederdrücken" (V.25a) und "erfreuen",
bzw. "hochmachen" (V.25b) wahrscheinlicher, da
ähnliche Ausdrücke in der Bibel belegt sind ("das
Herz erfreuen": Ps 19,9; 104,15; Spr 15,30; 27,
9.11) (vgl. Auslegung). DAHOODs Vorschlag hat höchstens den Vorteil, dass keine Korrekturen vorgenommen werden müssen.

Grammatikalisches und Stilistisches:

V.25a/b bestehen aus zwei zusammengesetzten Nominalsätzen mit
den beiden Subjekten "Kummer im Herzen eines Mannes" und "ein
freundliches Wort".

Schwierigkeiten bereiten die Nichtübereinstimmung des Subjekts
"Kummer" mit dem Verb "drückt nieder" und die beiden Feminin-
suffixe, die sich zu לֵב (masc.) zu beziehen scheinen. BUBER
löst die Schwierigkeit dadurch, dass er die Suffixe auf דאגה
bezieht und יְשֶׁחֶנָּה mit dem unbestimmt persönlichen "man"[3]
übersetzt: "Besorgnis im Mannesherzen, man dränge sie nieder,
eine gute Anrede überfreut sie schon wieder"[4]. Nach ihm sind
im zusammengesetzten Nominalsatz V.25a das Uebersubjekt und
das Subjekt des Prädikatssatzes nicht identisch, deshalb wird
das Uebersubjekt durch ein Bindepronomen im Prädikatssatz
wieder aufgenommen[5].

---

1 DAHOOD, Proverbs 27.

2 GREENFIELD, Lexicographical Notes 151.

3 GESENIUS-KAUTZSCH, Grammatik § 144 d; JOÜON, Grammaire
  § 155f.

4 BUBER, Gleichsprüche 234.

5 NYBERG, Grammatik § 85 g.

Wenn noch die Uebersetzung in V.25a möglich wäre, ist doch
V.25b schon etwas gesucht.

Die Nichtübereinstimmung zwischen einem Verb und dem Subjekt
kommt im Hebr. öfters vor (vgl. Spr 2,10b, wo nach דעת (fem.)
die 3. Pers. Sing. masc. gebraucht wird; ebenso 14,6; 18,14)[1].

Ungewöhnlich sind aber die beiden Femininsuffixe, die auf לב
zurückzuweisen scheinen. Nach der Grammatik kommt es zwar oft
vor, dass Maskulin-Suffixe auf weibliche Substantive sich beziehen. Z.B. Ex 11,6: "Es wird ein grosses Wehgeschrei (צעקה)
im ganzen Aegypterland anheben, wie es (כמהו) noch nie gewesen ist" (vgl. Ri 11,34 u.a.)[2]. Aber für den umgekehrten Fall
gibt die Grammatik keine Beispiele.

Man könnte sich überlegen, ob hier vielleicht die beiden
Suffixe der 3. Pers. Sing. fem. nicht ein unbestimmtes persönliches Subjekt ausdrücken wollen. Schon der Ausdruck בלב־איש
weist darauf hin, dass hier an eine unbestimmte Person gedacht
wird: "Kummer im Herzen (eines Mannes) drückt einen nieder,
aber ein gutes Wort erfreut einen". Allerdings kennt die Grammatik das Suffix der 3. Pers. Sing. fem. nur für unpersönliche
Pronomen. Es weist jeweils zusammenfassend auf einen im Vorhergehenden enthaltenen Tätigkeitsbegriff hin[3].

In V.25 findet sich ein Homoioteleuton יְהֶנָּה: ישמהנה / ישחנה
Dazu enthält das Sprichwort Alliterationen auf ב und שׁ :
בלב־איש ישוונה ודבר טוב

Auslegung:

Das Qal "sich bücken" und das Hif. "niederbeugen" von שׁחה ist
nur je einmal bezeugt; dagegen ist das Hitp. "sich tief beugen",

---

1 Ueber die Inkongruenz zwischen Subjekt und Verbalform vgl.
  DRIVER, Hebrew Studies 164-176.
2 GESENIUS-KAUTZSCH, Grammatik § 135 o; JOÜON, Grammaire § 149
  a und b.
3 GESENIUS-KAUTZSCH, Grammatik § 135 p.

"sich neigen" sehr häufig (170x). DRIVER vergleicht unsere
Stelle mit Ps 44,26: "unsere Seele ist gebeugt (שׁחה) in den
Staub und mein Bauch klebt am Boden" und bringt das Wort mit
שׁוח "sinken" zusammen. Wenn auch inhaltlich das Gleiche gemeint ist, so ist doch die Wurzel שׁחה die wahrscheinlichere
(ohne Aenderung der Vokalisation). Sorgen können einen Menschen tief bedrücken. Ein ähnlicher Gedanke wird auch in Spr
15,13 ausgedrückt: "Bei Herzenskummer ist das Gemüt niedergeschlagen (נכאה)" (vgl. Spr 17,22).

Im Gegensatz zur Sorge steht דבר טוב . GREENFIELD hat darauf
hingewiesen, dass die Wurzel שׂמח sowohl im Akk., wie auch im
Arab.[1] mit "hoch sein" übersetzt werden kann[2]. Diese Bedeutung steht in einem besseren Gegensatz zu "niederbeugen".
"Hochsein" meint - wie übrigens auch im Deutschen - "bei guter Stimmung sein", "sich freuen". Auch das Verb רום hat öfters den gleichen Sinn (vgl. z.B. Ps 13,3; 89,17)[3].

Was versteht man nun unter דבר טוב ? Meistens wird טוב mit
"gut" übersetzt[4]. Es sind hier wohl ermunternde Worte gemeint,
die einen Niedergedrückten aufrichten. Es sind einfühlende
Worte, die genau auf die innere Verfassung des andern eingehen[5]. Besser ist, טוב mit "freundlich", "wohlgesinnt" zu
übersetzen[6]. Solche wohlwollende Worte haben erst dann ihre
volle Wirkung, wenn sie mit Sympathie begleitet sind. Sie müssen wirklich von Herzen zu Herzen gesprochen werden.

In diesem Sinne wird unser Sprichwort von den beiden Prover-

---

1 Vgl. KOPF, Arabische Etymologien 249.

2 GREENFIELD, Lexicographical Notes 141-151.

3 Vgl. DAHOOD, Psalm I 77; KOPF, Arabische Etymologien 249.

4 Vgl. TUR-SINAI, Mischle 213; DUESBERG-AUVRAY, Proverbes 57;
  ALONSO-SCHÖKEL, Proverbios 68; McKANE, Proverbs 229 u.a.

5 Vgl. McKANE, Proverbs 446.

6 Vgl. COHEN, Proverbs 78; GEMSER, Sprüche 60 u.a.

bien 15,13a und 17,22 noch ergänzt: "Ein frohes Herz (לב שמחה)
macht das Angesicht heiter"; "ein frohes Herz bringt gute Heilung".

Der Stimmungswechsel des altorientalischen Menschen vollzieht
sich überaus rasch und heftig[1]. Er steht den äusseren Eindrük-
ken in einer besonderen Tiefe offen. Einmal ist er tief bedrückt und niedergeschlagen, aber schon der geringste Licht-
strahl vermag neue Hoffnungen zu wecken[2]. Begreiflich, dass
ein gutgemeintes Wort solchen Menschen gegenüber besonders
wirksam sein konnte.

Unter dem Ausdruck דבר טוב könnte man auch ein Wort mit gutem
Inhalt verstehen (vgl. LXX ἀγγελία δὲ ἀγαθή). So wird טוב
an zwei Stellen für die erfreuliche Nachricht verwendet, die
Hoffnungslose wieder aufrichtet (Spr 15,30; 25,25; vgl. auch
Gen 45,28).

In diesem Abschnitt wurde dargelegt, dass es den Weisheitslehrern nicht nur um eine ästhetische Form ging. Gleichzeitig
mussten die schöngeformten Worte auch wohlgesinnt und wohlwollend sein (Spr 16,24; 15,26; 15,28; 12,25). Die Begriffe נעם
und טוב zeigen deutlich, wie sehr sich die Wörter "schön" und
"wohlgesinnt" einander entsprechen.

An zwei Stellen ist das Adjektiv רך "sanft" mit der Rede verbunden (Spr 15,1; 25,15). Wir werden uns im folgenden zu fragen haben, was dieser Ausdruck in den betreffenden Proverbien
beinhaltet.

---

1 Vgl. KÖHLER, Hebräische Mensch 108-110; FOHRER, Hiob 114;
  KEEL, Feinde 66, gibt eine Anzahl von Belegen aus der altorientalischen Literatur.

2 Zu den berühmten "Stimmungsumschläge" in den Psalmen vgl.
  KEEL, Feinde 66 Anm. 128.

4. Die feinsinnige, schmeichelhafte Rede

15,1 מַעֲנֶה־רַךְ יָשִׁיב חֵמָה   וּדְבַר־עֶצֶב יַעֲלֶה־אָף:

> Eine linde Antwort kehrt den Grimm ab,
> aber eine kränkende Rede erregt den Zorn.

Grammatikalisches und Stilistisches:

Es handelt sich um zwei zusammengesetzte Nominalsätze mit
normaler Wortfolge. Die beiden Glieder sind einander entgegengesetzt (antithetischer Parallelismus).

Zwischen מַעֲנֶה und יַעֲלֶה besteht eine Assonanz. Bemerkenswert
sind auch die häufigen a- und ä-(e) Vokale.

Auslegung:

Das Verb רכך kommt in Verbindung mit Oel in Ps 55,22 vor:
"seine Worte sind linder als Oel" (vgl. auch Jes 1,6). Oel hat
nicht nur eine heilende Wirkung[1], sondern es macht auch die
Haut geschmeidig[2]. Auch werden damit Schuhe und Sandalen einge-
salbt, damit sie weicher werden[3].

Die "sanfte", "gelinde" Rede hat eine ähnliche Wirkung wie das
Oel. Sie erweicht einen zornigen Menschen. Indem man mit einem
solchen Menschen sachte umgeht und ruhig mit ihm spricht, kann
man ihn besänftigen. Das Wort רַךְ kann auch für "schmeichelnde" Reden (im negativen Sinn) stehen. So verbirgt sich in Ps
55,22 hinter der Maske der freundlichen Worte das Gesicht des
Feindes. Die LXX hat vielleicht den Ausdruck רך als störend
empfunden und ihn eher negativ gewertet und deshalb mit

---

1 Vgl. DALMAN, AuS IV 260ff.; LUTFIYYA, Baytin 113.

2 DALMAN, AuS IV 259.

3 Ebd. 263.

ἀπόκρισις ὑποπίπτουσα   "unterwürfige Antwort" übersetzt.
Dadurch nähert sich die LXX den ägyptischen Lehren im Neuen
Reich, die dem Zornigen gegenüber eher eine zurückhaltende
passive Haltung empfehlen. So wird z.B. bei Amenemope angeraten, dem Heisssporn demütig zu begegnen: "Schirme keinen Zank
an mit dem Heisssporn und stich ihn nicht mit Worten. Zögere
vor dem Feind und beuge dich vor dem, der verletzt" (5,10-12).
"Der Heisse in seiner Stunde, ob du auch von ihm abgewiesen
wirst, so lass ihn in Ruhe, der Gott wird ihm zu antworten wissen" (5,15-17). "Geselle dich nicht zu dem Hitzigen und dränge
dich nicht ihm auf zu Gespräche" (11,13-14).

Bei Amenemope wird dieses Verhalten einem Zornigen gegenüber
religiös motiviert (vgl. auch Anii 8,14-16)[1].

Von einer solchen Haltung ist aber in unserem Sprichwort nicht
die Rede. Im Gegenteil, Spr 15,1 weist darauf hin, dass man
einem zornigen Menschen mit viel Geschick begegnen muss. Wer
es versteht, möglichst liebliche, vielleicht sogar schmeichle-
rische (im guten Sinn) Worte zu gebrauchen, der wird auch einen
solchen Menschen wieder für sich gewinnen können. Mit der "sanften Rede" versucht man einen erbosten Menschen umzustimmen. Dazu braucht es aber ein feines Gespür.

Der Weise versteht es besonders, dem Zorn des Königs zu begegnen. Er weiss von der Gefährlichkeit des königlichen Zornes,
der dem Knurren des Junglöwen gleicht (Spr 19,12; vgl. auch
20,2)[2] und besitzt die Gabe, den Zorn des Königs zu beschwich-

---

1 Die religiöse Motivierung entspricht dem Geist der Spätzeit,
  "in der das Verhältnis zwischen Gott und Mensch unmittelbar
  und persönlicher geworden ist und alle Lebensgrundsätze religiös motiviert werden" (LANCZKOWSKI, Reden und Schweigen
  196; vgl. auch BRUNNER, Freie Wille Gottes 108-112; MORENZ,
  Gott 66-71).

2 Aehnlich heisst es in den Sprüchen Achikars (5. Jh., Elephantine): "Siehe, vor dir etwas Grausiges: Im Anblick des Königs
  bleib nicht stehen; denn geschwinder ist sein Zorn als der
  Blitz. Du hüte dich; er möge (dir) ihn nicht zeigen wegen deiner Worte sonst wirst du dahingehen zur Unzeit" (101f.).

tigen (Spr 16,14).

Im Gegensatz dazu wirken דבר־עצב wie Gift. עצב bedeutet
"kränken", "betrüben", "schmerzen". Im Hif. kann das Verb mit
"zum Zorne reizen" übersetzt werden (vgl. Ps 78,40). Unter
diesem Ausdruck versteht man Worte, die andere verletzen. Wahrscheinlich ist dabei an eine harte Antwort gedacht, die man
einem Zornigen heimzahlt. Durch eine solche erregte Reaktion
löst man keine Konflikte, sondern reizt den Zorn noch mehr.

Schon in der ägyptischen Lehre des Anii (NR) wird gewarnt,
einem Zornigen gegenüber hart zu antworten: "Eile nicht, den
der dich gekränkt hat, wieder zu kränken..." (8,14). "Antworte
einem Vorgesetzten nicht im Zorn, weiche zu seinen Gunsten zurück. Sprich sanft, während er bitter spricht. Das ist das Mittel, das das Herz beruhigt" (9,8f.).

25,15   בְּאֹרֶךְ אַפַּיִם יְפֻתֶּה קָצִין   וְלָשׁוֹן רַכָּה תִּשְׁבָּר־גָּרֶם:

Durch Geduld wird ein Fürst[a] überredet[b],
eine linde Zunge zerbricht Knochen.

Textanmerkungen:

    a   FRANKENBERG und BH ändern zu קְצֵף [1].

    b   TOY findet das Verb hier unangebracht und korri-
       giert zu יִשְׁקֹט קֶצֶף (vgl. Spr 15,18 "is appeased
       or pacified")[2].

Grammatikalisches und Stilistisches:

V.15a scheint ein Verbalsatz zu sein (Adverbiale Bestimmung,
Prädikat, Subjekt). Doch ist dieser Halbvers nach Absicht der
Aussage besser als zusammengesetzter Nominalsatz zu verstehen,
in dem die präpositionale Bildung als Subjekt fungiert (vgl.

---

1 Vgl. FRANKENBERG, Sprüche 141.
2 TOY, Proverbs 464, übersetzt: "By forbearance 'anger is
   pacified'".

Spr 11,10; 11,14; 12,28a u.a.)[1]. "Durch Geduld: es wird ein
Fürst überredet".

Analog dazu ist auch V.15b ein zusammengesetzter Nominalsatz:
"eine linde Zunge: sie bricht Knochen".

קצין kommt von der Wurzel קצה II (Dehnstufe von qatil, hier
substantivisch; vgl.פקיד "Angestellter" von פקד). Zu קצין
vgl. das Arab. al qā́di; das נ ist sekundär, etwa nach דָּיָן [2].

יפתה ist hier eine Hyperbel. Man kann sich nicht vorstellen,
dass ein Fürst sich "betören" lässt. Vielmehr ist der Unerfah-
rene dieser Gefahr ausgesetzt (Spr 1,10).

Im Ausdruck "linde Zunge zerbricht Knochen" handelt es sich um
ein Oxymoron[3]. Hier werden zwei Grössen in eine effektvolle,
scheinbar widersinnige Beziehung gesetzt (Paradoxie). Diese
Stilfigur ist hier besonders gut geeignet, weil dadurch die
scheinbar unmögliche Wirkung einer fein ausgedachten Rede aufgezeigt wird. Dies wird noch durch die Alliterationen auf שׁ
und ר unterstrichen: לשׁון רכה תשׁבר־גרם (vgl. auch
häufige a-Vokale).

Auslegung:

In 25,15 wird die Kunst, einen etwas hartnäckigen Vorgesetzten
zu überzeugen, dargelegt. Dazu braucht es viel Geschick und Geduld. Diese Tugend wird in den Proverbien viel gepriesen. In
14,29 wird der Langmütige (ארך אפים) dem Jähzornigen und in
15,18 dem Hitzigen entgegengesetzt. Während der Hitzige Zank
herbeiführt, stillt der Langmütige den Hader (15,18). In 16,32
wird vom Langmütigen ausgesagt, dass er selbst einem Helden und
Städteeroberer vorzuziehen sei.

---

1 Vgl. HERMISSON, Studien 159f.
2 BAUER-LEANDER, Grammatik § 61 nα .
3 Vgl. KÖNIG, Stilistik 165.

Einige Exegeten übersetzen das Wort קצין mit "Richter"[1]. Es gehört mit dem arab. qāḍin "Richter" zusammen, welches von qaḍā
"richten" abzuleiten ist. Das Wort hat aber auch eine allgemeine Bedeutung "bestimmen", "entscheiden", "durchführen". In
Jos 10,24; Ri 11,6.11 und Dan 11,18 sind militärische Führer
gemeint, bei Jesaja aber Magistraten der Stadt (Jes 1,10;
3,6f.; 22,3), bei Micha (3,1.9) die verschiedenen Verantwort-
lichen des Volkes[2]. An unserer Stelle wird wohl auch die allgemeine Bedeutung "Fürst", "Vorsteher" gemeint sein, wie dies
viele Kommentatoren annehmen[3].

Das Verb פתה I hat gewöhnlich eine negative Bedeutung "verlocken", "verführen" (Spr 1,10; 16,29), "durch heuchlerische
Worte betrügen" (Ri 14,15; 16,5; 2 Sam 3,25)[4]. Doch muss das
Wort nicht immer negativ verstanden werden[5]. So hat es in Hos
2,16 durchaus nicht den Sinn von "verführen" oder "durch
heuchlerische Worte betrügen"[6]. Der Ausdruck wirkt in 25,15
sehr übertreibend. Es muss überraschen, dass an dieser Stelle
ein Fürst von einem Untergebenen fast wie ein Unerfahrener
sich verlocken lässt. In dieser Hyperbel kommt zum Ausdruck,
wie man mit raffinierten und gewiegten Worten einen andern
Menschen, selbst einen Vorgesetzten, umstimmen kann. Eine solche Art der Ueberredung wird bei uns eher negativ bewertet,
nicht aber beim Orientalen. Solches Reden ist erst dann zu verwerfen, wenn dahinter eine böse Absicht versteckt ist (vgl.

---

1 FRANKENBERG, Sprüche 141; RINGGREN, Sprüche 101; GEMSER,
Sprüche 90.

2 Vgl. WILDBERGER, Jesaja 37.

3 So OESTERLEY, Proverbs 225; HARTOM, משלי 84; SCOTT, Proverbs 154; BARUCQ, Proverbes 194; ALONSO-SCHÖKEL, Proverbios 112; McKANE, Proverbs 251.

4 KBL 786.

5 Vgl. SKLADNY, Spruchsammlungen 49; HARTOM, משלי 84.

6 Das Wort hat in Hos 2,16 die Bedeutung von "geduldiges
Ueberreden" (vgl. RUDOLPH, Hosea 75).

Ps 55,22; Ri 14,15; 16,5).

Ein anschauliches Beispiel bietet uns die Erzählung von Abigail. Diese Frau versteht es, den zornigen David zu beschwichtigen. Mit übertriebener Höflichkeit, mit weiblicher Charme und überlegener Klugheit kann sie ihn umstimmen (1 Sam 25,20-35). Aehnlich erreicht auch die Frau von Thekoa durch ihre geschickt vorgebrachte Rede, dass Absalom wieder zu Gnaden kommt (2 Sam 13,38-14,33) [1].

Im zweiten Glied wird mit einem Bild die erstaunliche Wirkung der "sanften Rede" aufgezeigt. ZIMMERMANN findet den Ausdruck "bricht Knochen" hier unangebracht und erklärt das Wort גרם nach dem Aethiopischen, das "dignitas, gravitas, auctoritas" bedeute. Somit sei das Wort ein Synonym zu קצין . שבר bedeute zunächst "brechen", heisse an dieser Stelle aber "gewinnt über". Diese Bedeutung sei in der späten rabbinischen Sprache im Gebrauch. Deshalb habe V.15b die Bedeutung: "eine sanfte Rede gewinnt für sich, stimmt günstig den, der Rang, Autorität hat" [2]. Dagegen wehrt sich mit Recht MERLE RIFE. Er weist darauf hin, dass der Ausdruck "bricht Gebein" in einem modernen griech. Sprichwort durchaus gebraucht wird: "Die Zunge hat kein Gebein, aber bricht Gebein" [3]. Es ist nicht einzusehen, wieso ZIMMERMANN eine andere Uebersetzung vorschlägt, nachdem so treffend die ungeheure Macht einer geschickten Rede geschildert wird (vgl. Stilistisches).

In diese Richtung weisen auch verschiedene arabische Sprichwörter, die HÄFELI gesammelt hat: "Eine sanfte Rede öffnet ein eisernes Tor" oder "Freundliche Rede lockt selbst die Schlange aus ihrem Loch hervor" [4].

---

1 Vgl. HERTZBERG, Samuelbücher 265-270; HOFTIJZER, David 419-444.

2 ZIMMERMANN, Notes 303-308.

3 MERLE RIFE, Note 118f.

4 HÄFELI, Spruchweisheit Nr. 595, gibt eine Reihe verschiedener ähnlich lautenden arabischer Sprichwörter an.

Man kann vermuten, dass in 25,15 an die geschickte Rede der
Beamten und Ratgeber gedacht ist. Wer in der Lage war, seine
Rede diplomatisch zu gebrauchen, konnte überall seine und die
Interessen anderer vertreten (vgl. Spr 22,29; Sir 8,8)[1]. Zwei
schöne Beispiele solcher ausgefeilter politischer Reden liest
man in 2 Sam 17,1-13. Die Reden des Achitophels und des Chuschajs sind Anwendungen einer hochkultivierten Rhetorik, eines
preziösen Gebrauchs der Sprache. Die Rede des Chuschajs über-
trifft jene des Achitophels vor allem dadurch, dass sie einen
Appell an die Eitelkeit des Prinzen enthält (2 Sam 17,11).
Die Wirkung bleibt nicht aus. Der ganze Kriegsrat wird von
der Rede Chuschajs angesteckt und hält den schlechteren Rat
für den besseren[2].

Während es in Spr 15,1 eindeutig um sanfte, nicht verletzende
Worte (im Gegensatz zu "kränkende Rede") geht, sind in Spr
25,15 mit dem Ausdruck לשון רכה eher an freundliche, angenehme, schmeichelhafte (pos.) Worte zu denken, die andere (besonders Vorgesetzte) zu überzeugen verstehen.

5. Zusammenfassung
_____

Es ist auffällig, wie einige Proverbien die Rede mit kostbaren Gegenständen vergleichen (10,20; 20,15; 25,11.12). Dabei
werden z.T. Vergleiche mit reichverzierten Gegenständen (mit
Gold- und Silbereinlagen) verwendet (vgl. bes. 25,11.12). Die
zahlreichen Zier- und Schmuckgegenstände der damaligen Zeit
zeigen uns anschaulich, dass der altorientalische Mensch besonders im bunten Gemisch von Farben und Figuren das Ent-

_____

1 Vgl. von RAD, Genesis 381; ders., Theologie I 444; ders.,
  Weisheit 29.139f.; vgl. auch de BOER, Counsellor 42-71.
2 Vgl. HERTZBERG, Samuelbücher 284f.

zückende und Schöne empfunden hat. Es ist deshalb nicht verwunderlich, dass diese überladenen Bilder ein Ausdruck für die
kostbare und zugleich schöne Rede waren; denn was kostbar war,
das war in den Augen des Hebräers auch schön[1].

Eine besondere Aufmerksamkeit wird der wohlgeformten Rede geschenkt (Spr 25,11; 15,2; 16,21.23; 22,11; 16,24). Sie ist besonders dazu geeignet, Erkenntnis und Wissen weiter zu geben.
Eine kunstvoll vorgetragene Rede besass Autorität und Macht[2].
Daneben diente sie auch einfach dazu, andere zu erfreuen[3].

Ein glänzendes Beispiel, wieviel die Weisheitslehrer diesbezüglich geleistet haben, sind die Sentenzen selber. Sie zeichnen sich durch ihre gelungenen Formulierungen, durch viel Witz,
durch kräftige Metaphern und Wortspiele aus. Alliterationen,
Paronomasien und der Parallelismus verleihen ihnen eine "sinn-
beschwörende Funktion". Alle diese stilistischen Eigenheiten
sind nie bloss schmückende Stilmittel, die das sprachliche Können der Weisheitslehrer beweisen, sondern sind Wesenszüge der
Dichtung und gewinnen gerade dadurch an Aussagekraft[4]. Es ist
uns eigentlich gar nicht mehr möglich wahrzunehmen, wieviel
Spielerisches, Witziges sich hinter diesen Formulierungen versteckt hält. Wären uns die feinen Nuancen der Sprache zugäng-
licher, so wäre uns der innere Sinngehalt dieser Sentenzen
noch viel klarer[5].

---

1 BOMAN, Hebräisches Denken 62-69.

2 SELLIN-FOHRER, Einleitung 45.

3 Vgl. HERMISSON, Studien 136; von RAD, Weisheit 401.

4 SCHMIDT, Studien 53-66, hat durch die Unterscheidung von
"konstitutiven und ornamentalen Motiven" das Wesentliche der
Dichtung völlig verkannt. So betrachtet sind die dichterischen Formen nur noch etwas Aeusserliches, ein belangloses
Rankenwerk. Jedes Kunstwerk ist aber eine Einheit und kann
grundsätzlich auf keines seiner Formelemente verzichten,
ohne an Wahrheit und Aussagekraft zu verlieren (vgl. ALONSO-
SCHÖKEL, Analyse 163f.; WEISS, Wege 278.291; ders., Bauformen 456-460; HERMISSON, Studien 139).

5 Vgl. von RAD, Weisheit 41-73, bes. 41f.72f.

Man wird nun aber nicht nur an die feinformulierten Worte der
Weisheitslehrer am Hofe denken müssen. Die schöne Form der Rede war auch im täglichen Leben entscheidend. Die Poesie war
in der Antike längst nicht so aus dem Alltagsleben zurückge-
zogen. Dazu gibt uns die Lehre des Ptahhotep ein anschauliches Beispiel: "Eine gute Rede (md.t. nfr.t) ist versteckter
als der grüne Edelstein und doch findet man sie bei den Skla-
vinnen über dem Mühlstein". Zweifellos wird hier unter dem
Ausdruck (md.t nfr.t) auch eine vollkommen geformte Rede gemeint sein[1]. "Ueberall im Alltag, bis in den diplomatischen
Verkehr der Staatsoberhäupter hinein hatte die Poesie ein
Hausrecht"[2]. Das ist bis heute so im Orient geblieben. Auch
die Umgangssprache der Araber ist geprägt durch kunstvolle
Sprichwörter und Zitate. Wer sich diesen Formelreichtum nicht
zu eigen macht, ist unter seinen Mitmenschen verachtet. Dagegen wer aus dem reichen Zitatenschatz Gebrauch macht, dem wird
aufmerksam zugehört[3].

Nicht nur in Israel wurde die kunstvolle Rede besonders gepflegt. Es ist auffallend, dass auch die aegyptische Literatur recht häufig von der schönen Rede spricht. So ermahnt
Ptahhotep: "Sei geduldig zur Zeit, wo du sprichst. Du sollst
etwas Besonderes (quelque chose de distingué) sagen, damit die
Vornehmen, die dich hören, sagen werden: 'Wie schön ist, was
aus seinem Munde kommt'" (624-627)[4]. Besonders auch in der 1.
Zwischenzeit und im MR wird eine besondere Freude an der schönen Rede bemerkbar. In der "Weissagung des Neferti" (12. Dyn.)
wird dem König Snofru der Wunsch nach einem Menschen zugeschrieben, "der mir einige schöne Worte sagen wird, auserlesene
Sprüche, die zu hören meine Majestät erfreut" (Zl. 7f.)[5]. Aehn-

---

1 Vgl. BRUNNER, Grundzüge 17.
2 von RAD, Weisheit 72.
3 Vgl. LUTFIYYA, Baytin 52, mit Literatur ebd. Anm.41.
4 Uebersetzung nach ŽÁBA, Maximes 104.
5 LANCZKOWSKI, Reden und Schweigen 191.

lich wird auch in den "Klagen des Bauern (Oasenbewohners)" (ca.
10. Dyn.) von der Kunst der schönen Rede gesprochen. Wie die
Belege aus dieser Zeit zeigen, geht es dabei nicht um Schönre-
derei, sondern das Formulieren einer gepflegten Sprache dient
dazu, wichtige Erkenntnisse zu verbreiten[1]. Auch im NR betont
Amenemope die schöne Gestalt der Lehre: "Sieh dir diese dreissig Kapitel an, sie sind ein Vergnügen, sie sind eine Lehre..."
(27,7f.)[2].

Wie die Auslegung gezeigt hat, geht es in den Proverbien nicht
bloss um die schöne Form der Rede. So stellte sich z.B. in
Spr 16,24 und 15,26 heraus, dass der Begriff נעם sowohl
"anmutig", wie auch "wohlgesinnt", "wohlwollend" bedeuten kann.
Neben der schönen Formulierung musste die Rede auch mit Wohlwollen gesprochen sein. Es ging also offenbar um mehr als um
ein ästhetisches Phänomen. Schön kann nur das sein, was
gleichzeitig auch gut ist. Dies zeigt sich wohl deutlich beim
Ausdruck טוב , der sowohl mit "schön" als auch mit "gut" übersetzt werden kann[3]. Erst wenn eine Rede wohlgesinnt und auf
freundliche Art vorgetragen ist, ist sie vertrauenserweckend
und findet bei den andern auch Anklang. Eine solche Rede aber
hat eine ungeheure Wirkung und kann Trost und Kraft spenden
(vgl. Spr 12,25).

Schliesslich ist noch der Begriff רך zu erwähnen. In diesem
Wort geht es weniger um eine wohlgesinnte als vielmehr um
eine geschickte und feinfühlige Rede, die nicht verletzend
wirkt. In dieser Hinsicht oblag den Weisheitslehrern eine besondere Aufgabe, dass sie ihre Schüler soweit bringen konnten,
dass jeder in der Lage war, gegenüber den andern in jeder Situation aufzutreten. Ohne zu heucheln mussten sie fähig sein,

---

1 Vgl. OTTO, Aegypten 96f.
2 Uebersetzung von GRUMACH, Untersuchungen 177.
3 Vgl. BOMAN, Hebräisches Denken 71.

Unangenehmes und weniger gern Gehörtes auf eine solche Art zu
sagen, dass sie nicht Aerger verursachten, da der altorientalische Mensch gegen jedes ungeschickte Wort überaus empfindlich
war. Dies wird an zwei Beispielen näher erörtert. Einem Zornigen gegenüber muss man mit viel Gespür begegnen (Spr 15,1) und
einen Vorgesetzten kann man nur mit viel Geschick für eine Sache gewinnen (Spr 25,15).

II

VOM FREIMUT UND VON DER ZUVERLAESSIGKEIT
DER RICHTIGEN REDE

1. Die ordnungsgemässe Rede

In zwei Sprichwörterm (16,12f.; 12,17) wird das Reden mit dem
Begriff צדק näher bestimmt. Wir werden nun darzulegen haben,
ob das Wort hier irgendwie mit dem aegyptischen Ordnungsbegriff
(Maat) in Beziehung zu bringen ist.

16,12-13 תּוֹעֲבַת מְלָכִים עֲשׂוֹת רֶשַׁע   כִּי בִצְדָקָה יִכּוֹן כִּסֵּא:
רְצוֹן מְלָכִים שִׂפְתֵי־צֶדֶק   וְדֹבֵר יְשָׁרִים יֶאֱהָב:

Ein Abscheu ist für Könige frevelhaftes Tun,
denn durch Gerechtigkeit wird der Thron befestigt.
Des Königs[a] Wohlgefallen sind gerechte Lippen,
und wer Rechtes[b] redet[c], den liebt er.

Textanmerkungen:

a Mit der LXX wird oft מלך vorgeschlagen.
Van der WEIDEN vermutet an dieser Stelle ein
enklitisches Mem (reṣôn mlk-m: malki [Sing.
mit Genitivendung] und Mem)[1]. Dieser Vorschlag
ist möglich[2].

b Anstelle von ישרים ist evtl. mit 4 MSS מישרים
zu lesen (vgl. Grammatikalisches).

c Mit der LXX (λόγους) wird oft zu וּדְבַר
korrigiert (vgl. BH, KUHN)[3].

1 Van der WEIDEN, Proverbes 120f. Vgl. HUMMEL, Enclitic Mem
  85-107. Das Enklitische Mem ist seit dem 10. Jh. in den gesprochenen Sprachen verschwunden, hat aber seinen Platz noch
  in der Poesie behalten (vgl. van der WEIDEN, Proverbes 41-44).

2 McKANE (Rez.), van der Weiden 228f.

3 KUHN, Beiträge 39.

Grammatikalisches und Stilistisches:

V.12-13 gehören zusammen. Darauf weist schon die Gegenüberstellung von תועבה - רצון hin.

V.12a und V.13a sind zwei Nominalsätze mit Voranstellung der Prädikate, welche je aus einem Wertbegriff bestehen ("Abscheu" - "Wohlgefallen") (Emphase)[1]. V.12b ist ein Begründungssatz. In der Regel haben die Aussagesätze keine Begründung. In den Proverbiensammlungen (10-29) gibt es nur einige Ausnahmen (Spr 16,12.26; 19,19; 21,7.25; 22,9; 29,19). Die Aussagesätze bedürfen grundsätzlich keines Beweises, da sie ihre Geltung in sich selbst tragen[2]. In V.13b findet sich ein zusammengesetzter Nominalsatz mit einem "Uebersubjekt" דבר ישרים [3].

Der Ausdruck דבר ישרים ist ungewöhnlich. ישרים ist ein Adjektiv und wird häufig in den Proverbien als Substantiv "die Geraden", "Aufrichtigen" verwendet (Spr 11,3.6.11; 12,6; 14,9.11; 16,17; 21,18; 28,10 u.a.). Es ist wahrscheinlich, dass anstelle von ישרים / מישרים gestanden hat[4], da der Ausdruck דבר מישרים gebräuchlich ist (Jes 33,15: "wer in Gerechtigkeit wandelt und מישרים redet"; Spr 23,16: "wenn deine Lippen מישרים reden"; ähnlich Jes 45,19: "Ich, der Herr, rede צדק und verkünde מישרים"; vgl. auch Ps 58,2). ישרים (oder מישרים) ist ein Akkusativ der Art und Weise[5].

V.13a/b ist in einem Chiasmus angeordnet. Dadurch wird die strenge Entsprechung hervorgehoben.

---

1 HERMISSON, Studien 154f.

2 Ebd. 162.

3 NYBERG, Grammatik § 85 g; MICHEL, Tempora 179-182. Das Bindepronomen ist weggelassen: "wer Rechtes redet: er liebt (ihn)" (vgl. dazu oben Einleitung 33).

4 Vgl. BH; KBL 414; McKANE, Proverbs 493.

5 GESENIUS-KAUTZSCH, Grammatik § 118 m und q.

שׂפתי־צֶדֶק ist eine Metonymie und steht für "Rede".

Alliterationen mit שׁ (ס , שׂ), צ , בּ (ק):

תּוֹעֲבַת מְלָכִים עֲשׂוֹת רֶשַׁע   כִּי בִצְדָקָה יִכּוֹן כִּסֵּא

רְצוֹן מְלָכִים שִׂפְתֵי־צֶדֶק   וְדֹבֵר יְשָׁרִים יֶאֱהָב

Auslegung:

In V.12 wird ausgesagt, dass Gerechtigkeit (צדקה) mit dem
Königtum verknüpft ist. Deshalb ist dem König frevelhaftes
Tun ein Greuel. Ursprünglich ist diese Aussage auf Jahwe be-
zogen. Sein Königtum und die Herrschaft in "Recht und Gerechtigkeit" wird in unmittelbarem Zusammenhang gesehen. צדק
und משפט sind die Stützen (מכון)[1] seines Thrones (Ps 89,15;
97,2). Alle drei Begriffe sind Ordnungsbegriffe. Das Königtum
Gottes beruht auf der Weltordnung[2]. BRUNNER hat aufmerksam ge-
macht, dass besonders im Aegypten der Ramessidenzeit häufig
Stufen zum Götter- oder Königsthron hinaufführten. Da diese
Stufen von Wangen eingefasst waren und mit dem Sockel eine
Einheit bildeten, formte das Fundament des Thrones das Zei-
chen m3ᶜ.t "Maat" ⟁ [3]. Diese Hieroglyphe steht für das
Wort "Gerechtigkeit, Wahrheit, rechte göttliche Ordnung"[4]. Das
Wort "Maat" entspricht dem hebräischen צדק [5].

Solche Aussagen, wie sie in den Pss 89,9.15; 97,2 vorliegen,
kehren auch im mesopotamischen Bereich häufig wieder[6].

Wie im alten Orient, so vertritt auch in Israel der König Jahwe auf Erden und ist für die Aufrechterhaltung der Ordnungen

---

1 Vgl. KEEL, AOBPs 146-150.

2 SCHMID, Gerechtigkeit 79.

3 Vgl. KEEL, AOBPs Abb. 375.

4 BRUNNER, Gerechtigkeit 426-428.

5 SCHMID, Gerechtigkeit 79.

6 KRAUS, Psalmen II 621 und SCHMID, Gerechtigkeit 79f., geben
  dazu einige Beispiele.

Jahwes verantwortlich (Ps 2; 72; 101)[1]. In Ps 72 ist "der König Wahrer der mit שלם , צדק und משפט gekennzeichneten, ganz-
heitlichen und umfassenden Weltordnung, die sich (z.B.) im
rechten Richten konkretisiert"[2]. Im Königs-Hochzeitslied (Ps
45) wird ausgesagt, dass sein Szepter ein שבט מישר , ein
Szepter des Rechten ist (V.7) und dass er צדק liebe und רשע
hasse (V.8). Ebenso wird im "Loyalitätsgelübde des Königs" (Ps
101) betont, dass er sich für Recht und Gerechtigkeit einsetze.
Er gebietet, die Guten und Zuverlässigen in seine Nähe zu ziehen, die Lügner aber zu vertreiben. Diese Tätigkeiten des Königs dienen der Aufrechterhaltung der inneren Ordnung[3].

Wie in diesen soeben zitierten Beispielen, wird auch in Spr
16,12f. deutlich, dass die Wahrung der צדק und die Vertrei-
bung der רשע die Hauptaufgabe des Königs ist. Mit unserem
Sprichwort sind auch Spr 25,5 und 20,28 zu vergleichen[4].

Später wird auch die Weisheit zur Hüterin der צדק . In Spr 8,6-
9 spricht sie, dass ihren Worten רשע ein Abscheu sei (V.7b),
denn sie redet אמת (V.8a). בצדק sind all ihre Reden, nichts
Verkehrtes (נפתל) und Verdrehtes (עקש) ist darin. רשע
ist dem aufrichtigen, ordnungsgemässen (צדק) und zuverlässigen (אמת) entgegengesetzt und wird dem falschen, verdrehten,
unbeständigen und heimtückischen Reden gleichgesetzt.

Aus den obigen Darlegungen wird erkenntlich, was unter dem Ausdruck שפתי־צדק , der meistens mit "gerechte Lippen" übersetzt
wird[5], zu verstehen ist. צדק deckt sich nicht einfach mit dem

---

1 KEEL, AOBPs 21.

2 SCHMID, Gerechtigkeit 83.

3 KEEL, AOBPs 265.

4 Vgl. SCHMID, Gerechtigkeit 84.

5 TOY, Proverbs 323; OESTERLEY, Proverbs 132; RINGGREN, Sprüche
67; GEMSER, Sprüche 70 u.a.

Deutschen "gerecht"[1]. Man wird auch nicht mit JEPSEN einig gehen können, der צדק דבר (und ähnliche) (Jes 45,19; 59,4; Ps
52,5; 58,2; Spr 8,8; 12,17; 16,13) mit "richtige, zuverlässige,
wahrhaftige Reden"[2] zu umschreiben versucht. Wie SCHMID überzeugend nachgewiesen hat, entspricht der Ausdruck צדק דבר
(und ähnliche Verben des Sagens, die mit צדק verbunden sind)
dem Aegyptischen ḏ d m₃ᶜ.t "die Maat sagen"[3]. Dass in Spr
16,13 צדק in Verbindung mit der Maat steht, zeigt die enge
Verknüpfung mit V.12.

Eng mit שפתי־צדק ist auch דבר ישרים verbunden. Der Ausdruck
מישרים findet sich oft zusammen mit צדק. SCHMID weist darauf
hin, dass מישרים häufig mit צדק praktisch synonym ist (Ps 9,9;
98,9; 99,4; Jes 45,19)[4].

Ordnungsgemässes Reden, das hier mit zwei verschiedenen Ausdrücken genannt wird (שפתי־צדק und דבר ישרים), ist dem König,
dem Garanten der Weltordnung, ein Wohlgefallen. Dieses "Wohlgefallen" wird durch die doppelte Erwähnung (רצון und יאהב)
besonders hervorgehoben (Inclusio). Dadurch wird ersichtlich,
wie notwendig solches Reden ist.

Die Uebersetzung "aufrichtig reden" (vgl. z.B. GEMSER) gibt
nicht genau den Sinn wieder. Wir haben deshalb דבר ישרים
mit "Rechtes reden" übersetzt.

Es gibt im Text keine Hinweise, dass nur das ordnungsgemässe
Reden der Ratgeber und Diener gemeint ist[5]. Es geht hier um
eine Aussage, die sehr allgemein gehalten ist, wie dies McKANE

---

1 SCHMID, Gerechtigkeit 3 Anm. 4, stellt aber fest, dass die
  Differenz zwischen dem altorientalischen und dem deutschen
  Gerechtigkeitsbegriff nicht so gross ist, wie üblicherweise
  behauptet wird.

2 JEPSEN, צדק und צדקה im AT 78-89.

3 Vgl. SCHMID, Gerechtigkeit 49-52 und 60f.

4 Ebd. 80f. 131f.

5 So TOY, Proverbs 325; GEMSER, Sprüche 71.

richtig bemerkt: "It is rather a general statement that a community thrives on candour and that a king loves the candid man wherever he is to be found among his subjects"[1].

12,17   יְפִיחַ אֱמוּנָה יַגִּיד צֶדֶק   וְעֵד שְׁקָרִים מִרְמָה:

> Ein "Wahrheitsmaul" proklamiert die rechte Ordnung,
> ein lügenhafter Zeuge ist Trug (in Person).

Grammatikalisches und Stilistisches:

Meistens werden in V.17a zwei Verbalsätze gesehen, die konjunktionslos zusammengestellt sind. RICHTER nennt solche Sätze, die selbständig scheinen, jedoch innerlich abhängig sind, interdependent[2]. Man kann übersetzen: "Wahrhaftiges äussert, wer צֶדֶק aussagt"[3] oder aber: "Wer Wahrhaftiges äussert, sagt צֶדֶק aus"[4]. In der Uebersetzung wird ein Verbalsatz zum Subjekt und der andere zum Prädikat, wobei die beiden Uebersetzungsmöglichkeiten zeigen, dass beide Verbalsätze zum Subjekt bzw. zum Prädikat gemacht werden können.

Man wird sich jedoch fragen müssen, ob nicht יָפִיחַ als ein Substantiv aufgefasst werden muss. Dann wäre יָפִיחַ ein Wort des Typs yaqtīl oder qatīl. Der erste Typ ist äusserst selten[5], der zweite jedoch häufig[6]. Falls יפיה אמונה substantivisch gebraucht wird, handelt es sich in V.17a um einen zusammengesetzten Nominalsatz.

---

1 McKANE, Proverbs 493.

2 RICHTER, Recht 31.

3 So van der PLOEG, Spreuken 49; GEMSER, Sprüche 58.

4 So TOY, Proverbs 253; RINGGREN, Sprüche 52; BARUCQ, Proverbes 116; McKANE, Proverbs 229.

5 BROCKELMANN, Grundriss I § 194; BAUER-LEANDER, Historische Grammatik § 61 qɛ-tɛ.

6 BAUER-LEANDER, Historische Grammatik § 61 mɑ-rɑ.

V.17b steht antithetisch gegenüber. Meistens interpretiert man
diesen Halbvers als einen zusammengesetzten Nominalsatz: ein
Lügenzeuge: (er sagt) Trug (aus). Da in diesem Falle das Verb
יגיד ergänzt werden muss, spricht man von einer ἀπο-κοινοῦ-
Konstruktion[1]. V.17b ist aber auch als einfacher Nominalsatz
denkbar. Das abstrakte מרמה muss dann mit "Trug" (in Person)
übersetzt werden. Dieser Gebrauch solcher abstrakten Begriffe
ist bis jetzt viel zuwenig beachtet worden. Es gibt in der Bibel eine ganze Reihe von solchen Beispielen, die so interpretiert werden müssen. So heisst es in Ps 120,7 אני־שלום "ich bin
der Friede (in Person), aber wenn[2] ich rede, gehn sie auf Krieg
aus!"[3]. Die Uebersetzung: "Ich sprach von Frieden und Wahrheit,
sie aber wollten den Krieg"[4], übersieht hier das Entscheidende
der Aussage. Aehnlich ist auch der Gruss an Nabal in 1 Sam 25,6
zu deuten:
"Du bist Friede (in Person) und dein Haus ist Friede."
BROCKELMANN fasst die Stelle als Wunschsatz auf: "Möge es dir
gut ergehen"[5]. Ebenso übersetzt man in Ez 2,7 am besten: "Denn
sie sind Widerspenstigkeit (in Person) (מרי המה))". Auch wenn
in V 5f. (vgl. auch 3,9.26.27; 12,2.3) בית מרי steht, ist in
V.7 der Einschub von בית nicht nötig[6]. Im Gegenteil, der abstrakte Ausdruck מרי steigert hier geradezu die Aussage (vgl.
auch Ps 109,4 ואני תפלה ; 92,9 ואתה מרום ; Hos 5,2 (ואני מוסר .

Man mag einwenden, dass die Ergänzung von יגיד (ἀπο-κοινοῦ-
Konstruktion) einen besseren antithetischen Parallelismus ergebe. Man wird sich aber trotzdem im Hebräischen hüten müssen,
immer auf eine ganz deutliche Antithese zu schliessen. Aehnlich

---

1 BÜHLMANN-SCHERER, Stilfiguren 52f.

2 Dadurch wird die Korrektur von וכי zu וכן überflüssig.

3 Vgl. BUBER, Preisungen 184.

4 So z.B. GUNKEL, Psalmen 537; KRAUS, Psalmen II 830.

5 BROCKELMANN, Syntax § 7 b.

6 Gegen ZIMMERLI, Ezechiel 10.

wie im synonymen Parallelismus das zweite Glied selten genau
synonym ist, sondern dem Dichter Gelegenheit gibt, seinen Gedanken von einer andern Seite zu beleuchten, so muss auch der
antithetische Parallelismus nicht immer ganz streng aufgebaut
sein[1]. Dem Hebräer geht es ja nicht darum etwas zu präzisieren,
zu analysieren oder zu nuancieren wie das der Europäer zu tun
pflegt, sondern er ist bestrebt, eine Ganzheit zu erfassen. Dazu dient ihm auch die Antithese[2].

Alliteration mit מ : שקרים מרמה אמונה (vgl. den Buchstabenchiasmus: מרמה שקרים). Auffällig sind auch die
vielen a und i Vokale.

Auslegung:

פוח im Hif. ist im AT selten, begegnet aber siebenmal in den
Proverbien (sonst nur 2x in den Psalmen; 3x im Hohelied; 1x
bei Jesaja und je 1x bei Ezechiel und Habakuk). In den Proverbien ist das Wort entweder mit כזבים (6,19; 14,5.25; 19,5.9)
oder mit אמונה (12,17) verbunden. Nur in Spr 29,8 hat es eine
etwas andere Bedeutung "eine Stadt in Aufruhr bringen". Es
scheint, dass יפיח in den Sprüchen fast wie ein Substantiv
gebraucht wird. Einige Exegeten vermuten, dass der Ausdruck
mit dem Ugaritischen jph "Zeuge" in Beziehung steht und synonym zu עד gebraucht werde[3]. Doch ist wohl יפיח nicht einfach

---

1 Vgl. MUILENBURG, Study 97-111.

2 Vgl. PEDERSEN, Israel I/II 108-112; KÖHLER, Hebräische Mensch
101-110; ALONSO-SCHÖKEL, Kunstwerk 303-306.

3 Zur Forschungsgeschichte dieser These vgl. S.E. LÖWENSTAMM,
יָפֵחַ , יָפַח , יָפֵחַ , in: Lešonenu 26 (1962) 205-208.280.
Nach ihm ist die Forschungsgeschichte die folgende: J. BARTH,
Die Nominalbildung in den semitischen Sprachen, Leipzig 1894,
189, 233 und J. OBERMANN, JBL 70 (1951) 201-207 haben die
Identität der Nomina יָפִיחַ und יָפֵחַ behauptet. Beiden waren
die ugaritischen Belege mit ihrer Deutung als "Zeuge" unbekannt. Ch. VIROLLEAUD hat auf Grund des Akkadischen im ugaritischen jph die Bedeutung "Zeuge" vorgeschlagen (in:
Comptes Rendus du Groupe Linguistique d'Etudes Chamito-

ein Synonym von עד . In Spr 14,5 bereitet die Deutung "Zeuge"
Schwierigkeiten[1]. Wie ich in der Auslegung von 14,5 zeigen werde, vergleicht der Spruch wahrscheinlich das Lügen mit der wohl
schlimmsten Art der Lüge, mit dem falschen Zeugnis[2]. Dann bezeichnet der Ausdruck יפיח כזבים vielleicht etwas Aehnliches
wie unser deutsches Wort "Lügenmaul". Auffälligerweise kommt
der Ausdruck יפיח אמונה nur in Spr 12,17a vor. Hier liegt
wohl der Witz des Sprichwortes, dass der sonst nur für negatives Reden gebrauchte Ausdruck in יפיח אמונה umgewandelt
wird. Wer צדק proklamiert, ist eben kein "Lügenmaul", sondern
ein "Wahrheitsmaul". Um im Deutschen diese Pointe beizubehal-
ten, habe ich bewusst dieses Wort gewählt, obwohl "Maul" im
Deutschen eher einen abschätzigen Sinn hat.

יגיד bedeutet hier "verkünden", "proklamieren", "kundtun"[3].

Sémitiques VII, 1954-1957, 85ff. = Comptes Rendus de l'Aca-
demie des Inscriptions et Belles Lettres, 1960, 86ff.). M.
DAHOOD, CBQ 20 (1958) 47 Anm.21 hat diese Deutung anerkannt
und in Ps 27,12 in dem hebr.וַיָפֵחַ dieselbe Wurzel mit der Bedeutung "Zeuge" gesehen. Im gleichen Jahr hat P. NOBER in:
Biblica. Elenchus bibliographicus 39 (1958) 199, die gleiche
Wurzel mit derselben Bedeutung in Hab 2,3 gesehen. S.E.
LÖWENSTAMM führte die Interpretation von יָפִחַ , יָפֵחַ in Prov
6,17-19; 12,17; 14,5.25; 19,5.9 als "Zeuge" durch. Er stellte fest, dass diese Interpretation ausgezeichnet dem Kontext
gerecht wird. Weiter bestärkte er diese Deutung dadurch, dass
er 1. zeigte, wie in Jes 30,8 wohl gegen MT nicht לָעַד , sondern לְעֵד zu lesen ist. Dadurch wird Jes 30,8 eine gedankli-
che Parallele zu Hab 2,3; diese Parallelität wiederum legt
es nahe, in Hab 2,3 das Wort עוד in עד zu ändern, das ursprünglich ist, später aber missverstanden wurde. Damit ist
יָפֵחַ auch in Hab mit עד parallel. 2. Von hier aus kann das
Wort עד auch aus den " עוד " von MT in Dan 6,14; 11,27.35
rekonstruiert werden, da diese Stellen von Hab 2,3 abhängen.

1 LÖWENSTAMM (loc.cit. 205) antwortet nicht überzeugend auf
die Schwierigkeit, wenn er sagt, dass überall, wo ein עד אמת
oder dergleichen erscheint, auch als Widerpart ein יפיח כזבים
erscheine. Unter diesem Zwang des Paares sei auch hier der
Begriff eingeführt worden.

2 Siehe unten 165f.

3 Vgl. SCHMID, Gerechtigkeit 102.

Ein "Wahrheitsmaul" proklamiert damit die rechte Ordnung.

Demgegenüber steht der Lügenzeuge. Man kann sich fragen, ob
hier unbedingt an einen Zeugen in unserem Sinne gedacht ist.
Schon KÖHLER hat aufmerksam gemacht, dass im alttestamentlichen Sprachgebrauch Zeuge und Richter nicht streng getrennt
sind, sondern dass sie durch ein und dasselbe Wort umfasst
werden[1]. SEELIGMANN hat später darauf hingewiesen, dass עד
in erster Linie Ankläger bedeute. Es sei vor allem derjenige,
der das Verüben eines Verbrechens gesehen oder davon gehört
habe (Lev 5,1; vgl. Num 5,13 u.a.)[2]. Der Bedeutungsumfang von
"Zeugnis, Zeuge, bezeugen" ist aber noch grösser. Das Verb bedeutet auch "feierlich, ausdrücklich verwarnen" (vgl. Ex 21,29
im Hof. "feierlich gewarnt werden"[3]). Ferner sind Zeugen notwendig für das Zustandekommen einer legitimen Rechtstatsache.
Sie garantieren für die Fortdauer und öffentliche Anerkennung
eines Rechtsaktes. Sie sind erforderlich beim Erwerb eines
Grundstückes[4] (Jer 32,10.12.25.44; vgl. auch Gen 23,16.18)
oder bei der Verlobung einer Frau (Rut 4,9ff.). Schliesslich
sind Zeugen für den gerichtlichen Beweis eines Tatbestandes
notwendig (Zeuge in unserem Sinne).

Es ist wahrscheinlich, dass in V.17b "Zeuge" sich nicht bloss
auf den gerichtlichen Bereich bezieht. Darauf deutet auch der
entgegengesetzte Ausdruck "Wahrheitsmaul".

Der עד שקרים ist einer, der das Recht bricht. Er missbraucht
das Vertrauen zu seinem Partner. שקר meint hier "ein Treuebruch, die Unzuverlässigkeit, die fehlende Vertrauenswürdigkeit, die Verkehrung einer selbstverständlich bestehenden oder
persönlich eingegangenen Verpflichtung in ihr gerades Gegen-

---

1 KÖHLER, Der hebräische Mensch 82 Anm.38; ders., Rechtsgemeinde 152.
2 SEELIGMANN, Terminologie 251-278; vgl. GEMSER, Rîb 130 Anm. 1.
3 KBL 686.
4 Vgl. FALK, Introduction 119.

teil"[1]. So kann man sich unter dem "Lügenzeugen" jemanden vorstellen, der bei einem Zustandekommen eines Rechtsaktes die Ga-
rantie für die Fortdauer und öffentliche Anerkennung gibt, sich
dann aber dieser Verpflichtung entzieht. Oder es wird hier an
einen Ankläger oder Zeugen gedacht, der ein falsches Zeugnis
abgibt und so das Recht bricht und dadurch die Treue zu seinem
Partner verletzt. So äussert sich z.B. in Ps 27,7-13 ein sozial
Schwacher, der wohl von mächtigen Herren unterdrückt wird (V.2)
über falsche Zeugen (V.12).

Ein solcher Lügenzeuge ist der Trug (in Person). מרמה   ist
von רמה abgeleitet, welches "betrügen", "verraten", "im Stich
lassen" bedeutet[2]. Das Substantiv מרמה   wird meistens mit
"(Hinter)list", "(Be)trug", "Uebervorteilung", "Verschlagenheit", "Falschheit", "Verrat" übersetzt. Es kommt in den Proverbien 8x vor (im AT 39x). Die LXX übersetzt entweder mit
δόλος (3x) "List" oder mit δόλιος (4x)"(arg)listig", "verschla-
gen".In 12,5.2o dient das Wort zur Qualifizierung der heimlichen Gedanken und Absichten (vgl. 26,24). In 14,8 hat מרמה
den Klang der Selbsttäuschung. In 11,1 und 20,23 kommt das Moment "der intendierten Uebervorteilung" zur Bezeichnung unehrlichen Handelns zum Ausdruck ("falsche Gewichtssteine"). In
14,25 und an unserer Stelle kommt noch zum Inhalt von מרמה
"Lüge" hinzu. So bezeichnet der Ausdruck einen Lügner, der
durch seine Verschlagenheit die andern täuscht[3]. Für einen Lügenzeugen gibt es wohl keine bessere Bezeichnung als מרמה.
Er ist die Lüge, die Falschheit, die List, die Verschlagenheit
(in Person). Hier dürfte noch eine weitere Pointe liegen: Während ein "Wahrheitsmaul" die rechte Ordnung proklamiert, ist
ein "Lügenzeuge" selber ganz und gar Trug.

---

1 KLOPFENSTEIN, Lüge 26.
2 DUESBERG, Scribes 284.
3 Vgl. KLOPFENSTEIN, Lüge 310-313.

Dieser Spruch scheint mir ein Musterbeispiel für jene Prober-
bien zu sein, die auf den ersten Blick unglaublich banal sind,
bei näherem Zusehen aber viele Feinheiten enthalten.

Zusammenfassung (16,12f. und 12,17):

Spruch 16,12-13 zeigt ganz eindeutig, dass wir unter dem Ausdruck שפתי־צדק sicher "ordnungsgemässes Reden" zu verstehen
haben. Das gleiche gilt wohl auch für יגיד צדק in 12,17. Es ist
vor allem das Verdienst von SCHMID, dass er darauf hingewiesen
hat, dass der Begriff צדקה in seiner ursprünglichen Fassung
weitgehend dem der Maat entspricht[1]. So sind Ausdrücke wie
דבר צדק (und ähnliche Verben des Sagens) mit dem Aegyptischen d̲ d m3ꜥ.t (resp. d̲ d m3ꜥ) "die Maat sagen, die rechte
Ordnung konstituieren" zu vergleichen. Wie jedes andere Tun,
muss das Reden nach der Weltordnung ausgerichtet werden[2]. Somit
steht, wer richtig redet, im Einklang mit der universalen Ordnung. Wenn es ihm gelingt in seinem Reden die Maat durchzu-
setzen, dann wird ein harmonischer Zustand in Staat und Gesellschaft hergestellt. Die göttliche Ordnung durchdringt somit das Verhältnis der Menschen zueinander[3].

Es ist wahrscheinlich, dass der parallele Ausdruck zu שפתי־צדק
דבר שרים in Spr 16,13 auch dieses ordnungsgemässe Reden
bezeichnet und deshalb besser mit "Rechtes reden" als mit "aufrichtig reden" übersetzt werden muss. Darauf deutet besonders
auch der Chiasmus hin, der auf die strenge Entsprechung der
beiden Begriffe hinweist.

---

1 SCHMID, Wesen 159-161; ders., Gerechtigkeit 49ff. und 60f.
  Auf diese Parallele ist schon früher hingewiesen worden:
  RINGGREN, Word 49.58; HORST, RGG II 1404; KOCH, Wesen 88.

2 SCHMID, Wesen 20-22 weist auf eine Anzahl solcher Texte
  hin.

3 Vgl. LANCZKOWSKI, Reden und Schweigen 188f.; SCHMID, Wesen
  20-22.

Im folgenden wird aber zu zeigen sein, dass der Ausdruck
דבר מישרים   auch eine etwas andere Bedeutung haben kann.

2. Die aufrichtige und offenherzige Rede

23,15-16   בְּנִי, אִם־חָכַם לִבֶּךָ   יִשְׂמַח לִבִּי גַם־אָנִי:
              וְתַעְלֹזְנָה כִלְיוֹתָי   בְּדַבֵּר שְׂפָתֶיךָ מֵישָׁרִים:

> Mein Sohn, wenn weise dein Herz,
>   freut sich auch mein eigenes Herz,
>   und es jubeln meine Nieren,
>   wenn deine Lippen Aufrichtiges reden.

Grammatikalisches und Stilistisches:

Der zweite Bedingungssatz (V.16b) ist mit ב und dem Infinitiv
gebildet[1].

מישרים ist ein Akkusativ der Art und Weise (accusativus adverbialis)[2] (vgl. Ps 58,2; 75,3; 132,11; Hld 1,4).

גם־אני wird oft gewählt, um etwas zu unterstreichen "auch mein
eigenes Herz" (vgl. Gen 27,34; 1 Kön 21,19)[3].

Nach DAHOOD[4] liegt hier die stilistische Figur "Breakup of
stereotyped phrases" (Aufbrechen von stereotypen Wortverbindungen) vor. Der stereotype Ausdruck "Herz und Nieren" (vgl.
Jer 11,20; 17,10; 20,12; Ps 7,10; 26,2) wird in seine zwei
Teile "mein Herz" (V.15b) und "meine Nieren" (V.16a) zerlegt
(vgl. Ps 107,25 "Sturmwind" in "Wind" und "Sturm"[5]). Dadurch

---

1 Vgl. GB 81; KBL 104.

2 GESENIUS-KAUTZSCH, Grammatik § 118 m und q; JOÜON, Grammaire
  §§ 102 d und 126 d; BROCKELMANN, Syntax § 104.

3 GB 143; KBL 186; vgl. JACOB, Erklärungen 279-282.

4 DAHOOD, Proverbs 48.

5 Vgl. MELAMED, Break-up 115-153; BÜHLMANN-SCHERER, Stilfiguren 37.

entsteht zwischen V.16 und V.17 ein Chiasmus. Durch das An-
einanderrücken der beiden sich entsprechenden Glieder, wird
die grosse Freude des Lehrers besonders betont. Schon in V.15
ist ein Chiasmus festzustellen. Durch diese stilistische Figur wird erreicht, dass die strenge Entsprechung zwischen dem
weisen Herzen des "Sohnes" und dem frohen Herzen des "Lehrers"
hervorgehoben wird.

Auslegung:

Weises Verhalten und מישרים -Reden werden hier als besonders
angenehm empfunden. Während häufig kluges Verhalten und rich-
tiges Reden mit einem Wertbegriff (gut, Wohlgefallen Jahwes
usw.) beurteilt oder mit dem Tat-Folge-Verhältnis (gereicht
zum Leben usw.) bezeichnet werden, wird hier einfach auf die
Freude hingewiesen, die solches Verhalten beim Weisheitslehrer (bzw. Vater) auslöst. Durch den Ausdruck גם אני wird
vorausgesetzt, dass auch der Schüler (bzw. Sohn) seine Genug-
tuung hat[1]. Der Weisheitslehrer erlebt seine grösste innere
und äussere Befriedigung; denn es gibt nichts Angenehmeres,
als einen weisen und aufrichtigen Schüler zu haben.

Wenn auch eine tiefsinnige Begründung fehlt, hat diese Form
wohl den Schüler besonders angespornt, sich weise zu verhalten; denn wer möchte nicht bei seinem direkten Vorgesetzten
beliebt sein. Auf diese Art versuchen auch heutige Erzieher,
ihre Zöglinge zum rechten Tun zu führen: "Wenn du dies tust,
so machst du deinem Vater (deiner Mutter) Freude".

In mehreren Proverbien wird ausgesagt, dass ein weiser Sohn
seinem Vater oder seiner Mutter Freude bereitet (meistens mit
שמח) (vgl. 10,1a; 15,20; 23,24.25; 27,11; 29,31 u.a.; das
Gegenteil: 10,1b; 17,21 u.a.).

---

1 BARUCQ, Proverbes 182, übersetzt: "mon coeur à moi aussi se
réjouira"; McKANE, Proverbs 247: "no one will be more
pleased than I".

Während in V.15 das weise Handeln im allgemeinen erwähnt wird,
geht es in V.16 um das Reden im besonderen. Ist aber unter dem
Ausdruck דבר מישרים das Gleiche zu verstehen wie in Spr 16,13?
Handelt es sich vielleicht nicht eher um einen metaphorischen
Ausdruck, in dem das Bild des geraden, offenen Weges enthalten
ist? Der gerade Weg steht ja oft im übertragenen Sinn in der
Bedeutung von "Wandel", "Verhalten", "Lebensweg"[1] (vgl. Spr
2,13; 4,11.12; 16,25; 29,27 u.a.).

> "Gewunden ist der Weg des unehrlichen (?)[2] Mannes,
> aber der Lautere, gerade (ישר) ist sein Tun"
> (Spr 21,8).

Es scheint, dass an einigen Stellen, die vom Reden handeln,
dieser metaphorische Ausdruck vom rechten (bzw. krummen) Wege
zugrunde liegt (vgl. Spr 8,6-9; 11,20; 17,20; 23,16; 24,26).
Der gerade Weg bietet am meisten Sicherheit. Er vermeidet un-
sichere, heimtückische Stellen. Er führt meistens über übersichtliche Ebenen und Täler (vgl. Handelsstrasse "Via maris"
von Aegypten nach Damaskus) oder geht Hügelzügen entlang (vgl.
Höhenweg Jerusalem, Bethel, Silo, Sichem)[3]. Durch ihn kommt
man vorwärts und sicher ans Ziel.

---

1 Vgl. COUROYER, Le chemin de vie 412-432; NÖTSCHER, Gotteswe-
  ge und Menschenwege 9-22 (Uebersicht über den sprachlichen
  Befund, 23-42, 42-71). Eine Uebersicht über die Stellen vom
  "Weg" im übertragenen Sinn bei Jesus Sirach gibt RICKENBA-
  CHER, Weisheitsperikopen 52f.

2 Die Bedeutung von וזר ist ungewiss. Zu den verschiedenen
  Vorschlägen vgl. McKANE, Proverbs 562. Der MT ist hier bei-
  zubehalten. Denn trotzdem der Text unsicher ist, ist der Sinn
  klar. Es handelt sich um einen "unaufrichtigen, lügenhaften
  und unehrlichen Menschen".

3 Die berühmte Handelsstrasse von Aegypten nach Damaskus führte
  zunächst der Küste entlang nach Magiddo und von dort durch
  das offene Gelände der Jesreelebene, um dann südlich oder
  nördlich des Sees von Tiberias den Jordangraben zu durchque-
  ren und die Richtung auf Damaskus einzuschlagen (vgl. de VAUX,
  Histoire Ancienne 32; ORNI-EFRAT, Geography 351; BHH III
  1378). Der alte Weg von Jerusalem nach Sichem führte nicht der
  heutigen Strasse entlang, die durch verschiedene Wadis zieht,
  sondern wählte den Höhenzug an Bethel und Silo vorbei (vgl. de
  VAUX, Histoire Ancienne 32; ORNI-EFRAT, Geography 351).

Der gewundene, krumme, verkehrte Weg ist dagegen ein gefährlicher Weg[1]. Unter diesem verkehrten (עקשׁ ; הפך [2]) Weg ist vielleicht auch ein schlecht bezeichneter Pfad, wie er in der Wüste anzutreffen ist, gemeint. Wer auf ihm geht, ist vielen Gefahren ausgesetzt. Wegen seiner Unübersichtlichkeit ist er für Räuber ein geeigneter Ort, die Vorüberziehenden zu überfallen (vgl. Lk 10,29-37). Bei schlechten Wegverhältnissen ist es leicht möglich, dass man den Weg verliert, dann ist man dem Hunger und Durst ausgeliefert (Ps 107,4)[3].

Der "gerade Weg" ist der offene, übersichtliche, ungefährliche, ohne heimtückische Stellen. Wer מישׁרים spricht, redet offen, aufrichtig. Seine Rede hat nichts Falsches, Verdrehtes, Verborgenes in sich. Sein Wort ist eindeutig, klar, bestimmt und verständlich.

Somit glauben wir, dass zwischen dem מישׁרים in Spr 16,13 und jenem in Spr 23,16 ein Unterschied festzustellen ist.

In 16,13 geht es vor allem um das ordnungsgemässe (ähnlich wie im Aegyptischen das maatgemässe) Reden. Dagegen in unserem Spruch wird der Junge zum offenen, aufrichtigen Reden angehalten. Aus diesem Grunde haben wir die Stelle mit "Aufrichtiges reden" übersetzt.

---

1 HAEFELI, Ein Jahr 154-157, beschreibt einen solchen gefährlichen Pfad von Jenin nach Zebabde.

2 Vgl. DUESBERG-FRANSEN, Scribes 216f.

3 Vgl. KEEL, AOBPs 66. Es ist verständlich, dass der Orientale auf allen Wegen, die abseits durch unübersichtliches und unbewohnbares Gelände führen, beständig Gefahr wittert. Ein arabisches Lied drückt das Gefährliche eines solchen Weges mit folgenden Worten aus: "Wir überschritten Berge und meine Angehörigen wussten nichts von mir und das Auge weint, weil es wird geschlagen, und hätte ich gewusst das Verhängnis auf meinen Wegen, ehe ich hierher kam, hätte ich Abschied genommen von den Geliebten" (DALMAN, Palästinischer Diwan 68).

שְׂפָתַיִם יִשָּׁק   מֵשִׁיב דְּבָרִים נְכֹחִים: 24,26

Lippen küsst, wer eine aufrichtige Antwort gibt.

Grammatikalisches und Stilistisches:

Syntaktisch ist der Satz nicht ganz klar. Handelt es sich um
einen Verbalsatz, so ist die Wortfolge fast richtig (Verb-Sub-
jekt), wobei das Objekt "Lippen" dem Verb vorangestellt ist[1]
(vgl. Gen 30,40: "Jungschafe aber sonderte Jakob ab"; 1 Sam
2,1 u.a.).

Dieses Sprichwort - wie übrigens die meisten[2] - lässt sich
aber besser im Blick auf die Intention der Aussagen als zusammengesetzter Nominalsatz verstehen; denn auch hier wird nicht
eine Handlung in ihrem Verlauf geschildert - wie beim Verbalsatz[3] -, sondern eine Aussage über das Subjekt gemacht. Wenn
aber hier der Prädikatssatz an erster Stelle steht, so wohl
deshalb, weil die Metapher "Lippen küsst" eine wichtige Stellung einnimmt. Wie die Vergleiche (z.B. Spr 25,13), so stehen
auch meistens die Metaphern (vgl. 18,4; 25,11.12.18) am Anfang[4].

Das Sprichwort zeichnet sich durch den Endreim (Homoioteleuton)
aus: שפתים / דברים נכחים . Durch diese Verkettung wird deutlich, wie sehr "aufrichtige Antwort" und die Metapher "Lippen
küssen" zusammengehören[5]. Bemerkenswert ist auch das Spiel mit
den Vokalen a-i.

---

1 GESENIUS-KAUTZSCH, Grammatik § 142 f und a.

2 HERMISSON, Studien 157-160.

3 Treffender wäre für den Verbalsatz die Bezeichnung "Hand-
   lungssatz" (vgl. MICHEL, Tempora 177).

4 Zur Begründung siehe oben Kapitel I 38.

5 Vgl. ALONSO-SCHÖKEL, Kunstwerk 66ff.

Auslegung:

Die Interpretation hängt davon ab, ob man V.26 als selbstän-
digen Spruch[1] auffasst oder ihn sachlich noch zu dem kleinen
"Richterspiegel" (V.23-25) zählt[2]. Da V.25 und V.26 durch
Paronomasie (ähnlich klingender Worte mit verschiedenem Wort-
stamm) ולמוכיחים - נכחים verbunden sind, könnte man
vermuten, dass V.26 zu den vorhergehenden Versen gehört. Die
Untersuchungen von BOSTRÖM über die Paronomasien zwischen den
einzelnen Sprichwörtern haben gezeigt, dass sie meistens keinen Sinnzusammenhang begleiten, sondern Sätze ganz verschiedenen Inhalts aneinanderbinden. BOSTRÖM sieht die Stichwortan-
ordnung und Lautanklänge zwischen den Sprüchen nur als pädago-
gisches Hilfsmittel zur Erleichterung des Auswendiglernens[3].
Etwas vorsichtiger ist dagegen HERMISSON, der nachweist, dass
in der "lockeren Aneinanderreihung durchaus ein Ordnungsele-
ment erkennbar ist"[4].

Wir gehen in unserer Auslegung vorerst von der Voraussetzung
aus, dass Spr 24,26 für sich allein steht, wollen uns dann
aber auch fragen, ob dieser Einzelvers nicht im Anschluss an
die vorausgehende Einheit verstanden werden kann.

Der Kuss[5] ist bei den Semiten sowohl ein Zeichen der Liebe wie

---

1 So FRANKENBERG, Sprüche 138; RINGGREN, Sprüche 99; SCOTT,
  Proverbs 148; McKANE, Proverbs 575.

2 So TOY, Proverbs 452; vgl. KLOPFENSTEIN, Scham 132 Anm. 113.

3 BOSTRÖM, Paronomasi 90; GEMSER, Sprüche 55.

4 HERMISSON, Studien 179-183. Die lockere Aneinanderreihung
  von Aussagen entspreche "einem Denken, das eben nicht die
  Welt systematisch erfasst, sondern eine Vielfalt von Ein-
  zelbeziehungen entdeckt, die aber nun nicht in völliger Iso-
  lation nebeneinander stehen bleiben, sondern sich mannigfal-
  tig berühren" (181f.).

5 WÜNSCHE, Der Kuss in Bibel, Talmud und Midrasch; MEISSNER,
  Der Kuss im Alten Orient 915-930; HOFMANN, Philema hagion;
  FITZER, BHH II 1033f.

auch der Verehrung[1]. Der Kuss, der besonders zwischen Mann und
Frau (bzw. dem Geliebten und der Geliebten) (Gen 29,11; Hld
1,2; 8,1), zwischen Eltern und Kindern (Gen 27,26; Ex 18,7)[2],
zwischen Familiengliedern (Gen 29,13; Ex 4,27; Rut 1,9; Lk 15,
20), aber auch zwischen entfernten Anverwandten und Freunden
(1 Sam 20,41) ausgetauscht wurde, wird in erster Linie - wie
die altorientalischen Zeugnisse zeigen - als Zeichen der Liebe
verstanden. Dieser Kuss wird wohl häufig ein Lippenkuss[3] gewesen sein[4]. Dagegen war der Kuss, den ein Niedrigstehender seinem Herrn erwies, ein Zeichen der Verehrung. Bei diesem Kuss
handelte es sich kaum um einen Lippenkuss, sondern der Diener
küsste die Hand, den Saum des Kleides, die Füsse, ja die Erde,
auf der der Höherstehende stand[5]. Dazu gehörte auch der Vereh-
rungskuss gegenüber den Göttern (Ijob 31,27[6]; 1 Kön 19,8; Hos
13,2)[7]. Nach KEEL ist die Kusshand nicht ein Gestus reiner Be-
geisterung und Verehrung. "In der Kusshand bringt man der Gottheit gleichsam seinen Lebensodem dar"[8]. "Man erhebt seine 'Seele' zu Gott und gibt dadurch seiner Zuversicht Ausdruck, dass
Gott sie nicht zuschanden gehen lasse"[9].

---

1 MEISSNER, Der Kuss im Alten Orient 918f.

2 Vgl. die Darstellung, wie eine Mutter auf dem Gefangenen-
transport ihren Kleinen auf den Schoss nimmt und abküsst
(MEISSNER, Babylonien I Tafelabb. 210).

3 TOY, Proverbs 453 und OESTERLEY, Proverbs 216, bemerken, dass
das Küssen der Lippen damals noch nicht üblich war. Doch haben
ugaritische Texte gezeigt, dass diese Sitte in der kanaanäischen Gegend durchaus gebräuchlich war (van der WEIDEN,
Proverbes 142f.). Vgl. auch Amarnarelief in: KEEL, AOBPs Nr.
265.

4 MUSSNER, Der Kuss im Alten Orient 918.923.

5 Ebd. 918f. 923-928.

6 Vgl. FOHRER, Hiob 438f. und Anm. 47.

7 MUSSNER, Der Kuss im Alten Orient 928-930; HOFMANN, Philema
hagion 35f. 65ff. 74-83.

8 DUSSAUD, Religions 383, zitiert nach KEEL, AOBPs 290.

9 KEEL, AOBPs 290.

Die Metapher "Lippen küsst" ist hier vor allem ein Ausdruck
vertraulicher Liebe. Eine direkte Antwort ist ein Zeichen des
furchtlosen Verhältnisses (vgl. 1 Joh 4,18: "Furcht ist nicht
in der Liebe, sondern die vollkommene Liebe treibt die Furcht
aus"). Gegenüber Hohergestellten ist sie nicht angebracht. Aber
unter Freunden ist sie ein Erweis der Liebe. Mit dieser Metapher will deshalb nicht in erster Linie die "Aufrichtigkeit und
Ehrlichkeit" ausgedrückt werden, wie dies etwa TOY[1] und McKANE[2]
vermuten. Auch wenn der Kuss oft heuchlerisch gegeben wird, wo-
für die Bibel verschiedene Beispiele bietet (2 Sam 15,5; 20,9;
Spr 27,6; Mk 14,44f.; Mt 26,48f.)[3], ist der Kuss zunächst nicht
ein Zeichen, um Treue und Ehrlichkeit dem andern gegenüber zu
bekunden. Es ist ferner auch nicht wahrscheinlich, dass durch
diese Metapher das Angenehme ausgedrückt wird, wie es RINNGREN
vorschlägt[4].

משיב דברים[5] bedeutet im alltäglichen Sinn "Antwort geben" (z.B.
auf eine Frage: 1 Kön 12,6.9.16), dann auch "Bescheid sagen",
"Bericht abstatten" (z.B. einen Bericht abgeben über einen Auftrag, den man auszuführen hatte: Spr 22,20f.; Gen 37,14; Dtn
1,22.24 u.a.)[6]. Der Ausdruck kann aber auch "als prozesstech-
nischer Terminus für die Antworten auf die Verhörfragen des
Richters oder die Anklage der Gegenpartei" dienen (vgl. Ijob
13,22; 31,14; 40,4; Hab 2,1)[7].

Wenn wir Spr 24,26 für sich nehmen, wird nicht deutlich, um
welche Bedeutung es sich hier handelt. Die aufrichtige Antwort

---

1 TOY, Proverbs 453.

2 McKANE, Proverbs 575.

3 MUSSNER, Der Kuss im Alten Orient 923; HOFMANN, Philema
hagion 43-48.

4 RINGGREN, Sprüche 99.

5 Für דבר können Synonyme eintreten.

6 Siehe die entsprechenden Belege unten 152.

7 KLOPFENSTEIN, Scham 132, deutet auch Spr 18,13 so.

kann sich auf irgend eine Frage beziehen. Es kann sich aber
auch um einen Bericht handeln, den einer einem andern zu überbringen hat. Falls aber V.26 noch zum kleinen "Richterspiegel"
gehört, bezieht sich der Ausdruck מֵשִׁיב auf die gerichtliche
Verhandlung und steht für die Antwort auf die Verhörfragen des
Richters oder Anklage der Gegenpartei.

Das Wort נָכֹחַ (bzw. נְכֹחִים)[1] bedeutet "geradeausliegend" und
kommt bei Jes (4x), Spr (2x), Amos und 2 Sam (je 1x) vor. In
Jes 57,2 steht es in Verbindung mit הלך "geht seinen geraden
Weg". In 2 Sam 15,3; Spr 8,9; 24,26 ist es der Form nach ein Adjektiv "gerade", "recht" und in Jes 26,10; 30,10; 59,14; Am
3,10 ein Substantiv "die Gerade", "die Rechte".

נכה hat eine ähnliche Bedeutung wie ישר . In Spr 8,9 steht
es parallel zu diesem Wort. Diese beiden Ausdrücke werden den
negativen Wörtern עקש "verdrehen" und נפתל "sich wenden" entgegengesetzt. Auch עקש kommt hie und da in Verbindung mit einem
Weg vor und bedeutet "in Bezug auf zwei Wege verkehrt gerichtet"
(Spr 28,18; vgl. 2,15; 28,6)[2].

Wie bei מֵישָׁרִים in Spr 23,16 werden wir es auch bei נכה mit
einem metaphorischen Ausdruck zu tun haben, bei dem an einen
"geraden Weg" zu denken ist. So hat auch נכה die Bedeutung von
"offen", "aufrichtig". Eine solche klare, bestimmte und aufrichtige Antwort geht nicht darauf aus, jemanden zu täuschen und zu
hintergehen (vgl. Jes 30,9f.).

Wer sich also um eine offene, ehrliche Antwort bemüht (bzw.
einen unverfälschten Bericht abstattet), der handelt aus Liebe,
aus freundschaftlicher Verbundenheit. Unser Sprichwort zeigt
deutlich, wie eng offenherzige Antworten und Lippenküssen zu-

---

1 Etwas häufiger erscheint das verwandte Wort נֵבָה , das
  meistens als Präposition "gegenüber von", "vor", "angesichts"
  steht (vgl. KBL 616f.).

2 GB 614.

sammengehören. Wie der Kuss nur unter den Familiengliedern,
entfernten Anverwandten und engsten Freunden ausgetauscht wird,
so kann man eigentlich eine aufrichtige Antwort oder einen ehr-
lichen Bericht nur innerhalb dieser Gruppe erwarten. Ausserhalb dieses Kreises besteht bereits die Gefahr, dass schmeich-
lerische und verdrehte Antworten gegeben werden, weil hier
nicht mehr das Motiv der Liebe mitspielt.

3. Die offene Zurechtweisung

10,10   קֹרֵץ עַיִן יִתֵּן עַצָּבֶת   וֶאֱוִיל שְׂפָתַיִם יִלָּבֵט:

> Wer die Augen zukneift, bringt Kummer,
> aber wer törichter Lippen, kommt zu Fall
> 'aber wer mit Freimut rügt, stiftet Frieden'[a] (LXX).

Textanmerkungen:

a   V.10b des MT ist gleich wie V.8b. Die LXX übersetzt
     in V.10b: ὁ δὲ ἐλέγχων μετὰ παρρησίας εἰρηνοποιεῖ.
     Meistens wird vorgeschlagen, nach der LXX zu lesen:
     עַל־פָּנִים וּמוֹכִיחַ יְשַׁלִּים.
     Es ist schwer zu sagen, welche Lesung die ursprüng-
     lichere ist. Da jedoch V.10b ebenfalls in V.8b vor-
     kommt und im V.10 keinen richtigen Sinn gibt, kann
     man annehmen, dass ein Kopist hier V.8b wiederholt
     hat. Es ist zu vermuten, dass auch an dieser Stel-
     le ein antithetischer Parallelismus stand, da die-
     ser in der Sammlung A (10-15) fast ausschliesslich
     vertreten ist (90,6%)[1]. Allerdings muss man auch
     hinzufügen, dass das Griechische den synonymen Pa-
     rallelismus nicht besonders schätzt. Deshalb än-
     dert die LXX oft den synonymen Parallelismus in
     einen antithetischen. GERLEMAN führt dazu verschie-
     dene Beispiele von den Proverbien an[2]. Diese Fest-
     stellung warnt uns, im LXX-Text einfach kritiklos
     den ursprünglicheren Text zu sehen. Da jedoch V.10b
     im MT keine gute Parallele zu V.10a gibt, stützen
     wir uns auf die LXX.

1 SKADNY, Spruchsammlungen 68.
2 GERLEMAN, Studies 18-21.

Grammatikalisches:

V.10a bildet einen zusammengesetzten Nominalsatz: Wer die
Augen zukneift: er bringt Kummer. Nach der Rekonstruktion ist
auch V.10b gleich aufgebaut. Beidemal wird eine Aussage über
das Subjekt ("wer ... zukneift", "wer ... rügt") gemacht.

Auslegung:

Es ist nicht ganz eindeutig, was in V.10a gemeint ist. קרץ
bedeutet wohl an dieser Stelle "die Augen zusammenkneifen". In
Spr 16,30 steht das Wort in Verbindung mit Lippen "Lippen zusammenkneifen". Die Frage ist aber, ob V.10a ähnlich wie Ps
35,19 interpretiert werden muss, wo an ein heimliches schaden-
freudiges Tun gedacht ist: "die mich grundlos hassen, sollen
nicht mit den Augen zwinkern"[1]. Die LXX übersetzt in Spr 10,10
mit ὁ ἐννεύων ὀφθαλμοῖς. ἐννεύω bedeutet "zunicken, zuwinken,
zwinkern, um ein Zeichen zu geben" (Lk 1,62; vgl. Sir 27,22
διανεύων ὀφθαλμῷ).

Sicher muss es sich um ein heimliches, hinterlistiges Tun handeln[2]. Vielleicht ist an eine öffentliche Versammlung (z.B. am
Tor) gedacht, wo sich zwei oder mehrere gegenseitig verständigen, nachdem sie etwas gegen einen Dritten geplant haben. Dieser Dritte weiss nicht, was gespielt wird. Er spürt nur, dass
intrigiert wird und fühlt sich unsicher. Eventuell wurden durch
solche Gebärden vor allem auch Fehler des "Feindes" registriert,
resp. so getan als ob er Fehler gemacht hätte. In solchen Zusam-
menhängen kann man Grinsen, Augenzukneifen, Achselzucken etc.
auch heute noch beobachten.

Die beweglichen Orientalen verstehen es besonders, eine solche
Gebärdensprache zu verwenden[3]. Schon innere Vorgänge spiegeln

---

1 KEEL, Feinde 157f.
2 VORWAHL, Gebärdensprache 36.
3 GEMSER, Sprüche 39.

sich in den Gesichtszügen (Gen 4,5). Der Partner kann mit dem
Mienenspiel angesprochen werden (Gen 31,2; vgl. 31,5). So dienen Gesichtsausdruck, Augen, Hände, Füsse dazu, seinen Gedanken und Gefühlen Ausdruck zu geben[1].

LANG vermutet, dass der Ausdruck "kneift die Augen zusammen"
bedeute, der Böse fixiere seinen Gegner, er blicke nicht offen, "sondern verschlossen, starr, misstrauisch, heimtückisch,
aggressiv und hasserfüllt". Das Gegenteil sei der offene, gerade Blick (Spr 4,25), er bekunde die Bereitschaft, "sich offen und direkt ... auseinanderzusetzen, ohne Heimlichkeiten und
Umwege, anständig und selbstbewusst"[2].

Diesem heimlichen Tun, hinter dem oft hinterlistige Absichten
versteckt sein können (Spr 6,12-15; 16,30), ist das offene Zurechtweisen entgegengesetzt. Aus dem Zusammenhang ist es möglich, dass derjenige, der die Augen zusammenkneift, durchaus
Gründe hat, den andern zu tadeln. Das Verwerfliche ist aber,
dass er dem andern nicht auf den rechten Weg helfen, sondern
ihn verunsichern und ausmanövrieren will. Durch diese verschla-
gene Art entsteht Kummer.

Deshalb ist die offene und ehrliche Rüge das einzige richtige
Mittel. In der LXX wird für "Offenheit" παρρησία gebraucht.
Das Wort wird mit "Mut zur Offenheit", als "Freimut" übersetzt[3].
Es ist wohl hier im ähnlichen Sinne zu verstehen wie bei Plut-
arch "de audiendo", der seinem Schüler Nikandros Ermahnungen
erteilt (37b-48a). Die Freimut sei ein Kennzeichen des echten
Freundes: Mit Schonung und Takt solle man die Wahrheit sagen,
die der andere auch ertragen müsse[4].

---

1 BAUER, Volksleben 249-256; VORWAHL, Gebärdensprache; NÖTSCHER,
  Altertumskunde 18; KÖHLER, Hebräische Mensch 22; WOLFF, Anthropologie 116.
2 LANG, Anweisungen 74-76; vgl. STREHLE, Mienen 95.
3 SCHLIER, ThWNT 871; PAX, Versuch 372.
4 PAX, Dialog 257f.

Freilich sind solche, die offen einen andern zurechtweisen, nicht sehr beliebt. Aber durch die Offenheit weiss man, woran man ist. Es können unnütze Verdächtigungen und falscher Hass vermieden werden.

Auch im Heiligkeitsgesetz (Lev 19,17) steht eine ähnliche Forderung:

> "Du sollst deinen Bruder nicht hassen in deinem Herzen;
> zurechtweisen sollst du deinen Mitbürger getrost,
> aber nicht seinetwegen Verfehlung auf dich laden."

Dieser Satz geht wahrscheinlich auf die konkrete Situation eines Rechtshandels zurück[1]. In der jetzigen Fassung jedoch muss man wohl ebenso wie an öffentliche Verhandlung an das private Gespräch denken[2]. Man soll nicht heimlich Hass in sich verbergen, sondern freimütig mit dem Gegner ins Gespräch kommen.

Beide Stellen haben das Gemeinsame, dass offene Rüge, auch wenn es viel Mut braucht, der einzige Weg ist, um einem Gegner zu begegnen und den Frieden (εἰρηνοποιεῖ), d.h. das Wohl, das glückliche Zusammenleben in einer Gemeinschaft wieder zu ermöglichen.

---

1 Vgl. ELLIGER, Leviticus 259. Zu יכח vgl. unten 114.
2 Ebd. 259.

Auch die beiden folgenden Sprichwörter (27,5 und 28,23) handeln von der aufrichtigen, offenen Zurechtweisung.

27,5 טוֹבָה תּוֹכַחַת מְגֻלָּה מֵאַהֲבָה מְסֻתָּרֶת:

> Gut ist enthüllter Tadel
> und nicht verborgene Liebe[a].

Textanmerkung:

> a BH schlägt anstelle von "Liebe" מאיבה "Feindschaft"
> vor. Nach OESTERLEY muss man vielleicht anstelle von
> תרמית / מסתרת lesen (vgl. Zef 3,13)[1].
>
> Es bestehen aber keine Gründe, in V.5b eine Korrek-
> tur vorzunehmen. Auch die LXX entspricht dem MT
> (κρυπτομένης φιλίας)[2].

Grammatikalisches und Stilistisches:

In Spr 27,5 werden zwei Dinge miteinander verglichen und gleichzeitig beurteilt. Die sog. "besser ... als"-Sprüche sind sehr
häufig und gehören zu den Urteilssätzen (Spr 3,14; 8,11.19; 12,
9; 15,16.17; 16,8.16.19.32; 17,1; 19,1.22; 21,9=25,24; 21,19;
25,7; 27,5.10; 28,6)[3]. Man wird vielleicht besser diese Formulierungen nicht komperativisch (besser ... als ...) fassen,
sondern deren מן exkludierend, privativ (gut ist ... und nicht)
verstehen[4].

מגלה (part. pu.) wird gewöhnlich mit "offen, unverhüllt"
übersetzt. Besser wird man wohl die Form vom Pi‘el her mit
"enthüllt" wiedergeben. Das Pi‘el hat resultative Bedeutung
"etwas Verborgenes aufgedeckt machen"[5]. Es handelt sich um
einen Tadel, den man dem Freund enthüllt, statt ihn mit sich

---

1 OESTERLEY, Proverbs 239.
2 Vgl. McKANE, Proverbs 610.
3 Vgl. HERMISSON, Studien 155f.; ZIMMERLI, Struktur 192f.
4 Vgl. SCHMID, Wesen 159 Anm. 69.
5 JENNI, Pi‘el 202f.

herumzutragen.

Der Spruch enthält folgende Endreime (Homoioteleuton):

טוֹבָה   מְגֻלָּה   מֵאַהֲבָה

Ferner treten Alliterationen auf: ח (bzw. מ) und מ

טובה תוכחת מגלה מאהבה מסתרת

Da die alliterierten Wörter (תוכחת מגלה / מאהבה מסתרת)
einander entgegengesetzt sind, wird die Gegensatzwirkung durch
die Alliteration umso stärker und deutlicher sichtbar[1].

Auslegung:

יכח im Hif. erscheint 54x, davon allein in Ijob 15x, in den
Spr 10x und Pss 7x[2]. Die Wurzel gehört ursprünglich wohl in
den Bereich des Gerichtsverfahrens (vgl. Jes 29,21; Am 5,10
"im Tor"). Die Grundbedeutung ist "feststellen, was recht
ist"[3]. Wird יכח gegenüber jemandem gebraucht, der im Unrecht
ist, bekommt es die Bedeutung von "zurechtweisen", "zur Rede
stellen". In diesem Sinn wird das Verb häufig in den Proverbien (vgl. 9,7f.; 15,12; 19,25; 24,25; 28,23) gebraucht. Vom
Hif. ist das feminine Substantiv תוכחת durch Vorfügung von
ta- abgeleitet[4]. Es findet sich ebenfalls häufig in den Proverbien (16x) und steht oft parallel zu מוסר "Zucht" (5,12;
6,23; 10,17; 12,1; 13,18; 15,5.10.32) und zu עצה "Rat" (1,25.
30). In Verbindung mit dem Part. מגלה ist hier wahrscheinlich
an einen Vorwurf gedacht, den man seinem Freund enthüllt. Ein
solcher Tadel ist eine Freundschaftstat, auch wenn er zunächst
unangenehm erscheint.

Dieser offenen Zurechtweisung wird die verborgene Liebe gegen-

---

1 Vgl. ALONSO-SCHÖKEL, Kunstwerk 68f. und 301f.

2 LIEDKE, THAT I 730.

3 Ebd.

4 Ebd.

übergestellt. Nicht ganz eindeutig ist das Wort מסתרת.
Am ehesten würde man hier "trügerisch", "geheuchelt" erwarten[1].

Mir scheint, dass סתר ähnlich zu verstehen ist, wie der Ausdruck הסתיר פניו "sein Antlitz verbergen", der in den Psalmen häufig von Gott gebraucht wird (Ps 10,11; 51,11; 69,18; 88,15 u.a.). "Verbergen" steht hier in der Bedeutung "nichts mehr sehen und hören". Sobald ein Freund etwas Negatives an seinem Nächsten entdeckt oder gehört hat, so zieht er sich zurück, ohne ihm zu eröffnen, was er gegen ihn getan hat. Durch eine solche Haltung verstellt er der Verständigung den Weg[2]. Es ist ja durchaus möglich, dass ein Missverständnis vorliegt. Nur das direkte Zur-Redestellen kann solche Meinungsverschiedenheiten aus dem Wege räumen. So rät auch Jesus Sirach zur offenen Aussprache: "Stelle den Freund zur Rede (ἔλεγξον), ob er (etwas vielleicht) nicht getan hat und falls er (es) getan hat, dass er (es) nicht wieder tue! Stelle den Freund zur Rede, ob er (etwas vielleicht) nicht gesagt hat und falls er (es) gesagt hat, dass er (es) nicht wiederhole! Stelle den Freund zur Rede; denn oft kommt Verleumdung vor und traue nicht jedem Wort! Mancher entgleist, aber ohne Absicht, und wer hat

---

1 OESTERLEY, Proverbs 239. Man verweist etwa auf den syr. Achiqar II,73, bei dem sich ein ähnlicher Gedanke findet: "Mein Sohn, lass den weisen Mann dich schlagen mit vielen Schlägen und lass nicht den Toren salben mit süssen Salben". IBN ESRA setzt den Gegensatz zwischen einer öffentlichen und geheimen Rüge: "als eine Rüge der Liebe, welche im Geheimen gespendet wird", d.h. eine solche Zurechtweisung ist weniger effektvoll, weil ein öffentlicher Vorwurf tiefer geht und eine grössere Chance zur Besserung hat (vgl. COHEN, Proverbs 179f.). McKANE, Proverbs 610, meint, dass der Freund sich nicht äussere, um nicht das Band der Freundschaft zu zerbrechen, weil er fürchte, dass der Freund vielleicht diese Rüge nicht ertrage. Nach DELITZSCH, Spruchbuch 435f., ist die "verborgene Liebe" die Liebe dessen, der seinem Nächsten stets die Treue seiner Freundschaft versichert, aber in der Stunde der Not ihn hilflos lässt.

2 Vgl. auch FRANKENBERG, Sprüche 148.

mit seiner Zunge (noch) nie gesündigt? Stelle deinen Nächsten
zur Rede, ehe du (ihm) grollst, und bringe das Gesetz des Al-
lerhöchsten in Anwendung"(Sir 19,13-17; vgl. Lev. 19,17; Mt
18,15)[1].

Von der Erfahrung her mag man vielleicht einwenden, dass sich
jener, der offen rüge, dadurch unbeliebt mache. Gegen diese
Auffassung wehrt sich die folgende Sentenz, indem sie darauf
hinweist, dass der Mahner doch zuletzt Anerkennung erhalte.

28,23   מֹוכִיחַ אָדָם אַחֲרַי חֵן יִמְצָא   מִמַּחֲלִיק לָשׁוֹן:

Wer einen Menschen zurechtweist, findet schliesslich[a]
Gunst, und nicht der Glattzüngige (wörtl.: als der,
der die Zunge glatt macht).

Textanmerkung:

     a   Für das etwas merkwürdige Wort אחרי wird oft vor-
geschlagen, nach der LXX ארחו (ὁδούς) zu lesen[2].
GEMSER nimmt das Wort aus metrischen Gründen zu
V.23b. TOY streicht es als Glosse[3]. Es fehlt auch
in der syr. Uebersetzung[4].

Grammatikalisches und Stilistisches:

Auch V.23 gehört zu den sog. "besser ... als"-Sprüchen[5]. Anstelle von טוב steht der Verbalsatz "findet Gunst". Wiederum
wird ein Urteil gefällt. So kann der Halbvers als ein zusammengesetzter Nominalsatz angesehen werden: "Der Mahner, er
findet Dank".

---

1 Uebersetzung nach HAMP, Sirach 619.

2 BH und McKANE, Proverbs 632.

3 GEMSER, Sprüche 100; TOY, Proverbs 504.

4 Nähere Erklärungen siehe in den nächsten Abschnitten.

5 Vgl. oben 113.

Schwierig ist die Form אחרי zu erklären. Wahrscheinlich ist
die Endung eine aramäische Bildung. Nach FRANKENBERG ist אחרי
ein aramäischartiges Adverb (ähnlich wie אזי vgl. Ps 124,3-5;
dazu WAGNER[1])[2]. DRIVER aber sieht ein Adjektiv mit aramäischer
Endung (ay). Das Wort habe die gleiche Bedeutung wie das Akkadische aḫur(r)u "zurückstehend", das für eine niedrige Person
gebraucht werde. Er fasst אדם אחרי als Subjekt zu ימצא חן
auf[3]. IBN ESRA meint, אחרי "nach mir" bedeute "nach meinem
(Salomo's) Beispiel"[4].

Die Alliterationen auf מ und ח (bzw. ק u. כ) מוכיה אדם
אחרי חן ימצא verdeutlichen den Gegensatz zu ממחליק

Auslegung:

V.25 gibt den besten Sinn, wenn wir das אחרי als Adverb auffassen in der Bedeutung "hinterher" (vgl. auch Vulg. "postea").
So verstehen viele Exegeten das Wort[5].

Beim מוכיה handelt es sich wohl wie an den andern Stellen
(10,10; 27,5)[6] um einen Menschen, der offen andere zurechtweist.

Der Ausdruck חן ימצא scheint mit der Formel מצא חן בעיני
"Gunst finden in den Augen von ..."[7] verwandt zu sein. Mit der
genannten Formel wird meistens eine zwischenmenschliche Beziehung ausgesagt[8]. Derjenige, in dessen Augen man חן findet,

1 WAGNER, Aramaismen 21f.

2 FRANKENBERG, Sprüche 155.

3 DRIVER, Problems in "Proverbs" 147 übersetzt: "(as) a rebuker
  a common man shall find more favour than (as) a flatterer".

4 COHEN, Proverbs 191.

5 FRANKENBERG, Sprüche 155; OESTERLEY, Proverbs 257; RINGGREN,
  Sprüche 110; BARUCQ, Proverbes 210 u.a.

6 Vgl. oben 111f. 114f.

7 LOFTHOUSE, Ḥen 30f.

8 Vgl. LANDE, Formelhafte Wendungen 95-97.

ist immer ein Uebergeordneter, nie umgekehrt[1].

Im Laufe einer Entwicklung, die sich besonders in der Weisheit zeigt, geht die Verbindung mit "in den Augen von" eines konkreten Gegenüber verloren. Damit verlegt sich der Nachdruck der Aussage eindeutig auf den Empfänger und der Begriff bekommt allgemeine Bedeutung[2]. In den Proverbien erscheint der Ausdruck zweimal (3,4; 28,23). In 3,4 wird noch ein Gegenüber genannt: "vor Gott und den Menschen", ist aber dem konkreten Bezug entzogen. An unserer Stelle ist das "vor den Augen" entfallen. So entspricht der Ausdruck einem allgemeinen Werturteil, wie wir es häufig in den Proverbien finden ("gut"; "nicht gut"; "Greuel Jahwes" u.a.).

חלק I bedeutet im Hif. "glatt machen", "schmeicheln" und steht mit einer Ausnahme (Jes 41,7) in Verbindung mit dem Reden. In Spr 29,5 ist in diesem Reden die bösartige Absicht erkennbar: "Ein Mann, der seinem Nächsten schmeichelt, bereitet ein Netz vor seine Füsse". In Spr 2,16 und 7,5 versucht die Fremde den Unerfahrenen mit schmeichlerischen Worten zu verführen. Im Munde der Feinde findet sich nichts Beständiges (נכונה). Verderbtheit (הוות) ist in ihrem Innern, glatte Worte führen sie mit ihrer Zunge (Ps 5,10; vgl. 36,3). An diesen Stellen geht es nicht um ein Schmeicheln im Sinne von Gunst erwerben, sondern man versucht mit schönen Worten dem andern zu schaden. Dasselbe wird auch beim Substantiv חֵלֶק und Adjektiv חָלָק ersichtlich (Spr 7,21; 5,3; 26,28; Ps 12,3)[3].

Aus diesen vielen Belegen wird man deshalb annehmen müssen, dass es sich auch hier nicht bloss um einen Schmeichler handelt, der sich bei einem andern beliebt machen will, wie man das er-

---

1 Zur ausführlichen Darlegung dieser Formel vgl. STOEBE, THAT I 588-591.

2 Ebd. 591.

3 Zu den einzelnen Stellen siehe oben Einleitung 21f.

warten würde, sondern um einen bösartigen Menschen, der schöne
Worte gebraucht, um dadurch seine Absicht zu verstecken. Wenn
man vielleicht zunächst auf einen solchen Menschen hereinfal-
len kann, so wird doch am Ende seine Unaufrichtigkeit offenbar. Dagegen wird man schliesslich erkennen, dass der anfäng-
lich unbequeme Mahner es ehrlich meint und nur das Beste will.

Während in den bisherigen Sprichwörtern (10,10; 27,5; 28,23)
der Erfolg des offenen Mahners nicht aussteht - in 10,10 sogar sehr optimistisch: er stiftet Frieden -, ist die Aussage
von 25,12 eher zurückhaltend. Erst dann wird die Zurechtweisung zum Ziele führen, wenn auch noch einer auf die weise Ermahnung hört.

25,12   נֶזֶם זָהָב וַחֲלִי־כָתֶם   מוֹכִיחַ חָכָם עַל־אֹזֶן שֹׁמָעַת:

> Ein goldener Ring mit einem Schmuckstück aus Feingold,
> ein weiser[a] Mahner am hörenden Ohr.

Textanmerkung:

     a   die LXX übersetzt mit λόγος .

Grammatikalisches und Stilistisches:

In V.12 handelt es sich um einen Vergleichsspruch[1]. זהב
und כתם bestimmen das Nomen regens näher (Génitif de matière)[2].

Das Waw in V.12a וחלי ist wahrscheinlich ein "waw-concomitan-
tiae" (waw d'accompagnement)[3]. Man vergleiche etwa mit Ijob

---

1 Einzelheiten zum Vergleichssatz siehe oben Kapitel I 46;
   vgl. auch 38.

2 Siehe oben Kapitel I 42 Anm. 1.

3 GESENIUS-KAUTZSCH § 154 a Anm. 1b; JOÜON § 150 p und 151 a.

41,12. Diese Stelle lässt sich auch ohne Textkorrektur erklären, wenn wir dort ein "waw - concomitantiae" annehmen: "Aus
seinen Nüstern qualmt der Dampf wie ein Topf, angefacht <u>mit</u>
Schilfhalm (וְאַגְמֹן נָפוּחַ כְּדוּד)"[1] (vgl. Ex 10,10; 12,8; Lev
1,12; Jes 42,5). Deshalb übersetze ich: "ein goldener Ring <u>mit</u>
einem Schmuckstück ...".

אֹזֶן ist Pars pro toto und bezeichnet den ganzen Menschen.
Durch diese Synekdoche wird besonders deutlich hervorgehoben,
auf was es beim Schüler besonders ankommt: auf das Hören.

Alliterationen auf זָ, מ (3x am Ende des Wortes) und כ (ה):
נֶזֶם זָהָב וַחֲלִי־כָתֶם מוֹכִיחַ חָכָם עַל־אֹזֶן שֹׁמָעַת
Im Ausdruck מוֹכִיחַ חָכָם findet sich ein Buchstabenchiasmus
(die gleichen Konsonanten in umgekehrter Reihenfolge).

Auslegung:

נֶזֶם bezeichnet zunächst den Nasenring, der von den Frauen als
Schmuck getragen wurde (Gen 24,22.30.47; Jes 3,21; Ez 16,12;
Spr 11,22)[2]. Daneben aber meint das Wort auch den Ohrenring,
der zum Hauptschmuck der Frau gehörte (Gen 35,4; Ex 32,2.3)[3].
Ferner steht der Ausdruck für Ring ohne nähere Bestimmung
(Ex 35,22; Hos 2,15; Spr 25,12; Ijob 42,11; Ri 8,24-26).
Wahrscheinlich ist hier an einen Ohrenring gedacht (vgl. LXX
ἐνώτιον ; Syr. qdšᶜ ddhbʾ "Ohrenring von Gold"; Vulg. inauris
aurea). Als Material für Ohrenringe wurden Gold, Silber, Bron-
ze oder Eisen verwendet. Recht häufig aber sind Ohrenringe aus
Gold (vgl. Gen 24,22; Ex 32,2.3; Ri 8,24; Ijob 42,11; Spr 11,
22; 25,12)[4].

---

1 FOHRER, Hiob 526f., ändert zu וְאַגְמֹן "angefacht und glühend".
2 BAUER, Volksleben 62; BENZINGER, Archäologie 91 und Abb. 101;
  DALMAN, AuS V 349f.; GALLING, BRL 396.
3 AOB 178 und Abb. 636; GALLING, BRL 398-402.
4 GALLING, BRL 398-400; FOHRER, BHH III 1603f.

Als weiterer Schmuck wird חלי genannt. Der Ausdruck, der nur
noch in Hld 7,2 חלאים[1] vorkommt, ist schwer zu bestimmen. In
Hos 2,15 erscheint das verwandte חליה zusammen mit נזם . In
der LXX wird in Hld 7,2 חלאים mit ὁμίσκος "Halsschmuck" und in
Hos 2,15 חליה mit καθόρμια "Halsschmuck" wiedergegeben. Auch
die Vulg. denkt in Hld 7,2 an einen Halsschmuck (monilia;
vgl. aber in Spr 25,12: margaritum). Das liess viele vermuten,
unter חלי ein Halsgeschmeide zu verstehen[2]. Die alten Uebersetzungen denken an einen kostbaren Stein(LXX σάρδιον πολυτελές;
Syr. srdwn ṭbʾ "guter Edelstein"; Vulg. margaritum fulgens).

Man kann sich fragen, ob vielleicht in V.12a an einen besonders kostbaren Ring gedacht ist. Dann wäre das Waw in וחלי
als "waw - concomitantiae" zu verstehen und müsste mit "Schmuckstück" übersetzt werden. Somit wäre an einen goldenen Ring gedacht, der mit einem besonders feinen Schmuck ausgestattet ist.
Auch BUBER zieht hier diese Interpretation vor: "Goldener Ohr-
reif mit Edelerzgeschmeid"[3]. Man kann sich dabei die beiden in
Kition (Zypern) gefundenen Ringe aus der Spätbronzezeit vorstellen: ein goldener Fingerring mit eingesetztem Glasschmelz
in Form eines Bukranions und ein goldenes Ohrgehänge in Gestalt
von Tierköpfen[4]. Auch in Palästina genügte mit der Zeit die in
eins gefertigte Form dem Schmuckbedürfnis nicht mehr, und so
kommen auch Formen mit Anhängern auf[5]. Ihnen ähnlich sind die
aus Tell el-fareꜥ stammenden Troddel-Ohrenringe[6]. Auch nach der
LXX hat man sich ein solches Schmuckstück vorzustellen:

---

1 Die Form ist ein Plur. von חלי (vgl. GESENIUS-KAUTZSCH,
  Grammatik § 93 x; BAUER-LEANDER, Grammatik § 21 g).

2 TOY, Proverbs 463; BARUCQ, Proverbes 194; vgl. auch RUDOLPH,
  Hohelied 168 Textanm. 2 d.

3 BUBER, Gleichsprüche 259.

4 KARAGEORGIS, The Ancient Civilization Abb. 82.

5 GALLING, BRL 399f. Abb. 10-12.14.

6 Ebd. 400 Abb. 13.

Εἰς ἐνώτιον χρυσοῦν καὶ σάρδιον πολυτελὲς δέδεται.

"auf einen goldenen Ring fügt man einen kostbaren Edelstein".

Bei כתם[1] muss es sich um Feingold handeln, das zusammen mit
פז in Jes 13,12 als besonders selten bezeichnet wird (vgl.
Hld 5,11). Gelegentlich steht כתם in Verbindung mit Ophir
(Jes 13,12; Ps 45,10; Ijob 28,16). In V.12a ist somit an
einen Ohrenring mit einem besonders wertvollen mit Feingold
ausgestattetem Schmuckstück gedacht.

Mit diesem Bild wird nun der מוכיח הכם , der zu seinem Schüler
spricht, verglichen. Es geht hier um einen Weisen, der mit
seinem Wort einen andern zum rechten Tun ermahnt und zurechtweist. Der Akzent liegt in V.12b eindeutig im Ausdruck עלֿאֹזֶן
שמעת. Wenn ein Weiser keinen aufmerksamen Zuhörer findet, so
sind seine Ermahnungen umsonst. Das Hören auf die Worte, auf
die Zucht und auf die Zurechtweisung der Weisen, gilt in den
Proverbien als wichtige Voraussetzung zum weise werden (12,15;
15,31f.; 19,20). Die Fähigkeit oder Unfähigkeit zu hören und
die Mahnung zu hören ist seit alters ein wichtiges Thema der
Weisheit. Solche Aufforderungen begegnen schon in den aegyptischen Lehren und treten dort vor allem in den Prologen und
Epilogen auf. Die wichtigste Stelle ist jene aus der Lehre
des Ptahhotep (534-543)[2].

Auch in Spr 1-9 sind die Aufforderungen zum Hören häufig. In
mannigfachen Variationen kehren sie zu nahezu allen einzelnen
Einheiten wieder und ermahnen die Schüler auf die Weisungen
von Eltern und Lehrer zu hören[3].

Wer diese Zurechtweisungen in den Wind schlägt, erleidet Armut
und Schande (Spr 13,18) und geht zugrunde (Spr 10,17; vgl. 15,
10). Dagegen, wer auf sie hört, bleibt inmitten der Weisen

---

1 Vgl. GERLEMAN, Das Hohelied 173.
2 Uebersetzung vgl. KAYATZ, Studien 45; SCHMID, Wesen 205.
3 KAYATZ, Studien 40-47.

(Spr 15,31), erwirbt Verstand (Spr 15,32) und wird am Ende
weise (Spr 19,20).

Wie McKANE richtig interpretiert, wird hier das ideale Lehrer-
Schüler-Verhältnis beschrieben[1]. Die Metapher in V.12a deutet
an, dass dieses Verhältnis zwischen einem Weisen und einem aufmerksamen Schüler etwas Wertvolles, Vollkommenes und Schönes
ist.

4. Die Rede als Mittel zur Besserung

Offene Rüge und Kritik dürfen nicht als Schikane aufgefasst
werden, sondern wollen zur Besserung beitragen. Besonders die
Rede der Weisen ist dazu geeignet, die Unverständigen und Toren zur Besserung zu bewegen. Davon handeln die folgenden
Sprichwörter (10,13; 14,3; 15,7; 26,4f.).

10,13   בְּשִׂפְתֵי נָבוֹן תִּמָּצֵא חָכְמָה   וְשֵׁבֶט לְגֵו חֲסַר־לֵב׃

     Auf den Lippen des Verständigen findet man Weisheit
     und eine Rute für den Rücken des Unverständigen[a].

Textanmerkung:

     a   Die LXX übersetzt:"Ὃς ἐκ χειλέων προφέρει σοφίαν, ῥάβ-
        δῳ τύπτει ἄνδρα ἀκάρδιον "Jener, welcher durch sei-
        ne Lippen Weisheit hervorbringt, schlägt einen Un-
        verständigen mit einer Rute". Diese Uebersetzung
        unterscheidet sich vom MT. Dagegen entsprechen
        Aquila, Symmachus und Theodotion ziemlich dem hebrä-
        ischen Text.

---

1 McKANE, Proverbs 585.

Grammatikalisches und Stilistisches:

Nach der Absicht der Aussage ist V.13a als zusammengesetzter
Nominalsatz zu verstehen, in dem die präpositionale Bildung als
Subjekt, der Verbalsatz als Prädikat fungiert[1]. V.13b ist mit
V.13a durch ein waw-copulativum verbunden (vgl. Theodotion und
Vulg.).

Durch die Form תמצא (Nif.) wird das unbestimmt persönliche
"man" ausgedrückt[2].

חסר־לב "ermangelnd an Verstand" ist Pars pro toto und bezeichnet den Unverständigen (vgl. Spr 6,32; 7,7; 9,4.16; 11,12; 12,
11; 15,21).

Auslegung:

Das Part. Nif. von בין "(unterscheidend) einsehen", "(zu handeln) verstehen" steht in 18 von 22 Belegen in näherer oder lo-
serer Verbindung mit חכם oder חכמה und bedeutet "einsichtig",
"kundig" (Gen 41,33.39; Dtn 1,13; 1 Kön 3,12; Jes 5,21; 29,14;
Jer 4,22; Hos 14,10). Vor allem ist das Wort in den Sprüchen
häufig. In 16,21 ist es mit חכם־לב gleichbedeutend. Der נבון
schöpft aus der Tiefe seines "Herzens". Seine Erkenntnisse gründen auf einer reichen Lebenserfahrung (vgl. 16,21.23). In 1,5
steht נבון mit חכם parallel, in 14,33 hat der Verständige Weisheit, aber dem כסיל ist sie nicht bekannt. Mehrmals wird נבון
auch mit דעת verbunden. Er erwirbt sich Erkenntnis (14,6; 15,
14; 18,15; 19,25)[3]. Er besitzt einen inneren Sinn für das kun-
dige Handeln, der durch die Kenntnis der Tradition, der Erziehung und eigenen Erfahrung gefördert wird[4]. Besonders muss er

---

1 HERMISSON, Studien 159f.

2 GESENIUS-KAUTZSCH, Grammatik § 144 k.

3 Vgl. RINGGREN, ThWAT I 626.

4 DUESBERG, Scribes 246f.

sich durch eine geschickte Rede auszeichnen. Er erkennt den
richtigen Augenblick, das richtige Wort zu sagen. So weiss er
auch, wann er zu schweigen hat (17,28). Deshalb bringt seine
Rede auch Weisheit hervor (vgl. auch 18,4).

Die Hauptaussage liegt aber in V.13b. Die meisten Exegeten
übersehen hier die Bedeutung dieses Halbverses. Einige glauben, dass die beiden Glieder beziehungslos nebeneinanderste-
hen[1]. Andere fassen das Waw als adversatives Waw auf[2]. So
sieht McKANE den Kontrast zwischen dem נבון und dem חסר־לב .
Wenn der Einsichtige spricht, kommt Weisheit zutage, dagegen
wenn der Unverständige redet, so stürzt er sich ins Verderben[3].

Fasst man aber das Waw als waw copulativum auf, bietet der
Text keine grossen Schwierigkeiten[4]. Die Weisheit des Verständigen trifft den חסר־לב wie eine Rute. Sie ist ihm eine Qual.
Dadurch soll der Unverständige zurechtgewiesen werden. Die Rute war ja im Altertum ein wichtiges Erziehungsmittel. So spielte sie nach den aegyptischen Schultexten des Neuen Reiches eine
entscheidende Rolle. "Ich werde deine Beine schon lehren, durch
die Gassen zu strolchen, wenn du mit der Nilpferdpeitsche geschlagen wirst"[5]. Selbst ein Schüler sagt einmal: "Ich bin als
Kind aufgewachsen, indem ich dir zur Seite war; du schlugst
mich auf den Rücken und so trat deine Lehre in mein Ohr"[6].
Dass die Prügel in der Erziehung bedeutungsvoll waren, geht
unter anderem auch aus der ägyptischen Schrift hervor, die alle Wörter für Erziehen mit dem "Schlagenden Mann" oder dem

---

1 DELITZSCH, Spruchbuch 168; TOY, Proverbs 207; OESTERLEY,
  Proverbs 77.

2 Vgl. GEMSER, Sprüche 50; McKANE, Proverbs 225 u.a.

3 McKANE, Proverbs 416.

4 Vgl. auch BUBER, Gleichsprüche 229.

5 BRUNNER, Erziehung Qu 38c 173.

6 Ebd. Qu 39f. 176.

"Schlagenden Arm" determiniert, "jenen Zeichen, die die Aegypter hinter Wörter schreiben, die kraftvolle Tätigkeiten des Ar-
mes oder der Hand bezeichnen"[1]. Auch bei Achikar heisst es:
"Verschone deinen Sohn nicht mit der Rute, sonst kannst du ihn
nicht bewahren vor dem Bösen" (81f.)[2]. Aehnlich äussert sich
Spr 13,24: "Wer seine Rute schont, hasst seinen Sohn, aber wer
ihn lieb hat, bedenkt ihn mit Züchtigung".

Weil der חסר־לב nicht auf die Reden (אמרים) und Gebote (מצות)
des Weisen hört (vgl. Spr 7,1-7), sich an der אולת freut und
nichtigen Dingen nachjagt (Spr 15,21; 12,11), muss er mit harten Worten angefasst werden.

Aehnlich redet das Sprichwort (14,3) davon, dass die Worte der
Weisen den Toren vor dem Hochmut abzuhalten vermögen.

14,3 בְּפִי־אֱוִיל חֹטֶר גַּאֲוָה   וְשִׂפְתֵי חֲכָמִים תִּשְׁמוּרֵם:

Im Mund des Toren ist ein Reis des Hochmuts[a],
aber die Lippen der Weisen behüten sie[b].

Textanmerkungen:

a   Anstelle von גאוה wird oft גֵּוֹה "Rücken" vorge-
    schlagen[3]. Die LXX hat aber auch ὕβρεως .

b   Für תשמורם wird meistens תִּשְׁמְרֻם gelesen[4] (vgl.
    auch die LXX φυλάσσει αὐτούς). PRIJS glaubt,
    dass es sich bei תשמורם um das Produkt einer
    Vokalversetzung aus phonetischen Gründen hand-
    le. Die Aussprache der etwas ungewöhnlichen
    Form תשמרום erleichterte man sich durch תִּשְׁמְרָם.
    Damit aber das Waw nicht fehlte, setzte man es
    hinter das Mem. So sei diese Form entstanden[5].

1 BRUNNER, Erziehung 57f. 176.

2 AOT 457; ANET 428 b.

3 BH; FRANKENBERG, Sprüche 86; RINGGREN, Sprüche 58; GEMSER,
  Sprüche 66; McKANE, Proverbs 463f.

4 BH; GEMSER, Sprüche 66; vgl. GESENIUS-KAUTZSCH, Grammatik
  § 47 g; JOÜON, Grammaire § 44 c.

5 PRIJS, Miszellen 395.

Grammatikalisches und Stilistisches:

In V.3a ist das Subjekt des Nominalsatzes mit der Präposition
ב gebildet[1].

V.3b ist als zusammengesetzter Nominalsatz zu bestimmen. Am
besten liest man hier תשמרם. Das Suffix ם-könnte für das unpersönliche "man" stehen: "Errettet einen" (Spr 12,6[2]). Wahrscheinlicher aber weist es auf אויל zurück. אויל ist hier wohl
ein Kollektivbegriff. Aus diesem Grunde steht vielleicht das
Suffix im Plural.

In V.3 ist die Alliteration auf מ auffällig: הכמים תשמורם
Dadurch erhält das Verb einen gewissen Nachdruck[3].

Auslegung:

Das Wort חטר bedeutet "Reis", "Spross", "Schössling" und kommt
nur noch in Jes 11,1 vor. Auch in der Aḥirom-Inschrift er-
scheint einmal das Wort: "Wenn aber ein König unter den Köni-
gen ... diesen Sarkophag aufdeckt, dann soll der Stab seiner
Herrschaft entblättert werden" (1,2)[4]. Die Verbindung mit dem
Verb חסף "rupfen", "entblättern" weist daraufhin, dass die
Grundbedeutung von חטר "Zweig", "Reis" gut passt[5]. Die ver-
schiedenen alten Versionen lesen an dieser Stelle "Stock",
"Rute" (vgl. LXX βακτηρία ; Theodotion ῥαβδίον ; Syr. zqtˀ[6];
Vulg. virga). Daher nehmen die meisten Exegeten die Bedeutung
"Rute" an[7]. Da aber der Ausdruck "Rute des Uebermutes" keinen
guten Sinn gibt, korrigieren einige auch noch גאוה zu גֵּוֹה

---

1 Vgl. HERMISSON, Studien 159.
2 Siehe unten Kapitel VI 299.
3 Vgl. ALONSO-SCHÖKEL, Kunstwerk 64ff.
4 DONNER-RÖLLIG, Inschriften II 2.
5 Ebd. 4.
6 Thesaurus Syriacus I 1151: "baculus", "virga".
7 FRANKENBERG, Sprüche 86; TUR-SINAI, Mischle 215; RINGGREN,
  Sprüche 58; GEMSER, Sprüche 66; McKANE, Proverbs 231.

(vgl. Textanmerkungen). Dadurch ergibt V.3a folgende Bedeutung:
Der Tor spricht zu seinem eigenen Schaden und wird sich durch
seine Unbesonnenheit zum eigenen schlimmsten Feind[1]. Diese
Textkorrektur beruht aber auf keiner sicheren Grundlage. Keine
der alten Versionen hat hier "Rücken" (vgl. LXX ὕβρεως ;
Theodotion ὑπερηφανίας ; Vulg. superbiae)[2].

Am besten übersetzt man das Wort חטר wie in Jes 11,1[3]. Das
Bild vom Spross, der aus einem Baumstumpf hervorbricht und
hervorwächst wird hier auf den אויל angewendet. Aus seinem
Mund (durch sein arrogantes Reden) sprosst die גאוה auf[4].

גאוה ist vom Verb גאה "hoch sein" abgeleitet. Unter גאוה ist
deshalb das hochmütige, eingebildete Verhalten des אויל gemeint, das sich im überheblichen Reden zeigt. Es ist weniger
an das stolze, hochmütige Reden der Frevler (Ps 17,10; 73,9)
gedacht, die mit ihren Lippen "Freches" gegen den Gerechten
reden, sondern es geht hier eher um Prahlerei.

Die Proverbien fordern besonders den Menschen auf zur Selbstbe-
scheidung, indem sie betonen, dass der Hochmütige fällt (vgl.
Spr 29,23a; 16,18; 11,2). Diese Stellen haben wohl die Exegeten veranlasst, auch in V.3a einen ähnlichen Sinn zu sehen.
So ergebe V.3b eine geeignete Antithese[5]. Allerdings gibt es
in der Interpretation der einzelnen noch Unterschiede, weil sie
das Suffix in תשמרם verschieden verstehen. OESTERLEY sieht den
Gegensatz darin, dass die Weisen sich selbst bewahren, während
die Toren durch den Hochmut untergehen[6]. Nach TOY besteht die

---

1 McKANE, Proverbs 463.

2 Der syr. Text hat zqtʾ wṣʿrʾ "Stachel (Rute) u. Schande".

3 Vgl. TOY, Proverbs 281; OESTERLEY, Proverbs 107.

4 Aehnlich OESTERLEY, Proverbs 107; COHEN, Proverbs 86; DUES-
   BERG-AUVRAY, Proverbes 60; BUBER, Gleichsprüche 236; BARUCQ,
   Proverbes 124; ALONSO-SCHÖKEL, Proverbios 72.

5 Vgl. McKANE, Proverbs 463.

6 OESTERLEY, Proverbs 107.

Antithese darin, dass die Worte der Weisen für andere nützlich
sind und die arroganten Worte dem Betreffenden selber Schaden
zufügen[1].

Mir scheint jedoch, dass das Suffix zu אויל gehört. Die Weisen bewahren diese (אויל) vor ihrem arroganten Reden. Dies
kann dadurch geschehen, dass die Weisen die Toren auf ihre
Ueberheblichkeit aufmerksam machen und sie zurechtweisen
(vgl. Spr 10,13), oder dass sie diese durch ihre überlegenen
Worte in den Schatten stellen. Wenn der אויל den Weisen hört,
so merkt er bald, wie einfältig seine Reden sind und er wird
sich hüten weiter zu sprechen (vgl. auch Spr 24,7). Dadurch
entgeht der Tor der Schande, die er sich sonst wegen seinem
Reden zuzieht (vgl. Spr 11,2; 16,18; 29,23).

Auch Spr 15,7 muss in ähnlicher Weise gedeutet werden. Das
Reden der Weisen deckt alles Wertlose auf und enthüllt die
wahre דעת.

15,7 : שִׂפְתֵי חֲכָמִים יְזָרוּ דָעַת   וְלֵב כְּסִילִים לֹא־כֵן׃

Die Lippen der Weisen worfeln[a] Wissen,
aber das "Herz" des Toren ist nichts Festes[b].

Textanmerkungen:

a   FRANKENBERG, TOY und OESTERLEY lesen יצרו דעה (vgl.
     Symmachus φυλάσσουσι γνῶσιν), da das Wort זרה
     im Pi‘el immer nur im negativen Sinne gebraucht
     werde (Spr 20,8.26; Ez 5,10; Ps 106,27 u.a.)[2].
     DAHOOD schliesst auf eine Wurzel זור "to flow",
     von der Jer 30,13 מזור ; Ijob 38,32 מזרות und 2 Kön
     19,24 מים זרים abzuleiten seien: "The lips of the
     wise man flow with knowledge"[3].

---

1 TOY, Proverbs 281f.

2 FRANKENBERG, Sprüche 91f.; TOY, Proverbs 305; OESTERLEY,
  Proverbs 119.

3 DAHOOD, Proverbs 33.

SCOTT vermutet יורד (Hif. von ירה) "unterweisen",
"belehren"[1]. DRIVER leitet das Wort von זרר ab, wie
das Arabische dharra "aussprengen" und dhardhār
"Plauderer"[2]. Diese Textänderungen scheinen mir jedoch überflüssig, da das Piᶜel von זרה einen durchaus befriedigenden Sinn gibt.

b   Die Form לא־כן erscheint etwas merkwürdig. TOY korrigiert zu לא יָבִין und übersetzt "without intelli-
gence"[3]. SCOTT aber fasst das לא־כן substantivisch
"Unwahrheit" als zweites Objekt zu "verbreiten"[4].
Die LXX übersetzt mit οὐκ ἀσφαλεῖς "nicht sicher"
(ähnlich RINGGREN "unbeständig"[5]).

Grammatikalisches und Stilistisches:

V.7a ist als zusammengesetzter Nominalsatz zu verstehen. V.7b
kann als Nominalsatz gedeutet werden. לא־כן steht dann als Wertbegriff. Nach andern ist zu לא־כן das Verb "verbreiten" (V.7a)
zu ergänzen (ἀπο-κοινοῦ -Konstruktion)[6].

שׂפתי und לב sind Metonymien (Concretum pro abstracto).

In V.7b Alliterationen auf ל und כ : לב כסילים לא־כן. Dadurch
wird das Unbeständige beim Toren hervorgehoben.

Auslegung:

Das entscheidende Wort in V.7a ist יזרו . Allgemein wird es mit
"verbreiten" übersetzt: "der Weisen Lippen verbreiten Erkenntnis"[7]. Wenn die Weisen sprechen, so profitieren die andern von
ihrer דעת. Weil sie selber reiche Lebenserfahrung besitzen, sind

---

1 SCOTT, Proverbs 102.

2 Vgl. GEMSER, Sprüche 69.

3 TOY, Proverbs 305.

4 SCOTT, Proverbs 102.

5 RINGGREN, Sprüche 62.

6 Siehe oben Anm.4.

7 GEMSER, Sprüche 68; vgl. van der PLOEG, Spreuken 56; TUR-SINAI,
Mischle 209; RINGGREN, Sprüche 62; BARUCQ, Proverbes 132; McKANᴺ
Proverbs 233.

sie auch in der Lage, diese an andere weiterzugeben (vgl. 18,4;
ev. 15,2 [txt em]). Andere ändern יזרו, da das Wort hier nicht
passe (vgl. Textanmerkungen).

Man wird sich aber die Frage stellen müssen, ob nicht gerade
im Bild des "Worfelns" die Pointe des Verses liegt. Die Aussage "die Lippen der Weisen verbreiten Erkenntnis" scheint
nicht besonders originell zu sein. זרה bedeutet im Qal.
"streuen" (Ex 32,20: Pulver; Num 17,2: Feuerglut; Jes 30,22:
unreines Zeug; Ez 5,2: Haare) oder "worfeln" (Jes 30,24; 41,
16; Jer 4,11; 15,7; Rut 3,2) im eigentlichen, konkreten Sinn
(von Hand oder mit einer Schaufel ausstreuen). זרה im Piᶜel
bedeutet dagegen "gestreut machen", bzw. "geworfelt machen",
d.h. bewirken, dass etwas wie gestreut oder geworfelt aus-
sieht[1]. Das Piᶜel wird gewöhnlich für "über die Länder/unter
die Heiden zerstreuen" (Lev 26,33; 1 Kön 14,15; Jer 31,10;
49,32.36; 51,2; Ez 5,10.12; 12,14.15; 20,23; 22,15; 29,12;
30,23.26; Sach 2,2.4; Ps 44,12; 106,27) gebraucht. In den Proverbien erscheint das Piᶜel dreimal. In 20,8.26 scheidet der
König sichtend das Böse, bzw. die Frevler aus. An unserer Stelle wird das Bild des "Worfelns" auf das Reden der Weisen übertragen. Wie beim Vorgang des Worfelns die leichteste Spreu davonfliegt und die feine Häcksel von den Getreidekörnern getrennt werden[2], so wird durch die Rede der Weisen alles Faden-
scheinige ausgesondert, so dass Wissen zum Vorschein kommt.
Durch das Piᶜel wird nicht der Hergang des Worfelns, sondern
das Ergebnis ausgedrückt (resultativ).

Dass dieser Sinn hier vorliegt, scheint auch durch V.7b be-
stärkt zu werden. Die Nebeneinanderstellung von דעת und לב
lässt vermuten, dass hier לב mit דעת fast gleichgesetzt werden
kann. לב bedeutet oft Verstand, kann aber auch für das stehen,

---

1 JENNI, Piᶜel 135f.
2 Vgl. DALMAN, AuS III 126-139.

was vom Erkenntnisvermögen hervorkommt: Verstehen, Einsicht,
Wissen[1].

Unklar ist der Ausdruck לֹא־כֵן . Oft wird er mit "nicht so" übersetzt (Num 12,7; vgl. Gen 14,18; Ex 10,11)[2]. Wahrscheinlicher
aber ist כֵן eine Substantivbildung von כּוּן[3] (vgl. Spr 11,19
כֵן־צְדָקָה) und wird wohl "nicht Rechtes", "nicht Festes" (vgl.
Jer 8,6; 23,10; ebenso 2 Kön 7,9; 17,9) bedeuten. Dieser Ausdruck passt sehr gut zum Bild des Worfelns. Das Wissen des
Toren ist nichts Festes, Beständiges, d.h. es ist wie die Spreu,
die davonfliegt und deshalb nichts wert ist.

Wenn die Weisen reden, erweist sich das Wissen der Toren als
gering und minderwertig. Dagegen wird die wahre דעה umso deutlicher sichtbar.

In Spr 26,4f. stehen scheinbar zwei Ratschläge im Widerspruch
zueinander[4]. In Wirklichkeit aber wird in diesem Mahnwort nahegelegt, dem Toren mit harten Worten zu begegnen.

26,4-5   פֶּן־תִּשְׁוֶה־לּוֹ גַם־אָתָּה׃   אַל־תַּעַן כְּסִיל כְּאִוַּלְתּוֹ
           פֶּן־יִהְיֶה חָכָם בְּעֵינָיו׃   עֲנֵה כְסִיל כְּאִוַּלְתּוֹ

     Antworte nicht dem Toren nach seiner Dummheit,
     damit nicht auch du ihm gleich wirst.
     Antworte[a] (frech) dem Toren nach seiner Dummheit,
     dass er sich nicht weise dünke.

Textanmerkung:

     a   Die LXX verdeutlicht zu ἀλλὰ ἀποκρίνου .

---

1 WOLFF, Anthropologie 77-84.

2 Vgl. OESTERLEY, Proverbs 119; van der PLOEG, Spreuken 56:
   "deugt niet"; BARUCQ, Proverbes 132.

3 Vgl. BARTH, Nominalbildung § 9b.

4 Vgl. SKLADNY, Spruchsammlungen 51.

Grammatikalisches und Stilistisches:

אַל־תַּעַן ist Jussiv (sonst תַּעֲנֶה). אַל steht immer mit dem Jussiv.
Diese Form wird Vetitiv genannt[1]. Die Situationsgebundenheit
und Personengebundenheit ist für den Gebrauch des Vetitivs entscheidend (Punctualis). Es ist also die Erwartung und der
Wunsch einer Person in Hinsicht auf eine bestimmte Situation[2].

פֶּן־תִּשְׁוֶה: פֶּן ist eine aus einem altertümlichen Imperativ (פְּנִי =
"kehr dich ab") erstarrte Partikel. Wörtlich heisst es: "Wende
dich ab, sonst wirst du ihm gleich"[3]. תִּשְׁוֶה ist asyndetisch פֶּן
angefügt.

שָׁוָה "gleich sein, werden" ist gewöhnlich mit אֶל oder בְ verbunden (vgl. Jes 40,25 אֶל; Spr 3,15 בְ). An unserer Stelle ist
das Verb mit לְ konstruiert.

גַּם־אָתָּה wird oft gewählt, um etwas zu unterstreichen (vgl. 23,
15)[4].

Auffallend sind folgende Alliterationen: תַ, לְ, עֲנ, קְ.
אַל־תַּעַן כְּסִיל בְּאִוַּלְתּוֹ פֶּן־תִּשְׁוֶה לּוֹ גַם־אָתָּה
עֲנֵה כְסִיל בְּאִוַּלְתּוֹ פֶּן־יִהְיֶה חָכָם בְּעֵינָיו

Dazu bilden תַּעַן und עֲנֵה eine Paronomasie (Wörter der gleichen
Wurzel in verschiedener Funktion).

Auslegung:

Die beiden Mahnworte führten dazu, dass die Aufnahme des Spruchbuches in den jüdischen Kanon im 1. und 2. Jh. n.Chr. heftig umstritten waren[5]. In der Interpretation der beiden scheinbar wi-

---

1 Vgl. RICHTER, Recht 71 Anm. 34 mit entsprechenden Belegen.

2 Ebd. 71. Er übernimmt den Namen "Vetitiv" von von SODEN,
  Grundriss § 81 i.

3 BROCKELMANN, Syntax § 133 e; dazu BAUER, Etymologica I,2-4.

4 Siehe oben 100.

5 COHEN, Proverbs XII, verweist auf Schabbath 30b (vgl. EPSTEIN,
  The Babylonian Talmud, Seder Moʿed I 137).

dersprechenden Ratschläge sind sich die Exegeten nicht einig. SKLADNY weist darauf hin, dass es in den beiden Sprichwörtern darauf ankomme, das Verhalten einem törichten Menschen gegenüber sehr sorgfältig abzuwägen und von der jeweiligen Situation bestimmen zu lassen. Es gehe deshalb in den beiden Sprichwörtern darum, auf den rechten Mittelweg zwischen Anpassung und Distanz hinzuweisen[1]. Nach ZIMMERLI wären die beiden Sprichwörter eine Absurdität, wenn sie als allgemein gültige Gebote aufgefasst würden. Hier werde aber nicht autoritativ verlangt, dass das Gebotene befolgt werde. Alles ziele darauf hin, dass der Mensch in Freiheit und aus Ueberlegung heraus handeln soll. Dem Hörer sei es überlassen, sich im konkreten Einzelfall frei für die eine oder andere Seite zu entscheiden[2]. ZIMMERLI verweist auf die Antinomien in Pred 4,5f.; 7,3.9.

Diese Auffassung, dass in der alten Weisheit "das konkrete Handeln freigegeben ist"[3], ist wohl kaum richtig. Es entspricht eher der späteren Weisheit, solche Antinomien aufzustellen wie die entsprechenden Beispiele auch zeigen (Pred 4,5f.; 7,3.9; Sir 13,10 u.a.). Auch geht es nicht darum den "rechten Mittelweg zwischen Anpassung und Distanz" zu finden, wie dies SKLADNY vorschlägt[4].

In V.4 wird zunächst der Wunsch (Vetitiv) ausgedrückt, einem Toren nicht gemäss seiner Dummheit zu antworten. אולת gehört zum weisheitlichen Vokabular (22x) und erscheint sonst nur noch bei den Propheten (5x) und in den Pss (3x). Die häufige Verbindung mit כסיל (Spr 12,23; 13,16; 14,8.24; 15,2.14; 17,12; 26, 11) weist darauf hin, dass אולת eine Eigenschaft des Toren ist. Im übrigen wird sie noch dem פתי (Spr 14,18), dem חסל-לב

---

1 SKLADNY, Spruchsammlungen 51.

2 ZIMMERLI, Struktur 187f.; vgl. von RAD, Theologie I 447.

3 ZIMMERLI, Struktur 188.

4 Siehe oben Anm. 1.

(Spr 15,21), dem אֱוִיל (Spr 16,22; 27,22), dem נַעַר (Spr 22,15),
dem קְצַר־אַפַּיִם (Spr 14,17) und dem קְצַר־רוּחַ (14,29) zugeschrieben.
Häufig ist אִוֶּלֶת der דַּעַת (Spr 12,23; 13,16; 15,2.14) und תְּבוּנָה
(Spr 14,29) entgegengesetzt. Während der Weise (z.B. Spr 15,2;
14,24), der Einsichtige (Spr 15,21), der Verständige (Spr 15,
14) und der Kluge (bzw. Schlaue) (Spr 12,23; 13,16) seine Erfahrungen und Erkenntnisse aufspart und ausnützt, verachtet
der כְּסִיל jegliche Erkenntnis (vgl. Spr 23,9). Er interessiert
sich nur für die Dummheit und Narrheit (Spr 15,14) und ist dementsprechend bei seinem Reden nicht in der Lage etwas Intelli-
gentes beizutragen (vgl. Spr 12,23; 13,16; 15,2). Einem solchen Menschen gegenüber ist es oft gut, keine Antwort zu geben. Wenn man sich mit ihm abgibt, besteht die Gefahr, dass
man auf das gleiche Niveau hinuntersinkt[1].

Es ist auffällig, dass die LXX V.5 mit ἀλλά einleitet und das
Mahnwort dadurch verdeutlicht. Es scheint mir, dass die grie-
chische Uebersetzung uns einen Hinweis gibt, in welcher Richtung der Spruch verstanden werden muss[2]. Nach der LXX geht es
in 26,4.5 nicht darum, das freie Handeln dem Hörer zu überlassen, sondern im zweiten ἀποκρίνου (V.5) liegt eine Aufforderung vor, dem Toren nach seiner Dummheit zu antworten.

Das Wort עָנָה hat hier fast den Sinn von "(frech) antworten",
d.h. tadle den Toren, weise ihn ab, demütige ihn, damit seine
Dummheit nicht unwidersprochen bleibt und er sich darin nicht
bestätigt fühlt. In Spr 18,23 hat עָנָה in Verbindung mit עַזּוֹת
tatsächlich diese Bedeutung: "Flehentlich redet der Arme, aber
der Reiche antwortet mit Härte". Der Reiche hat für das instän-
dige Bitten des Armen kein Verständnis und weist ihn mit harten
Worten ab. Somit wird in V.4 gewarnt, dem Toren nicht zu ant-

---

1 McKANE, Proverbs 596.

2 Freilich muss man vor Augen halten, dass die LXX im allgemeinen gerne Antithesen schafft oder solche verdeutlicht
  (vgl. GERLEMAN, Studies 22-24).

worten. Wenn man ihm aber erwidert, dann soll man ihm (frech)
begegnen (V.5). Dadurch entsteht zwischen dem תַעַן in V.4 und
dem עֲנֵה in V.5 eine kleine Nuance. Dies wird auch durch den
Gebrauch der Paronomasie ersichtlich. Solche Wortspiele sind
in den Sprichwörtern und in der poetischen Literatur beliebt
(vgl. Spr 25,27)[1].

Eine leichte Aenderung von עֲנֵה zu עַנֵּה (Imp. Piᶜel von ענה II)
würde sogar den hier vermuteten Sinn bestätigen. Das Piᶜel von
ענה II hat die Bedeutung von "bedrücken", "demütigen". "Demütige den Toren nach seiner Dummheit ...". Diese Interpretation
würde hier am besten passen. Doch fehlen die textlichen Grund-
lagen, so dass man nur mit Vorsicht eine solche Lösung vorbringen darf.

5. Die zuverlässige Rede
_____

10,20   כֶּסֶף נִבְחָר לְשׁוֹן צַדִּיק   לֵב רְשָׁעִים כִּמְעָט׃

          Geläutertes Silber - die Zunge des Gerechten,
          das Herz der Frevler - wie wenig (wert).

Die Auslegung hat bereits gezeigt, dass das Bild "geläutertes
Silber" wahrscheinlich auf die Zuverlässigkeit der Rede des
Gerechten hinweisen will[2]. Im Altertum konnte die Echtheit und
Reinheit eines Edelmetalles nur durch den Schmelzprozess fest-
festellt werden. Aehnlich wie das geläuterte Silber etwas Erprobtes darstellt, so kann man sich auf die Rede des Gerechten
verlassen.

Meistens aber wird die Zuverlässigkeit der Rede mit den Worten
אֱמוּנָה und אֱמֶת ausgedrückt. Wir werden nun jenen Stellen nach-

_____

1 Siehe unten Kapitel III 182.

2 Siehe oben Kapitel I 40.41.

gehen.

12,19 שְׂפַת־אֱמֶת תִּכּוֹן לָעַד   וְעַד־אַרְגִּיעָה לְשׁוֹן שָׁקֶר:

Verlässliche Lippe besteht für immer,
aber nur einen Augenblick Lügenzunge.

Grammatikalisches und Stilistisches:

19a/b bilden je einen zusammengesetzten Nominalsatz. In V.19b
ist das Verb "besteht" zu ergänzen (ἀπο-κοινοῦ - Konstruktion).
Das Subjekt "Lügenzunge" ist infolge des Chiasmus an das Ende
gerückt. Dadurch, dass die beiden entgegengesetzten Begriffe
"verlässliche Lippe" und "Lügenzunge" formal auseinander gehalten sind, wird der Gegensatz besonders stark betont.

לְעַד וָעֶד bilden eine Paronomasie. שְׂפַת־אֱמֶת und לְשׁוֹן שָׁקֶר sind
Metonymien und stehen für "Rede". Die Wortverbindungen שְׂפַת־אֱמֶת
und לְשׁוֹן שָׁקֶר sind durch die Alliterationen auf ת und שׁ besonders hervorgehoben.

Auslegung:

Die Rede von der menschlichen אֱמֶת[1] hat ihren Sitz in den Sprüchen und in einzelnen Erzählungen[2]. Der Begriff wird verschie-
denartig gebraucht. In Spr 11,18 wird demjenigen, der Gerechtigkeit sät, "sicheren", "beständigen Lohn" verheissen, d.h.
Lohn (im Gegensatz zum trügerischen [שֶׁקֶר] Gewinn), auf den man
sich verlassen kann (אֱמֶת = Festigkeit, Zuverlässigkeit, Sicherheit). In Spr 14,22 und 20,28 ist אֱמֶת in einer Hendiadyoinver-
bindung mit חֶסֶד verbunden und wird etwa mit "zuverlässige Huld"

---

1 Die Streuung des Wortes ist eigentümlich: Pss (37x); Jes
(12x); Jer (11x); Spr (11x); Sach und Dan (je 6x). In den
übrigen Büchern verstreut (je 1-6x). Dagegen fehlt das Wort
in Lev und Num. Ebenso in den P-Stücken der Gen und bei Ijob
(JEPSEN, ThWAT I 333f.).

2 In den Psalmen wird vor allem von der göttlichen אֱמֶת geredet
(ebd. 334).

übersetzt, die denjenigen in Aussicht gestellt wird, welche auf
Gutes bedacht sind. Sie können sich auf Huld verlassen, die ihnen zuteil wird. Aehnlich wird dem König dauernde Huld zugesi-
chert, wenn er auf Gerechtigkeit ausgeht[1]. Ferner wird אמת auch
im allgemeinen Sinne gebraucht als ein höchster Wert, der gesucht werden muss. So wird in einer Unterweisung in Spr 23,22-
25 der Sohn ermahnt, אמת zu erwerben. Hier steht אמת in Parallele mit Weisheit, Zucht und Einsicht (vgl. Spr 3,3; 16,6)[2].

In Spr 12,19 wird אמת den Lippen zugeschrieben. Gerne ist man
versucht den Ausdruck שפת־אמת mit "wahrhaftige Lippen" zu übersetzen. אמת im Sinne von "Wahrheit" besitzt aber keine wirkli-
che Parallele, wie auch das Hebr. faktisch kein selbständiges
Wort für "Wahrheit" kennt[3]. Wie אמת dort, wo im Blick auf Personen gesprochen wird, Treue und Aufrichtigkeit als Verlässlichkeit meint (Gen 24,49; 47,29; Jos 2,14; Spr 3,3)[4], so bedeutet es auch, wenn es auf ein Wort (oder Sache) bezogen ist,
Verlässlichkeit (2 Sam 7,28; 1 Kön 17,24). Solche Worte werden
für immer (לעד) bestehen. Sie bieten Gewähr, dass man sich auf
sie verlassen kann, weil sie von einem Menschen kommen, dem man
Vertrauen entgegenbringen kann. Im Wort אמת, das von אמן abgeleitet ist, wohnt immer ein Moment der Treue inne. אמת zielt
auf die Verfassung des Sprechers (resp. seiner Zunge), ob einer
treu, zuverlässig, gewissenhaft, loyal oder eben nichts von all
dem ist (V.19b).

Dieser Sinn wird auch durch das zweite Glied, das antithetisch
zu V.19a steht, bestätigt. שקר meint in erster Linie ein "Treuebruch", die "Unzuverlässigkeit", die "fehlende Vertrauenswürdigkeit"[5]. שקר wird besser als mit "Lüge" mit "Lügenhaftigkeit"

---

1 Vgl. WILDBERGER, THAT I 201f.

2 JEPSEN, ThWAT I 336.

3 Vgl. KOCH, Wahrheitsbegriff 47-65; KRAUS, Wahrheit 35-46.

4 WILDBERGER, THAT I 202f.

5 KLOPFENSTEIN, Lüge 26.

wiedergegeben[1]. Die "Lügenzunge" steht im krassen Gegensatz
(vgl. Chiasmus) zur "verlässlichen Lippe". Die Worte eines solchen Menschen haben keine Beständigkeit, weil er sich an sie
nicht gebunden fühlt. Einem solchen Treulosen kann man kein
Vertrauen entgegenbringen. Seine Worte können deshalb nur einen
Augenblick bestehen. Der Ausdruck וְעַד־אַרְגִּיעָה ist unklar. KOEH-
LER erklärt das Verb als Hif. von רגע "jd. Ruhe verschaffen";
in Verbindung mit "solange ich Ruhe gewähre" = "nur einen Augenblick"[2]. Nach GESENIUS bedeutet רגע im Qal. "in unruhige Bewegung versetzen", im Hif. "ich winke mit den Augen"; daraus
wäre ein Adverb entstanden "im Nu"[3].

12,22   תּוֹעֲבַת יְהֹוָה שִׂפְתֵי־שָׁקֶר   וְעֹשֵׂי אֱמוּנָה רְצוֹנוֹ׃

> Ein Greuel sind Jahwe treuebrecherische Lippen,
> aber die Treue üben[a] sein Wohlgefallen.

Textanmerkung:

a   Ca. 30 MSS וְעֹשֵׂה

Grammatikalisches und Stilistisches:

Die beiden Subjekte (עשׂי und שׂפתי־שׁקר) der Nominalsätze sind
durch Wertbegriffe "Greuel Jahwes" und "sein Wohlgefallen"
prädiziert (Urteilssätze)[4]. In V.22a steht das Prädikat am
Anfang, um wahrscheinlich den Wertbegriff besonders hervorzuheben (Emphase). Dieser Ausdruck ist in den Proverbien häufig
an erster Stelle (11,20; 15,9; 16,5; 17,15b; 20,10b; 20,23).
Eine Ausnahme macht nur 11,1, wo die beiden Wertbegriffe nachgestellt sind. Die antithetischen Glieder stehen im Chiasmus

---

1 KLOPFENSTEIN, Lüge 26.

2 KBL 874.

3 GB 745; vgl. DELITZSCH, Spruchbuch 202f.

4 Vgl. HERMISSON, Studien 155.

zueinander (vgl. auch 15,9).

Auslegung:

Im AT kommt das Substantiv תועבה häufig vor[1]. Dagegen findet
sich der Ausdruck תועבת יהוה neben den Spr. nur im Deuteronomium (7,25; 27,15: "gemachte Götterbilder"; 12,31: "fremde Götter verehren"; 18,12: "Zaubern"; 22,5: "Kleiderwechsel"; 23,19:
"kultische Unzucht"; 25,16: "falsches Wägen"; 27,1: "unreine
und makelhafte Opfertiere" [8x]). Man hat sich deshalb die Frage gestellt, ob die beiden Ausdrücke תועבה und רצון nicht ursprünglich zu den priesterlichen Deklarationsformeln gehören.
Allerdings ist dazu zu bemerken, dass die Formel "Greuel Jahwes" in den Proverbien eine moralisch-ethische Bedeutung hat
(Spr 11,1.20; 12,22; 15,8.9.26; 16,5; 17,15; 20,10.23; 21,27)[2].

Dagegen handelt es sich im Deuteronomium mit Ausnahme von 25,
13-14.16a um kultisch-religiöse Vergehen[3]. Daher ist es nicht
sicher, dass die Formulierungen der Weisheit damit in Verbindung gebracht werden können. Vielmehr wird heute angenommen,
dass der Ausdruck "Greuel Jahwes" eher zur Weisheitsliteratur
gehört und evtl. aegyptischen Vorbildern folgt[4]. So werden
z.B. in der Lehre des Amenemope bestimmte Handlungen und Verhaltensweisen als "Greuel für den Gott" (bwt n-pꜣ-ntr) (vgl.
13,15f.: "falsche Rede"; 14,2f.: "der Doppelzüngige"[5]; 15,21:
"falsche Steuereinschreibung"; 19,1: "trügerisches Wägen") bezeichnet. Auch in der mesopotamischen Literatur finden sich
ähnliche Formulierungen[6]. Wenn schon eine Abhängigkeit zwi-

---

1 Vgl. HUMBERT, Le substantif toꜥeba 217-237; BAECHLI, Israel
  und die Völker 53-56; SPRONDEL, Untersuchungen 83-113;
  L'HOUR, Les interdits toꜥeba 481-503.

2 HUMBERT, Le substantif toꜥeba 235f.

3 Vgl. MERENDINO, Das deuteronomische Gesetz 326-336.

4 Vgl. RICHTER, Recht 159-161.

5 Nach LANGE, Weisheitsbuch 70; vgl. aber GRUMACH, Untersuchungen 84 und 86.

6 Vgl. FICHTNER, Weisheit 80.

schen der Weisheitsliteratur und dem Deuteronomium besteht,
ist eher zu vermuten, dass das Deuteronomium von der Weisheit
beeinflusst worden ist. Neustens hat vor allem WEINFELD auf
verschiedene weisheitliche Themen im Deuteronomium hingewiesen[1].

Häufig steht תועבה zu andern Wertbegriffen synonym (z.B.
"nicht gut" 20,23) oder antithetisch (z.B. "aber rein" 15,26;
"den liebt er" 15,9 u.a.). Diese Beispiele zeigen, dass zwischen diesen Urteilen kein prinzipieller Unterschied gesehen
wird. Dies scheint mir ebenfalls ein Hinweis zu sein, dass der
Ausdruck "Greuel Jahwes" wohl eher zur weisheitlichen als zur
kultischen Sprache gehört.

Auch in V.22a bezeichnet שקר "die Verkehrung einer selbstverständlich bestehenden und persönlich eingegangenen Verpflichtung in ihr Gegenteil"[2]. שפתי־שקר haben keine Beständigkeit,
weil der Sprechende sich nicht an sie gebunden fühlt. Einem
solchen Menschen kann man kein Vertrauen schenken. Bei שפתי־שקר
handelt es sich immer um ein aktives dem Mitmenschen zum Schaden gereichendes Sprechen. Wer שקר ausspricht, der tut die
Treue nicht, die er dem andern schuldet[3]. Diese Treulosigkeit
wird ganz eindrücklich im Bericht über das "Streitgespräch des
Lebensmüden mit seiner Seele" geschildert (aus der Zeit des
Zusammenbruchs nach dem AR in Aegypten). Der "Lebensmüde"
klagt über die Untreue seiner Freunde (103-130)[4].

Im Gegensatz dazu werden in V.22b jene genannt, die אמונה tun.
Ihr Handeln meint ein auf den Nächsten ausgerichtetes Verhalten. Sie zeichnen sich durch Treue zu ihren Menschen aus. Dieses Verhalten äussert sich in erster Linie in ihren Worten.
Dies wird durch das Gegensatzpaar שפתי־שקר deutlich. Weil sie

---

1 WEINFELD, Dependence 89-108; ders., Deuteronomy 260-274; vgl.
  auch McKANE, Proverbs 301f.·

2 KLOPFENSTEIN, Lüge 26.

3 Ebd. 164.

4 Vgl. BARTA, Gespräch 26f.; GOEDICKE, Report 155-172.

aus Treue handeln, sind ihre Reden auch zuverlässig. Man kann
sich auf ihre Worte verlassen. Mit אמונה ist also ein Verhalten gemeint, das Treue, Verlässlichkeit und Beständigkeit ein-
schliesst.

In den folgenden Sprichwörtern wird nun von solchen Menschen
gesprochen (17,7: "der Edle"; 20,20f.; 13,17; 25,13: "der Bote";
14,5.25: "der Zeuge"), die sich durch zuverlässiges Reden auszeichnen.

17,7   לֹא־נָאוָה לְנָבָל שְׂפַת־יֶתֶר   אַף כִּי־לְנָדִיב שְׂפַת־שָׁקֶר:

Nicht passt zum Geizigen grosszügige[a] Rede,
noch viel weniger zum Edlen verlogene Rede.

Textanmerkung:

a   Die meisten Kommentatoren folgen dem Text der LXX,
    wo an dieser Stelle χείλη πιστά steht und korrigie-
    ren zu יֹשֶׁר[1]. Durch diese Aenderung entsteht zwar
    eine gute Antithese. Man muss aber bei der Ueber-
    nahme des griechischen Textes vorsichtig sein, da
    die LXX oft die Tendenz hat, klare Antithesen
    herauszuarbeiten[2].

Grammatikalisches und Stilistisches:

Sowohl in V.7a wie auch in V.7b finden sich zwei Nominalsätze,
in welchen zwei Tatbestände nebeneinander gestellt sind, die
nicht zusammengehören. Beidemale sind die Subjekte nachgestellt. V.7a/b sind als Urteilssätze zu betrachten (vgl. Spr
20,23: "trügerische Waage - nicht gut")[3]. Das Urteil (Prädikat)
"nicht passt" erscheint auch noch in Spr 19,10 und 26,1. Im 2.
Glied wird die 1. Aussage durch אַף כִּי "wieviel mehr" überboten

---

1 BH; KBL 416; OESTERLEY, Proverbs 139; GEMSER, Sprüche 72;
  SCOTT, Proverbs 108.

2 GERLEMAN, Studies 22.

3 HERMISSON, Studien 155.

(vgl. Spr 11,31; 15,11; 19,7; 19,10[1]; 21,27) (Klimax). Das Prädikat ist hier zu ergänzen (άπο-κοινοῦ-Konstruktion).

Alliterationen auf ל und נ: לנדיב ‏ לא־נאוה לנבל

Auffallend ist auch die Wiederholung von שׂפת (Gemination) mit dem Wechsel von יתר zu שׁקר (gleiche Endungen: Homoioteleuton). Durch die dreimalige Wiederholung der Konsonanten ל und נ wird wohl das Unpassende (לא־נאוה) noch besonders unterstrichen.

Auslegung:

Die Schwierigkeit in V.7a liegt beim Wort יתר. Die Aenderung zu יֹשֶׁר gibt wohl einen guten Sinn. Man darf sich aber hier, wie bereits gezeigt wurde, nicht allzu stark auf die LXX verlassen. Das Wort יתר bedeutet "was man übrig lässt" (Joel 1,4), "was übrig bleibt" (Ex 10,5; 23,11; Lev 14,17); ferner "so dass noch übrig bleibt", "übers Mass" (Jes 56,12; Dan 8,9; Gen 49,3; vgl. Ps 31,24). In dieser letzten Bedeutung muss auch das Wort in Spr 17,7 verstanden werden. Dieser Sinn ergibt sich auch von den beiden Begriffen נבל und נדיב her.

Das Wort נבל wird gerne mit "Tor" übersetzt und man versteht es als entgegengesetzten Begriff von חכם. Tatsächlich erscheint es in Spr 17,21 als Synonym zu כסיל. Doch bezeichnet נבל nicht intellektuelle Schwäche, wie man es gemäss der griech. Uebersetzung ἄφρων oder der Vulg. "stultus" glauben könnte[2]. Das Wort gehört nicht zu den traditionellen Begriffen der Weisheitsliteratur[3]. Die Uebersetzung "Tor" ist viel zu harmlos und ungeeignet. Nach dem Begriffsfeld der Kontexte handelt es sich oft um einen im Bereich des Sexuellen gierigen und gewalttätigen Menschen (Gen 34,7; Dtn 22,21; Ri 19,23f.;

---

1 Spr 17,7 und 19,10 sind ganz gleich aufgebaut.
2 CAQUOT, Désignation 1.
3 Ebd. 3

20,6.10; 2 Sam 13,12f.; Jer 29,23)[1]. Auch erscheint er als
Geizhals (Jes 32,5f.; Spr 30,22). Ebenso wird er als Reicher
geschildert, der seine Macht missbraucht (vgl. 1 Sam 25,2-42,
bes. 25,11).

Da der נבל sich gegenüber der Verpflichtung zur Mildtätigkeit
gegen die Armen (Jes 32,6; vgl. Spr 22,9) verstösst, die
Pflichten des Gastrechtes verletzt (1 Sam 25,2-42) und es ihm
an der nötigen Brüderlichkeit und Dankbarkeit fehlt, kann er
durchaus zum רשע gezählt werden[2]. Im NT wird uns im Gleichnis
vom reichen Mann ein solcher ruchloser und geiziger Mensch
(ἄφρων) geschildert. Ein plötzlicher und elender Tod ist
die Folge eines solchen brutalen Menschen (1 Sam 25,37f.;
2 Sam 3,33; Jer 17,11; Lk 12,20). ROTH setzt den Begriff mit
dem Akkadischen nabālu "tearing out" in Verbindung und glaubt,
dass das Wort im Hebr. die Bedeutung von "Aussenseiter" habe[3].
Es ist möglich, dass diese Erklärung richtig ist; denn ein geiziger, gewalttätiger Mensch ist für eine Gemeinschaft untrag-
bar und wird von ihr verfemt und ausgestossen.

נבל wird an unserer Stelle den Geizhals meinen, dem es an Frei-
gebigkeit fehlt. Es ist ganz klar, dass eine "grosszügige Rede" nicht zu ihm passt.

Aber noch schlimmer als eine "grosszügige Rede" beim נבל wäre,
ist eine verlogene Rede (שפת־שקר) beim נדיב. נדיב bedeutet "be-
reitwillig" (1 Chr 28,21), mit לב verbunden "jeder, der von
Herzen gern gibt" (Ex 35,5; vgl. 35,22; 2 Chr 29,31). נדיב bezeichnet eigentlich den, der seinen Ueberfluss zum Wohle der
Gemeinschaft, seiner Gäste und der Armen einsetzt (vgl. Spr 19,
6)[4]. Nach van der PLOEG hängt das Wort wahrscheinlich mit dem

---

1 Vgl. ebd. 3-16; KEEL, Feinde 175; HORST, Hiob I 29; vgl.
  auch GIPSEN, De stam NBL 161-170.

2 SKLADNY, Spruchsammlungen 33.

3 ROTH, NBL 394-409.

4 Vgl. NYSTROEM, Beduinentum 132ff.

Arabischen naduba ("egregius") zusammen. Es handle sich um
einen reichen und einflussreichen Menschen, der andere an seinen Gütern teilnehmen lasse[1]. Daneben aber kommt in den Sprüchen auch die Bedeutung "Fürst" vor (Spr 8,16; 25,7; vgl. Num
21,18; Ps 47,10; 83,12; 107,40; 113,8; 118,9; 146,3). An unserer Stelle hat נדיב im Gegensatz zum "Geizigen" die erste
Bedeutung. Er ist grosszügig, freigebig und vornehm. Ueberall
geniesst er Ansehen. Er muss sich auch durch die Worte des
Uebermasses auszeichnen. Was er verspricht, das soll er auch
halten. Deshalb erwartet man von ihm keine שפת־שקר [2]. Es wäre
etwas verhängnisvolles, wenn er sich einer solchen Rede bedienen würde, da man gerade ihm gegenüber am meisten Vertrauen
schenkt. Eine שפת־אמת muss bei ihm etwas selbstverständliches
sein. Jedermann soll sich auf ihn verlassen können. In diesem
Sprichwort wird eine Diskrepanz konstatiert, die im ersten
Satz schwächer, im zweiten stärker empfunden wird. Es entspricht nicht dem Charakter eines Geizigen, dass er mit seinen Worten grosszügig umgeht. Doch eine angenehme Ueberra-
schung wäre ja ganz erträglich. Schlimm wäre es hingegen, wenn
sich ein נדיב der verlogenen Rede bedienen würde.

Ganz besonders wird von einem Boten verlangt, dass er einen
Bericht zuverlässig überbringt (Spr 22,20f.; 13,17; 25,13).
So stehen auch in der Sammlung 22,17-23,11, welche verschiedene Mahnworte enthält und eine gewisse Verwandtschaft mit
der Lehre des Amenemope aufweist, die beiden Ausdrücke אמרי
אמת und אמרים אמת(22,21).

---

1 Van der PLOEG, Les chefs 53-57.
2 Vgl. auch DELITZSCH, Spruchbuch 277.

22,20-21   הֲלֹא כָתַבְתִּי לְךָ שׁלשׁום (שָׁלִישִׁים ק')   בְּמֹעֵצֹת וָדָעַת:
לְהוֹדִיעֲךָ קֹשְׁטְ אִמְרֵי אֱמֶת   לְהָשִׁיב אֲמָרִים אֱמֶת לְשֹׁלְחֶיךָ:

Ich habe dir ja 'dreissig'[a] als einsichtsvolle
Ratschläge aufgeschrieben,
damit du korrekt[b] zuverlässige[c] Worte mitteilen,
damit du getreulich einen Bericht deinem Sender[d]
zurückbringen kannst.

Textanmerkungen:

a   Das Ketib שׁלשׁום "vorgestern" gibt hier keinen guten Sinn. Uebrigens kommt שׁלשׁום nur mit תמול (אתמול)
vor[1]. Auch das Qere שׁלשׁים ist unverständlich. שׁליש
heisst "Schildhalter", "Adjudant", "Kernmann"
(Vorsteher einer Elitetruppe). DELITZSCH übersetzt
mit "Kernsprüche"[2]. Die LXX liest τρισσῶς "dreimal".
Wahrscheinlich ist mit ERMAN hier שׁלשׁים "dreissig"
zu lesen[3].

b   קשׁט "das Richtige", "die Wahrheit" wird oft als
Glosse gestrichen (vgl. aber Grammatikalisches).

c   Andere sehen אמת אמרי als Glosse an[4] (vgl. Grammatikalisches).

d   BH liest mit LXX τοῖς προβαλλομένοις σοί לְשֹׁאֲלֶיךָ
"denen, die dir eine Frage stellen". Doch gibt
dies keinen besseren Sinn.

Grammatikalisches und Stilistisches:

הלֹא leitet keine Frage ein, sondern knüpft an die vorausgehenden Verse an. In V.17ff. wird an die Aufmerksamkeit des Schülers
appelliert. In V.20 zeigt der Lehrer nun die Notwendigkeit dieser Aufmerksamkeit[5]. Dieses Wort ist sehr häufig im Ugaritischen
(hl)[6].

1 Vgl. DELITZSCH, Spruchbuch 359.

2 Ebd. 360.

3 ERMAN, Eine aegyptische Quelle 89; vgl. BH; KBL 977; GEMSER,
Sprüche 84; RICHTER, Recht 30; McKANE, Proverbs 245 u.a.

4 BARUCQ, Proverbes 172; SCOTT, Proverbs 136.

5 Van der WEIDEN, Proverbes 74f., 137f.

6 Ebd. 74.

במעצות kann auf zweifache Weise erklärt werden: a) als asyndetischer Relativsatz, dessen Suffix einen Pluralbezug braucht, der in שלשים liegt[1]; b) GEMSER versteht die Präposition במו als ב essentiae in der Bedeutung "als", "in der Eigenschaft"[2]. Vgl. Ex 6,3: "ich erschien dem Abraham als El Schaddaj (באל)"[3]. In der Uebersetzung habe ich diesen Vorschlag vorgezogen "als einsichtsvolle Ratschläge" (Hendiadyoin).

In V.21 sind zwei Infinitive (Inf. cs.) mit ל asyndetisch nebeneinandergestellt. Auch hier sind zwei Uebersetzungen möglich: a) der zweite Infinitiv ist dem ersten untergeordnet (vgl. dazu 2 Sam 14,16: "Denn der König wird mir Gehör schenken, seine Magd aus der Hand des Mannes zu befreien [להציל] , der mich ... zu vernichten sucht [להשמיד]")[4]. In diesem Falle wird V.21 folgendermassen übersetzt: "um dir kundzutun ... zuverlässige Worte, dass du ... erstatten kannst"[5]; b) od. die beiden Infinitive stehen selbständig, asyndetisch nebeneinander. Bei dieser Konstruktion ist das Suffix ך zu הודיע kein Akkusativ, sondern es ist als Genitiv zu verstehen[6]. Da die Suffixe sowohl des Genitivs wie auch des Akkusativs in der 2. und 3. Person gleich sind, lassen sich von der Form her keine

---

1 Vgl. BH; SCOTT, Proverbs 136: "Which have in them wise counsel and knowledge"; RICHTER, Recht 29; zur Syntax vgl. BROCKELMANN, Syntax § 146.

2 GEMSER, Sprüche 84.

3 GESENIUS-KAUTZSCH, Grammatik § 119 i.

4 Ebd. § 120.

5 So übersetzen: FRANKENBERG, Sprüche 128; OESTERLEY, Proverbs 192; RINGGREN, Sprüche 89; GEMSER, Sprüche 84; BARUCQ, Proverbes 172; SCOTT, Proverbs 136.

6 Vgl. GRESSMANN, Neugefundene Lehre 275; Van der WEIDEN, Proverbes 137f., stützt sich auf das Prinzip "Congruity of Metaphor" (vgl. DAHOOD, Congruity 40-49): "Si la métaphore de 21b est clairement celle du messager (lᵉhašib; lᵉšolheka), il est probable que le premier stique s'appuie sur la même métaphore. Dans ce cas le suffixe de lᵉhodiaᶜka n'indique pas l'accustaiv, mais le génitif".

Schlüsse ziehen. Ein ähnliches Beispiel wie Spr 22,21 findet
sich in Ps 78,5: "Er richtete auf ein Zeugnis in Jakob, eine
Weisung setzte er in Israel, und befahl unseren Vätern
(אֶת־אֲבוֹתֵינוּ), dass sie kundtun ihren Söhnen (לְהוֹדִיעָם לִבְנֵיהֶם)"[1]
(vgl. aber Ps 25,14).

Die zweite Interpretationsmöglichkeit gibt in V.21 einen besseren Sinn und so entscheide ich mich für diese Uebersetzung:
"damit du ... kundtun (mitteilen) kannst".

Eine weitere Schwierigkeit bietet das קֹשְׁט. Es ist ein aramäi-
sches Wort, das in den meisten Dialekten verwendet wird und
mit "Richtige", "Wahrheit" übersetzt werden kann[2]. Ich erklä-
re die Form als Akkusativ der Art und Weise (accusatif de
manière)[3]. Somit steht das Verb "kundtun" mit einem direkten
(אִמְרֵי אֱמֶת) und indirekten (קֹשְׁט) Akkusativ[4]. Die Uebersetzung
lautet dann: "dass du richtig (wahrhaftig, korrekt) zuverlässige Worte kundtust".

Merkwürdigerweise steht in V.21b anstelle von אִמְרֵי (st. cs.)
אֲמָרִים. In der Grammatik wird אֱמֶת gewöhnlich als Apposition zu
אֲמָרִים erklärt (vgl. Sach 1,13 דְּבָרִים נִחֻמִים "tröstende Worte")[5].
Doch bemerkt JOÜON, dass hier die zweite Konstruktion nach der
gewöhnlichen in V.21a fremd vorkomme[6]. DAHOOD ändert die Punk-
tierung zu אֲמָרֵי־ם (st.cs. mit enklitischem Mem[7]).

Doch analog zu קֹשְׁט in V.21a kann auch hier das אֱמֶת als Akkusa-

---

1 Vgl. DAHOOD, Psalms II 234.

2 WAGNER, Aramaismen 104; KBL 1121.

3 GESENIUS-KAUTZSCH, Grammatik § 118 m und q.

4 Gewöhnlich steht der direkte Akkusativ vor dem indirekten;
  vgl. aber Ps 58,2b; dazu BROCKELMANN, Syntax § 122.

5 GESENIUS-KAUTZSCH, Grammatik § 131 c; BROCKELMANN, Grundriss
  II § 137f.; JOÜON, Grammaire § 131 c; WILLIAMS, Syntax § 66.

6 JOÜON, Grammaire § 131 c.

7 DAHOOD, Proverbs 47; vgl. HUMMEL, Enclitic Mem 85-107.

tiv der Art und Weise erklärt werden. Aehnlich kann man auch
in Jer 23,28 אמת als adverbiellen Akkusativ verstehen: "der
aber mein Wort hat, sage getreulich mein Wort (ידבר דברי אמת)
(vgl. Ps 132,11)[1]. Eine kleine Schwierigkeit bietet nur, dass
die Wortfolge in beiden Gliedern nicht dieselbe ist. Während
in V.21b der indirekte Akkusativ gemäss der Regel dem direkten folgt, ist in V.21a der indirekte Akkusativ vorangestellt.
Doch kann aus klanglichen Gründen die Wortfolge geändert worden sein[2].

Nach GESENIUS-KAUTZSCH ist die Pluralform in לשלחך wahrscheinlich als Sing. zu übersetzen (vgl. Spr 10,26; 25,13)[3].

Häufige Alliteration auf ל: שלשום   לך   הלא

להודיעך   להשיב   לשלחך

Im Ausdruck במעצות ודעת wird durch die Alliteration ת die Ver-
schmelzung der beiden Synonyme zur Einheit betont (vgl.
Hendiadyoin)[4]. Bei אמרי אמת und אמרים אמת weist das alliterierende מ auf die Wichtigkeit der "zuverlässigen Worte" (V.21a),
bzw. des "getreulichen Ueberbringens" (V.21b) hin. Dasselbe
bewirken auch die Paronomasie (אמרים/אמרי) und die bewusst ge-
wählte Wiederholung von אמת (Repetitio od. Epanalepsis)[5].

---

1 Vgl. KLOPFENSTEIN, Lüge 103.
2 Siehe oben 148 Anm. 4.
3 GESENIUS-KAUTZSCH, Grammatik § 124 k.
4 Vgl. ALONSO-SCHOEKEL, Kunstwerk 65f.
5 Aus diesem Grunde ist das zweite אמת nicht zu streichen wie
  dies GEMSER, Sprüche 84, vorschlägt.

Auslegung:

Es scheint, dass Spr 22,20f. mit Amenemope 27,7-10 und 1,5f. in Beziehung gebracht werden muss[1]. Wir wollen im folgenden die entsprechenden Texte einander gegenüberstellen.

Spr 22,20:

> "Ich habe dir ja 'dreissig' als einsichtsvolle Rat-
> schläge aufgeschrieben."

Amenemope 27,7-10:

> "Sieh dir diese dreissig Kapitel an[2],
> sie sind ein Vergnügen, sie sind eine Lehre,
> sie sind das erste aller Bücher, sie machen den
> Unwissenden wissend."

---

1 Ueber das Problem der Verwandtschaft zwischen Spr 22,17-23, 11 vgl. RICHTER, Recht 12 Anm. 7, der eine grosse Anzahl Literatur angibt.
Da die den Spr 22,17-23,11 entsprechenden Stellen in Amenemope beliebig zerstreut sind, äussern neuestens verschiedene Gelehrte die Vermutung, dass wohl der biblische Text nicht direkt von Amenemope abhängig sei, sondern dass sich beide auf eine ältere Lehre stützen. ALT, Analyse 16-25, hat den Vorschlag gemacht, durch eine literargeschichtliche Untersuchung hinter die fertige Lehre zurückzugehen, um den eigenen Beitrag Amenemopes gegenüber möglichen Vorlagen abzugrenzen. Für ALT sind die oft mehrfach oder ähnlich gleichlautenden Sätze, die in verschiedenen Kapiteln begegnen, ferner die Vermischung des für die ältere Lehre unbekannten religiösen Tons "des rechten Schweigers" mit viel älterem Spruchgut der Standesethik ein Anzeichen, dass der Autor schon von anderen gestaltetes Material in sein Buch einverleibt hat. GRUMACH, Untersuchungen, ist der Sache nachgegangen und hat auf Grund des Proverbientextes 22,17-23,11 eine Rekonstruktion einer älteren Lehre versucht. Der Umstand, dass sich so auch im ägyptischen Gewande ein sinnvoller Text ergibt, scheint die vermutete Quelle zu bestätigen.

2 GRUMACH, Untersuchungen 6, vermutet, dass schon die "Alte Lehre" in dreissig kleine Einheiten unterteilt war. Diese Dreissigzahl hätte Amenemope mit seiner Kapiteleinteilung nachgeahmt.

Nach GRUMACH scheint Amenemope 27,7-10 durch Einfügen von
Zusätzen umgestaltet zu sein. 27,7 entspricht inhaltlich Spr
22,20a und 27,8b zusammen mit 27,10b sind mit Spr 22,20b
("Ratschläge und Erkenntnis" = "sie sind eine Lehre" und "sie
machen den Unwissenden wissend") verwandt. Bei dieser Gegenüberstellung muss man allerdings etwas vorsichtig sein, da
immerhin im MT eine Korrektur vorgenommen werden muss und die
These von GRUMACH wohl noch durch weitere Untersuchungen zu
belegen ist. Eine sicherere Verwandtschaft zeigt sich zwischen Spr 22,21 und Amenemope 1,5f.

Spr 22,21:
>   "damit du korrekt zuverlässige Worte mitteilen,
>   damit du zuverlässig (getreulich) einen Bericht deinem
>   Sender zurückbringen kannst."

Amenemope 1,5f.:
>   "um eine Rede beantworten zu können dem, der sie sagt,
>   um einen Bericht zu erstatten dem, der einen aus-
>   schickt."[1]

Die Konstruktion von Spr 22,21 und Amenemope 1,5f. ist gleich:
r-ḥsf (1,5) und r-ᶜn (1,6) entsprechen להודיעך (21a) und להשיב
(21b). Nur fügt Spr 22,21a ein ך hinzu. Dagegen weicht V.21a
inhaltlich von Amenemope 1,5 ab. Bei Amenemope wird der Schüler durch die Unterweisung fähig, eine Rede zu beantworten.
In Spr 22,21a sind die dreissig Ratschläge aufgeschrieben,
damit der Junge lernt, Worte der אמת richtig weiterzugeben.
Nach den üblichen Interpretationen, die die beiden Infinitive
einander unterordnen "um dir kundzutun zuverlässige Worte",
besteht überhaupt keine Verwandtschaft mehr[2]. Dagegen weicht
V.21b von Amenemope 1,6 nur unwesentlich ab. An beiden Stellen geht es darum einen Bericht (smj; אמרים) dem Sender zu

---

1 Uebersetzung nach LANGE, Weisheisheitsbuch 25.
2 Vgl. ERMAN, Eine ägyptische Quelle 89; GEMSER, Sprüche 84.

erstatten[1].

Obwohl die Uebersetzung in V.20a mehrdeutig ist, scheint doch
die Interpretation: "damit du korrekt zuverlässige Worte mitteilen kannst" wahrscheinlich zu sein. ידע im Hif. bedeutet
"kundtun", "jd. mitteilen". In 1 Sam 10,8 soll Saul nach
Gilgal gehen, bis Samuel zu ihm kommt, um ihm mitzuteilen,
was er tun soll. Nach Jos 4,22 soll Israel den Kindern kundtun,
was die Steine in Gilgal bedeuten (vgl. Dtn 4,9). Es geht in
den Stellen mit הודיע meistens um die Mitteilung einer Ueber-
lieferung, der Satzungen und Weisungen oder um das Kundtun der
Worte Jahwes. Freilich könnte man gerade aus den vielen Beleg-
stellen mit ידע im Hif. darauf hinweisen, dass doch eher die
Uebersetzung "um dir zuverlässige Worte kundzutun" mit diesen
Stellen übereinstimmt. Tatsächlich gibt es keinen Text, wo das
Wort in Beziehung zu einem Boten gebracht wird. Immerhin wird
ידע bei Ezechiel im ähnlichen Sinne gebraucht, indem der Prophet von Jahwe aufgefordert wird - ähnlich einem Boten - das
Strafurteil zu verkündigen (Ez 22,2; vgl. 16,2; 20,4).

Nach meiner Auffassung werden in V.21 zwei verschiedene Aufgaben des Boten umschrieben. In V.21a wird der Beamte ermahnt,
den Auftrag seines Herrn (אמרי אמת) richtig zu übermitteln.
Dies war eine wichtige Aufgabe der Beamten. Auf ihren häufigen
Reisen (vgl. auch Sir 34,9-13) mussten sie in politischen Mis-
sionen die Interessen ihres Landes an fremden Höfen vertreten[2]. Dann aber war ihnen auch beauftragt, Botschaften von
fremden Fürsten getreulich ihrem Herrn zu überbringen. Davon

---

1 Allerdings wird die Uebersetzung von LANGE neustens von
  GRUMACH, Untersuchungen 7, angeforchten. Sie schlägt vor:
  "um eine Antwort zurückzugeben dem, der sie sagt, um einen
  Brief zu erwidern dem, der ihn schickt". Aus dem Hintergrund
  der Alten Lehre werde deutlich, dass Amenemope hier den Satz
  vom Ausrichten der Botschaft vermeide; zur näheren Begründung vgl. ebd. 11f.

2 Vgl. von RAD, Weisheit 29.

spricht V.21b. Der Ausdruck (אמרים) השיב דבר steht oft in dem
Sinn, dass jemand ausgeschickt wird, um sich um irgend etwas
zu erkundigen und einen Bericht zurückzubringen. In Dtn 1,22
(24) wird berichtet, dass Moses Männer vorausschickte, die
das Land durchzuspähen und Bericht zu geben hatten(וישבו דבר).
Joseph wird von seinem Vater geschickt nachzuschauen, ob es
mit seinen Brüdern wohlsteht, um ihm Bericht zu erteilen
(Gen 37,14). Die Männer, die vom König Josia zur Prophetin
Hulda geschickt werden, um den Herrn zu befragen, sollen wieder zurückkehren und dem König Bericht erstatten (2 Kön 22,
11-20). Aehnlich ist auch in Spr 22,21b der Bote ausgeschickt,
um seinem Sender einen Bericht zurückzubringen. Es wird allerdings nicht erwähnt, an wen der Bote gesandt wird, da es sich
um einen allgemeinen Mahnspruch handelt.

Durch diese Interpretation sind keine Textkorrekturen vorzunehmen, wie dies bei den anderen Uebersetzungen notwendig ist.

Nehmen wir die beiden Wörter קשט (V.21a) und אמת (V.21b) als
Akkusativ der Art und Weise, so wird ersichtlich, um was es
beim Mahnspruch geht. Der junge Beamte wird ermuntert, eine
Botschaft richtig zu überbringen und einen Bericht zuverlässig zu erstatten. Es scheint, dass קשט ein Synonym zu אמת ist.
In den zwei Stellen bei Daniel hat das Wort auf jeden Fall den
ähnlichen Sinn wie אמת: "Nunmehr lobe ich Nebukadnezar, rühme
hoch und verherrliche den Himmelskönig: denn all sein Tun ist
קשט" (Dan 4,34). In Dan 2,47 wird der Ausdruck מן־קשט די als
Adverb gebraucht: "Der König nahm das Wort und sprach zu Daniel: Fürwahr, gewiss! Euer Gott ist der Gott der Götter".
Aus diesen zwei Stellen lässt sich aber nicht bestimmen, wie-
weit die beiden Wörter identisch sind[1].

---

1 Auch in der syr. Uebersetzung existiert der Stamm qwšt. Interessanterweise wird אמת mit qwšt übersetzt (Spr 8,7;12,19;
14,25;22,21;29,14). Dagegen steht für אמונה, אמונים , נאמן
im Syr. der gleiche Stamm ʾmn (Spr 12,17;12,22;13,17;14,5;
20,6;25,13;27,6).

Etwas mehr kann man über den Ausdruck אמת sagen. Der Sender
muss sich auf den Beamten verlassen können (V.21b). Es muss
zwischen beiden ein Vertrauensverhältnis herrschen (vgl. אמת
von אמן). Aus Treue zu seinem Herrn wird der Bote den Bericht
zuverlässig zurückbringen. Es wird also in V.21b an die Zuverlässigkeit des Boten appelliert. In V.21a liegt der Akzent etwas verschoben. Hier werden die Worte der Botschaft als אמרי
אמת bezeichnet. Es sind "zuverlässige Worte", die zwischen
zwei Partnern ausgetauscht werden. Der Bote darf als Vermitt-
ler die Botschaft nicht entstellen, sondern soll sie "korrekt"
(קשט) wiedergeben. Hier wird besonders die Wichtigkeit der
Worte betont. Eine falsche Meldung könnte schlimme Folgen haben.

Auch in den folgenden zwei Aussageworten wird das Thema vom
"zuverlässigen Gesandten" wieder aufgenommen.

13,17   מַלְאָךְ רָשָׁע יִפֹּל בְּרָע   וְצִיר אֱמוּנִים מַרְפֵּא׃

Ein schlechter (unzuverlässiger) Bote stürzt[a] ins
Unglück,
aber ein getreuer Gesandter ist Heilung (Heilkraft).

Textanmerkung:

a   Die meisten Kommentatoren korrigieren יִפֹּל zu יַפֵּל[1].
BARUCQ und BUBER halten am MT fest[2]. Die Lesung
des MT wird von sämtlichen alten Uebersetzungen
bezeugt (vgl. z.B. LXX ἐμπεσεῖται [3]; Vulg. cadet
in malum). Ich bevorzuge den MT (vgl. Auslegung).

1 So FRANKENBERG, Sprüche 83; TOY, Proverbs 273; van der PLOEG,
Spreuken 51; RINGGREN, Sprüche 56; GEMSER, Sprüche 64; SCOTT,
Proverbs 94; McKANE, Proverbs 460f. u.a.

2 BUBER, Gleichsprüche 235; BARUCQ, Proverbes 122.

3 Eigenartigerweise hat die LXX βασιλεὺς θρασύς . Vielleicht
ist dieser Unterschied infolge Verwechslung zwischen מלאך und
מלך (vgl. BARUCQ, Proverbes 122).

Grammatikalisches und Stilistisches:

V.17a bildet einen zusammengesetzten Nominalsatz, V.17b dagegen einen Nominalsatz.

Die Alliterationen auf מ und ר verknüpfen die Wörter mit entgegengesetztem Sinn (מלאך רשע / אמונים וציר und מרפא/ברע), damit die Gegensatzwirkung deutlicher und stärker sichtbar wird[1].
Mit den gleichen Alliterationen werden auch die Folgen des schlechten, bzw. getreuen Boten betont: אמונים מרפא/רשע ברע

V.17 ist in einem antithetischen Parallelismus aufgebaut, wobei sich die entgegengesetzten Ausdrücke "stürzt ins Unglück" und "Heilung" nicht genau entsprechen.

Auslegung:

מלאך רשע ist dem ציר אמונים "zuverlässigen", "treuen Boten" gegenübergestellt. רשע bezeichnet hier den "Unzuverlässigen"[2].
Er ist der treulose Bote, der sich seinem Herrn gegenüber nicht verpflichtet fühlt. Man kann sich auf ihn nicht verlassen.

Eigenartigerweise wird nicht ausgesagt, dass durch ihn der Auftraggeber zu Schaden kommt. Aus diesem Grunde ist die Textkorrektur zu יַפֵּל (Hif.) zu erklären. Doch scheint mir diese Aenderung nicht notwendig. Man muss sich hüten, Textverbesserungen vorzunehmen, um einen deutlicheren antithetischen Parallelismus zu erhalten. Gerade darin liegt das Besondere in V.17a, dass der "unzuverlässige Bote" sich selber in Unglück bringt (vgl. Spr 17,20; Ps 57,7b)[3]. Es ist psychologisch geschickter, dem Schüler seinen eigenen Nachteil aufzuzeigen, der aus einem solchen Verhalten entsteht. Darin liegt das Paradoxe, dass der Treulose sich selber in Gefahr bringt (vgl. Spr 18,7; 19,29;

---

1 ALONSO-SCHOEKEL, Kunstwerk 301f.
2 Zur Geschichte des Begriffes רשע vgl. KEEL, Feinde 109-118.
3 Vgl. ebd. 197.

25,9).

Im Gegensatz dazu bemüht sich der "zuverlässige Gesandte", seine Botschaft gewissenhaft zu überbringen. Er ist der ideale Beamte, der im Interesse seines Auftraggebers handelt. Aus Treue
zu ihm erfüllt er genau seinen Auftrag (vgl. Spr 22,21; 25,13).
ציר wird sehr wenig gebraucht (Jes 18,2; 57,9; Jer 49,14; Obd
1; Spr 13,17 und 25,13). KOEHLER bringt das Wort mit dem Arabischen ṣāra "an ein Ziel kommen" in Verbindung[1]. Vielleicht
schwingt das noch in unserem Sprichwort mit. Der unzuverlässige Bote strauchelt bei seinen schlechten Absichten. Aber der
getreue ציר kommt ans Ziel.

Ein "treuer Bote" ist Heilung. מרפא von רפא kommt in Spr 10-31
fünfmal (12,18; 13,17; 15,4; 16,24; 29,1) und in Spr 1-9 zweimal (4,22; 6,15) vor. Daneben erscheint es noch dreimal in Jer
(8,15; 14,19; 33,6), zweimal in 2 Chr (21,18; 36,16) und in
Mal 3,20. Es bedeutet sicher in 2 Chr 21,18 "Heilung" im phy-
sischen Sinn. Sonst aber ist das Wort wohl immer im übertragenen Sinn gemeint. So steht es bei Jer 33,6 zur Bezeichnung des
Heils. Das Volk in Sünde und Not erlangt Genesung und Gesundheit (vgl. Jer 8,15 "Zeit der Heilung"; 14,19; Mal 3,20).

In den Proverbien bedeutet מרפא als Bezeichnung einer aktuel-
len Handlung "Heilung", "Heilkraft (im Sinne von Medizin, Arznei)". Huldvolle Reden sind wie eine Arznei (Spr 16,24). Die
Rede des Weisen wirkt heilend und versöhnend (Spr 12,18)[2]. In
Spr 15,4 kann מרפא resultativ verstanden werden, als der End-
zustand, also nicht die Heilung, sondern das Heilsein, die Gesundheit (vgl. auch 4,22)[3].

Aehnlich wie die Rede des Weisen (Spr 12,18) wirkt eine

---

1 KBL 803; vgl. auch DELITZSCH, Spruchbuch 218; BARTH, Nominalbildung § 127 c.

2 Siehe unten Kapitel VI 294.

3 Siehe unten Kapitel VI 280f.

sorgfältig überbrachte Botschaft aufbauend, versöhnend und heilend. Dagegen eine falsche, ungenaue oder verdrehte Nachricht kann viel Unheil bringen. Es können Missverständnisse zwischen den Verhandlungspartnern auftreten[1].

25,13 כְּצִנַּת־שֶׁלֶג בְּיוֹם קָצִיר   צִיר נֶאֱמָן לְשֹׁלְחָיו
וְנֶפֶשׁ אֲדֹנָיו יָשִׁיב:

Wie Schneekühlung[a] am Erntetag[b]
ist ein treuer Bote seinem Sender
und die Seele seines Herrn erquickt er[c].

Textanmerkungen:

    a   LXX liest ὥσπερ ἔξοδος χιόνος (כצאת).

    b   BH schlägt mit LXX κατὰ καῦμα בְּחֹם vor "bei der Glut". Es besteht aber kein Grund, den MT zu ändern, auch wenn der Ausdruck bei Jes 18,4 belegt ist (vgl. Aquila: ὡς ψῦχος χιόνος ἐν ἡμέρᾳ ἀμητοῦ).

    c   V.13c scheint ein Zusatz zu sein[2]. Die beiden Glieder (V.13a/b) sind für sich verständlich. GEMSER vermutet, dass zu V.13c vielleicht ein Stichos ausgefallen sei[3].

Grammatikalisches und Stilistisches:

Eigentlich würde man das Subjekt des Nominalsatzes am Anfang erwarten. Doch sind in den Proverbien die Vergleiche meistens vorangestellt (vgl. 26,11.18 u.a.). Dadurch nimmt der Vergleich innerhalb der Aussage eine wesentliche Stellung ein[4].

---

1 Das richtige Ueberbringen von Mitteilungen und Aufträgen bildete besonders auch in Aegypten einen Gegenstand des Unterrichts in den Schulen der Beamten (vgl. im AR Ptahhotep 145-152; 249-250; im MR die Lehre des Cheti 10,3; im NR Amenemope 1,5f.).

2 TOY, Proverbs 464; GEMSER, Sprüche 90; BARUCQ, Proverbes 194; McKANE, Proverbs 586.

3 GEMSER, Sprüche 90.

4 Zur Begründung siehe oben Kapitel I 38.

Der Vergleich ist nicht nur ein ornamentales Motiv, wie dies
oft behauptet wird[1], sondern er ist ein Wesenszug der Dichtung[2]. Vergleiche vermögen die Phänomene menschlichen Lebens
zu erkunden. "Es geht dabei nicht primär um eine Illustration
einer Erkenntnis, sondern um einen Erkenntnisgewinn". So wird
in unserem Beispiel, wie nützlich und beliebt ein treuer Bote
seinem Sender sein kann erst durch das Bild "wie die Kühlung
am Tage der Ernte" fassbar[3].

שלחיו ist Plur. "die ihn Sendenden" (vgl. Spr 10,26; 22,21).
Nach GESENIUS-KAUTZSCH ist diese Form aber mit dem Sing. als
Hinweis auf einen unbestimmt Einzelnen zu übersetzen[4] (vgl. Dtn
17,5).

V.13c bildet einen Verbalsatz, in dem aber das Objekt aus em-
phatischen Gründen vorangestellt ist.

קציר/ציר ist eine Paronomasie (oder Parechese[5]). Alliterationen mit צ und שׁ : ציר   קציר   כצנת־שלג

לשלחיו ונפשׁ ישׁיב

Auslegung:

Das Wort צנה kommt nur noch in Sir 43,20 vor und bedeutet
"Kälte". Die vermutliche Wurzel צנן "kalt sein" ist im AT nicht
belegt. Sie erscheint aber im Mittelhebräischen[6]. Der Vergleich
"wie Kühlung des Schnees am Tage der Ernte" bereitet Schwierigkeiten. So ist es verständlich, dass verschiedene Erklärungen
versucht werden. Verschiedene Exegeten[7] verstehen darunter die

---

1 SCHMIDT, Studien 60.
2 Vgl. KAYSER, Kunstwerk 119-127, bes. 122f.
3 HERMISSON, Studien 149-151.
4 GESENIUS-KAUTZSCH, Grammatik § 124 k.
5 Vgl. BLASS-DEBRUNNER-FUNK, Greek Grammar § 488,2.
6 KBL 808.
7 DELITZSCH, Spruchbuch 406; FRANKENBERG, Sprüche 141; TOY,
  Proverbs 464; REYMOND, L'eau 151; SCOTT, Proverbs 154.

Kühlung des Getränks mit Schnee, den man von den Bergen holte.
JOÜON versucht das Wort צנה durch צלחת "Vase" zu ersetzen[1].
Andere denken an die Gerstenernte im Monat März[2]. Nach SCOTT
könnte auch einfach kühles Wetter gemeint sein, das gelegentlich in der Erntezeit einbricht[3]. Nach DALMAN ist hier ausgedrückt, dass der Schnee erfrischend wirken würde, wenn man ihn
hätte[4].

McKANE denkt unter צנת־שלג nicht an eigentlichen Schnee, sondern an eiskaltes Wasser, das von einer Quelle genommen wird
und den Durst der ausgetrockneten Kehlen löscht[5]. Diese Erklärung scheint mir naheliegend zu sein. Auch in der deutschen Sprache kennen wir den Ausdruck "eiskaltes Wasser",
das nicht unbedingt Schnee- oder Gletscherwasser sein muss.
Es kann einfach frisches, kühles Wasser gemeint sein. Auch
wenn der Ausdruck etwas ungewohnt vorkommt, so hat er in der
dichterischen Sprache seine Berechtigung. Bewusst werden oft
solche Vergleiche herangezogen, um einen grösseren Effekt zu
erzielen. So wird z.B. in Spr 11,22 "Goldener Ring im Rüssel
einer Sau" keiner die Frage stellen, ob es vorkomme, dass
Schweine goldene Ringe tragen. Es geht in diesem Vergleich
um das "tertium comparationis", um das Unpassende und Un-
schickliche darzustellen. Aehnlich in unserem Beispiel kann
durch diesen Vergleich auf anschauliche Weise gezeigt werden,
wie wohltuend es für eine wichtige Persönlichkeit ist, einen
treuen Boten zu besitzen.

Die Zeit der Ernte fällt in die heisse Zeit. Im April ist in
Palästina ein rascher Temperaturanstieg festzustellen, der

1 JOÜON, Notes 186.
2 OESTERLEY, Proverbs 224; RINGGREN, Sprüche 101.
3 SCOTT, Proverbs 154, vergleicht den Juni 1959.
4 DALMAN, AuS I,1 236.
5 McKANE, Proverbs 585.

z.T. auf den Einfluss des sehr heissen Wüstenwindes zurückzuführen ist. Wenn dieser Ostwind, besonders von Ostern bis
Pfingsten, weht, kann die Temperatur von einem Tag auf den andern um 15-20°C steigen. Dazu sinkt die Luftfeuchtigkeit ra-
pid. Manche Leute werden ohnmächtig, und Hitzschläge sind
nicht selten (vgl. 2 Kön 4,18ff.; Jdt 8,3). Die meisten macht
dieser Ostwind müde, schläfrig und peitscht vielen die Nerven
auf. Wer bei dieser unerträglichen Hitze arbeiten muss, wird
auf eine harte Probe gestellt[1]. Eine Erfrischung ist in dieser heissen Zeit eine besondere Wohltat[2]. Wenn die Textkorrektur zu בְּחֹם, die zwar nicht erforderlich ist, richtig wäre,
würde das Bild noch effektvoller (Kälte des Schnees - Hitze
der Ernte).

Ein "zuverlässiger Bote", der aus Treue zu seinem Herrn eine
Nachricht genau überbringt, ist nicht hoch genug einzuschätzen.
Anstelle von אמונים steht hier נאמן (Part. Ni.) und bedeutet
"zuverlässig", "treu" (vgl. Jes 8,2; Jer 42,5; Neh 13,13)[3].

Zwischen ציר אמונים (Spr 13,17) und ציר נאמן (Spr 25,13)
scheint kein wesentlicher Unterschied zu sein. Beidemale geht
es um einen "zuverlässigen, treuen Boten", der beim Ueberbringen der Botschaft sich genau an seinen Auftrag hält.

Geschickt versuchen die beiden Proverbien, die künftigen Beamten auf ihre grosse Verantwortung aufmerksam zu machen. In
beiden Texten wird dort angeknüpft, wo der Junge am meisten
ansprechbar ist. In 13,17 werden die Folgen eines schlechten
Beamten aufgezeigt: er fällt selber ins Unglück. Dagegen erntet ein "treuer Gesandter" Erfolg ("Heilung"). Noch viel effektvoller wird in 25,13 aufgezeigt, dass ein "treuer Bote"

---

1 Vgl. DALMAN, AuS I,2 318-329; SCOTT, Meteorological Phenomena 11-25, bes. 20f.; KEEL, AOBPs 71f.; ders., Erwägungen
  418-421.
2 Vgl. DALMAN, AuS III 7-13, bes. 12.
3 JEPSEN, ThWAT I 316.

seinem Vorgesetzten überaus grosse Freude bereiten kann. Dass besonders ein solches Sprichwort junge Beamte zum zuverlässigen Dienst anspornen konnte, ist leicht einzusehen; denn wer wäre nicht dabei, wenn er bei seinem eigenen Vorgesetzten in höchstem Ansehen stehen kann.

Neben dem Beamten wird auch die Zuverlässigkeit vom Zeugen verlangt. Dies wird in Spr 14,25 und 14,5 aufgezeigt.

14,25   מַצִּיל נְפָשׁוֹת עֵד אֱמֶת   וְיָפִחַ כְּזָבִים מִרְמָה:

> Ein Lebensretter ist ein zuverlässiger Zeuge[a],
> aber ein "Lügenmaul" (wer Lügen aushaucht) ist
> Betrug (in Person)[b].

Textanmerkungen:

a   An dieser Stelle übersetzt die LXX אמת ausnahmsweise mit πιστός . Eigentlich würde man ἀληθινός erwarten.

b   Targum liest hier מְרַמֶּה "der enttäuscht"[1] (vgl. Grammatikalisches).

Grammatikalisches und Stilistisches:

In V.25a/b stehen Nominalsätze. Das Subjekt עֵד אמת lässt sich in V.25a nur dem Sinn nach bestimmen. Entgegen der Regel ist das Prädikat vorangestellt, um wahrscheinlich dieses besonders hervorzuheben. Die antithetischen Glieder sind chiastisch angeordnet. Dadurch wird einerseits der krasse Gegensatz zwischen dem "zuverlässigen Zeugen" und dem Lügner aufgezeigt, anderseits aber auch die strenge Entsprechung betont. Analog zu "Lebensretter" würde man in V.25b etwa "bringt Untergang" erwarten. Deshalb haben die meisten Exegeten מִרְמָה zu מָרַמֶּה korrigiert. Auch wenn diese Aenderung eine bessere Antithese

---

1 Vgl. RINGGREN, Sprüche 59; SCOTT, Proverbs 97; KBL 567.

gibt, stimmt sie nicht unbedingt mit dem ursprünglichen Text
überein, da im Hebräischen der antithetische Parallelismus
nicht immer so streng aufgebaut ist, wie im Griechischen[1].
Das abstrakte מרמה bezeichnet "Trug" in Person[2].

Alliteration mit מ (5x): מציל אמת כזבים מרמה, wobei das מ den
Ausdruck יפח כזבים besonders eng mit מרמה verknüpft.

Auslegung:

Obwohl das Wort עד nicht nur auf den gerichtlichen Bereich
eingeengt werden darf, scheint doch die Verbindung mit dem
Prädikat "Lebensretter" eher einen "Zeugen" vor Gericht zu
meinen[3].

Das Verb נצל im Hif. bedeutet: "herausreissen", z.B. ein Lamm
aus dem Rachen eines Bären oder Löwen (1 Sam 17,35; Am 3,12).
Es erscheint oft im Kontext einer Notlage "jd. aus einer aus-
wegslosen Situation befreien" (Ex 6,6; 18,9f.; 1 Sam 30,18;
2 Sam 19,10; Ps 34,18; 34,5; 54,9; Jes 19,20; Jer 20,13)[4].

Auch der Ausdruck נצל נפש begegnet an verschiedenen Stellen,
wird aber nicht immer im ganz gleichen Sinn verstanden. Zunächst bedeutet er "jd. vor dem eigentlichen Tod befreien".
Rahab bittet in Jos 2,13 die Kundschafter, das Leben ihrer
Sippe zu retten (vgl. auch Gen 37,21). Besonders in den Psalmen wird von Jahwe geredet, der die Seelen vom Tode (bzw.
Scheol) errettet (Ps 33,19; 56,14; 86,13). An diesen Stellen
ist nicht mehr unbedingt an den Tod im eigentlichen Sinne gedacht. Aber der Bedrängte erfährt die Wirklichkeit des Todes
z.B. im Fall einer Krankheit. Er erlebt sie als Gefangener, in

---

1 Nähere Erläuterung siehe oben 94f.

2 Ueber den Gebrauch von bestimmten abstrakten Begriffen siehe
  oben zu Spr 12,17 94.

3 Zum Bedeutungsumfang von עד siehe oben 97.

4 Vgl. BARTH, Errettung 125.

Form der völligen Abgeschlossenheit vom vollen Leben. Oder sie
begegnet ihm in Feindesnot. Kurz, der in irgendeiner Form von
Unglück Betroffene begegnet dem Tod als Einengung, Beschrän-
kung seines Lebens[1].

Ein solcher "Lebensretter" ist ein עד אמת. Den Ausdruck wird
man hier am besten mit "zuverlässiger Zeuge" übersetzen können. Aus dem Zusammenhang geht hervor, dass die Bedeutung
"Zuverlässigkeit" in die "Treue" übergeht. Aus "Treue" setzt
er sich für einen bestimmten Personenkreis ein. Die Loyalität
dieses Zeugen zeigt sich in Krisensituationen. Das Wort "Lebensretter" kann hier im wörtlichen Sinne gemeint sein. Er befreit einen zum Tode unschuldig Verurteilten. So hat Daniel
Susanna, die hingerichtet worden wäre, errettet (Dan 13,50-64).
Der "zuverlässige Zeuge" kümmert sich aber auch um Menschen,
die um ihr Ansehen gekommen sind. Vielleicht waren Intrigen,
Verleumdungen, dummes Geschwätz, Hass und Neid im Spiel. Besonders das Ansehen, die Ehre und Achtung waren in Israel ge-
schätzte Güter (Ijob 29,7-10). Wo diese fehlten, fühlte sich
der Mensch dem Tode nahe. Ein halbes Leben ist kein Leben[2].
Der "zuverlässige Zeuge" ermöglicht es, dass der in der Gemeinschaft Geschmähte wieder in der Gemeinde integriert wird.
Er entlarvt die Lügen, Verleumdungen und den Hass. Damit ist
der erlittene Schaden wieder gut gemacht und der Betreffende
geniesst vom neuen Ansehen. Er besitzt wieder Leben in Fülle,
weil er von seiner Gemeinschaft aufgenommen ist.

Beim Ausdruck יפח כזבים[3] ist an einen verlogenen Menschen gedacht, der auf Entstellung und Verkehrung aus ist[4]. Seine Aus-

1 Ebd. 92-118, bes. 114f.; 146-152.
2 Vgl. von BAUDISSIN, ḥajjim 158.
3 Zum Ausdruck יפח vgl. oben 93-99.
4 Zum Unterschied von שקר und כזב vgl. oben Einleitung 16f.

sagen stimmen mit der Wirklichkeit nicht überein. In seinem
Reden sucht er durch Hinterlist das Verderben der andern. Deshalb wird er mit dem Ausdruck "Trug (in Person)" bezeichnet.
Dadurch dass in V.25b nicht das zu erwartende Verb מִרְמֶה
"enttäuscht" oder מְדַמֶּה "verdirbt" steht, sondern das abstrakte Wort מִרְמָה[1], wird die hinterlistige Bosheit dieses Menschen
gleich aufgedeckt und beim Namen genannt.

Auch in Spr 14,5 kommen nochmals der "falsche" und "zuverlässige" Zeuge zur Sprache. Allerdings sind hier die Aussagen so
selbstverständlich, dass man sich fragen muss, ob vielleicht
an dieser Stelle eine besondere Nuance ausgedrückt werden
will.

14,5   עֵד אֱמוּנִים לֹא יְכַזֵּב   וְיָפִיחַ כְּזָבִים עֵד שָׁקֶר:

> Ein zuverlässiger Zeuge (ist einer, der) nicht lügt,
> aber ein "Lügenmaul" (wer Lügen aushaucht) (ist) ein
> falscher Zeuge.

Grammatikalisches und Stilistisches:

V.5a/b können als zusammengesetzte Nominalsätze betrachtet
werden: ein zuverlässiger Zeuge: er lügt nicht, ein falscher
Zeuge aber: er haucht Lügen aus. Doch es ist möglich, dass
hier gesagt werden will: wer lügt (bzw. nicht lügt), ist ein
falscher (bzw. zuverlässiger) Zeuge. Dann sind die Ausdrücke
"falscher (bzw. zuverlässiger) Zeuge" Wertbegriffe[2]. HERMISSON
hat darauf hingewiesen, dass man in den Proverbien nicht allein nach dem grammatikalischen Subjekt und Prädikat fragen
darf, sondern auch immer das Ziel der Aussage vor Augen haben
müsse[3]. So soll vielleicht hier ein bestimmtes Verhalten (das

---

1 Zum Begriff מרמה siehe oben 98.

2 Siehe oben Einleitung 34-36.

3 HERMISSON, Studien 156f.

Lügen, bzw. Nichtlügen) qualifiziert werden. In diesem Fall
hat יפיח כזבים fast die Stellung wie ein Substantiv und kann
mit "Lügenmaul" wiedergegeben werden. Durch den Chiasmus wird
unter anderem eine strenge Entsprechung zwischen dem "Lügenmaul" und dem "Nichtlügner" ausgedrückt, so dass auch לא יכזב
hier fast substantivisch verstanden werden darf. Ich übersetze deshalb mit "einer, der nicht lügt". Demzufolge sind die
beiden Glieder beinahe wie Nominalsätze zu deuten.

Auslegung:

Bei einem flüchtigen Ueberblick ist dieses Sprichwort sehr
nichtssagend. Zwei selbstverständliche Aussagen scheinen einander gegenüberzustehen: Ein zuverlässiger (bzw. falscher) Zeuge
lügt nicht (bzw. lügt). Aber ist in dieser Aussage nicht doch
eine Nuance enthalten, die das Sprichwort interessant macht?
Wahrscheinlich will der Vers ausdrücken, dass die Lüge etwas
Schlimmes ist: Einer, der lügt, ist (wie) ein "falscher Zeuge". Der "falsche Zeuge" war wohl in Israel ein verbreitetes
Uebel, wie die Vielzahl der Benennungen zeigt[1] (vgl. Spr 6,19;
12,17; 14,5; 19,5.9.28; 21,28; 24,28; 25,18; vgl. auch Dtn 19,
18f.; 1 Kön 21,10; Dan 13,28ff.; Mt 26,59f.; Apg 6,13)[2]. Es
ist bezeichnend, dass der Dekalog (Ex 20,16; Dtn 5,20) nicht
das Lügen im allgemeinen untersagt, "sondern sozusagen das
Paradigma, den gewichtigsten, härtesten, greifbarsten und häufigsten Fall davon: das Lügenzeugnis"[3].

Unser Sprichwort vergleicht nun das Lügen mit der wohl schlimmsten Art der Lüge mit dem "falschen Zeugnis". כזב entspricht
mehr dem, was wir in den alltäglichen Lebensbezirken mit dem

---

1 SEELIGMANN, Terminologie 260-265.

2 Vgl. de VAUX, Lebensordnungen I 252; KLOPFENSTEIN, Lüge
  18-32.184-187.222-226.

3 KLOPFENSTEIN, Lüge 19.

Wort "Lüge" als "unwahre Aussage, unrichtige Darstellung, er-
logene Behauptung, böswillige Verzeichnung meinen"[1]. Diese
Lüge, die sich oft sehr ungefährlich und harmlos zeigt, wird
hier mit der perfiden Lüge des "falschen Zeugen" in Verbindung gebracht. Wer lügt, auch wenn es sich um scheinbare Ba-
gatellen handelt, kann das Vertrauensverhältnis in Gefahr
bringen und der Gemeinschaft schaden. Dies wird durch die Begriffe שקר und אמונים (pos.) deutlich. Durch den Genitiv qualitatis werden die beiden Zeugen charakterisiert. שקר bzw.
אמונים bezeichnet die Person des Zeugen in seiner Funktion
(als Recht brechend, bzw. Recht bringend) und in seiner Wirkung auf den, für den er Zeugnis ablegt (als die Treue miss-
achtend, bzw. die Treue fordernd)[2]. Mit אמונים bzw. שקר wird
also etwas über das Verhältnis zwischen dem Zeugen und dem,
für welchen das Zeugnis abgelegt wird, ausgesagt. Der עדאמונים
ist einer, der den andern nicht im Stich lässt. Er muss aus
Treue zu ihm handeln (vgl. Spr 13,17; 20,6). Somit scheint
mir die Uebersetzung "ein zuverlässiger (treuer) Zeuge" besser als ein "wahrhaftiger Zeuge"[3], obwohl das eine das andere nicht ausschliesst[4].

Das Sprichwort kann man aber noch auf andere Weise deuten.
Der Satz soll vielleicht vor übertriebener Loyalität warnen.
Da es wahrscheinlich immer wieder vorkam, dass einer von seinen Anhängern Lügen verlangte, mit dem Hinweis, sie sollten
נאמן sein, wollte das Sprichwort zeigen, dass nur jener ein
loyaler Zeuge ist, der zugleich nicht lügt.

Man könnte das Sprichwort auch als ein Kriterium für den Richter auffassen, der die Zeugen und die Zeugnisse zu prüfen hat:

---

1 Vgl. KLOPFENSTEIN, Lüge 210-243.321f.

2 Vgl. ebd. 25.

3 Vgl. RINGGREN, Sprüche 58; GEMSER, Sprüche 66; BARUCQ, Proverbes 126 u.a.

4 WILDBERGER, THAT I 198.

wer sonst als Lügner bekannt ist, dessen Zeugnis ist disqualifiziert und umgekehrt. In diesem Falle beabsichtigt das Sprichwort zu sagen, dass die Beurteilung des Zeugen davon abhängt, ob es zuverlässige oder lügnerische Leute sind, die als Zeugen auftreten.

6. Zusammenfassung
_____

Ein Ueberblick über das ganze Kapitel zeigt, wie vielfältig die ehrliche, offene, freimütige und zuverlässige Rede umschrieben wird. Zunächst erscheint der Ausdruck שפתי־(יגיד)צדק (Spr 16,12f; 12,17), der mit "ordnungsgemässes Reden" übersetzt werden muss. Somit steht er mit dem Aegyptischen ḏ d m3ᶜ.t in Beziehung. Weiter wird das Reden mit einem offenen, übersichtlichen Weg verglichen und bezeichnet das aufrichtige Wort, das nichts Falsches, Verlogenes in sich birgt (Spr 23,15f.; 24,26). Als besondere Form der aufrichtigen Rede wird die offene Rüge erwähnt (Spr 10,10; 25,12; 27,5; 28,23), die vor allem auch als Mittel der Besserung angesehen wird (Spr 10,13; 14,3; 15,7; 26,4f.). Schliesslich wird ganz eindringlich von der Zuverlässigkeit der Rede gesprochen. Mit Ausnahme von Spr 10,20 werden dabei die beiden Begriffe אמת und אמונה verwendet. Die LXX (vgl. auch die Syr. Uebersetzung[1]) macht zwischen den Ausdrücken einen wesentlichen Unterschied. Während sie אמת mit ἀλήθεια übersetzt, wählt sie für אמונה πίστις[2]. Die Auslegung hat jedoch gezeigt, dass sich אמת und אמונה nicht merklich unterscheiden. Dort wo אמת in Blick auf Personen gesprochen wird, meint der Ausdruck Treue und Aufrichtigkeit als Verlässlichkeit. Der עד אמת fühlt sich verpflichtet, sich für seine Mitmenschen einzusetzen. Der Bedrängte kann sich auf ihn

_____

1 Siehe oben 153 Anm. 1.

2 Nur in Spr 14,25 übersetzt die LXX אמת mit πιστός.

verlassen (Spr 14,25). Auch wenn אמת auf Worte bezogen ist,
bedeutet es Verlässlichkeit. Diese Worte bieten Gewähr, dass
man sich auf sie verlassen kann, weil sie von einem Menschen
kommen, dem man Vertrauen entgegenbringen kann. Solche Worte
sind beständig und dauerhaft (Spr 12,19).

Das Wortfeld von אמונה deckt sich ziemlich mit demjenigen von
אמת. Es zeigt sich auch hier, dass das Wort nicht in erster Linie mit "Wahrhaftigkeit", sondern mit "Zuverlässigkeit" und
"Treue" übersetzt werden muss[1]. Solche Worte, auf die man sich
verlassen kann, finden bei Jahwe Wohlgefallen (Spr 12,22). Wie
אמת wird אמונה auch von Personen ausgesprochen (Spr 14,5 עד
אמונים). Einer besonderen Hochschätzung erfreut sich der "zuverlässige Bote" (Spr 13,17 ציראמונים; vgl. 25,13 ציר נאמן).

Als Oppositum von אמת und אמונה erscheint oft שקר (Spr 12,19;
12,17; 12,22; 14,5). Dieser Gegenbegriff meint an diesen Stellen in erster Linie "Treuebruch, Unzuverlässigkeit, fehlende
Vertrauenswürdigkeit"[2].

Wenn man diese Proverbien, die von der zuverlässigen Rede handeln, überblickt, hat man den Eindruck, dass sie sich vor allem auf den öffentlichen Bereich beziehen. Es wird wohl weniger von der Treue zu einer einzelnen Person gesprochen. Wenn
vom Zeugen oder vom Boten die Rede ist, steht eine Gemeinschaft
mit im Spiel (Familie, Sippe, Stadt).

Ganz anders steht bei Jesus Sirach der Freund im Mittelpunkt[3].
Bei ihm wird meistens nur von der Treue und Zuverlässigkeit
zum Freunde gesprochen (Sir 6,5-17; 20,23f.; 22,22-26; 27,16-21;

---

1 WILDBERGER, THAT I 196-198.
2 KLOPFENSTEIN, Lüge 26.
3 Vgl. HASPECKER, Gottesfurcht 127f.136.164; PAX, Dialog
  253f.

vgl. auch 9,10[1]). Wer ein Geheimnis seines Freundes oder etwas gegen ihn aussagt, der bricht dieses Verhältnis (Sir 19,8; 22,26; vgl. 6,7).

---

1 Der hebr. Text ist hier unsicher. Für "treu" wird wahrschein-lich דבק verwendet: Ἔφισος αὐτῷ (נו)ק(בי)יד; vgl. BARTHELEMY-RICKENBACHER, Sirach Konkordanz 80.

III

VON DER KLUGEN ZURUECKHALTUNG IM REDEN

1. Die sparsame Rede

17,27

Die beiden Sprichwörter 17,27/28 dürfen als eine Einheit betrachtet werden. Darauf weisen schon die Stichwortverbindung
(נבון-תבונה) und die Alliterationen auf ה (bzw.ק) hin. Da
aber doch in beiden eine Differenzierung gemacht wird - in
V.27 geht es um den sparsamen Gebrauch und V.28 redet vom
Schweigen -, halten wir die beiden Sprichwörter auseinander.

חוֹשֵׂךְ אֲמָרָיו יוֹדֵעַ דָּעַת ׀ וְקַר־רוּחַ אִישׁ תְּבוּנָה׃

Wer mit seinen Worten spart, ist einer der Erkenntnis
kennt,
Wer kühlen Geistes[a] ist ein Mann der Vernunft.

Textanmerkungen:

a Das Ketib liest וקר "kühl", das Qere יקר "Kostbarkeit". Die BH schlägt vor, mit dem Ketib zu lesen.
Wie aber HARTOM bemerkt, gibt auch die Lesung יקר
einen guten Sinn: Die Kostbarkeit des Hauches (seines Mundes), d.h. wer spart mit den Worten[1].

KOPF will das Wort קר nicht von קר "kalt" ableiten,
sondern er bringt es in Beziehung mit dem mittelhebr. קורת רוח "Seelenruhe". Dieser Ausdruck hat
ein Synonym נחת רוח von נוח "ruhen". Diese Feststellung lässt an das arab. qrr "sich festsetzen",
"ruhen", "verharren" denken[2].

---

1 HARTOM, משלי 58.
2 KOPF, Arabische Etymologien 200f.

Grammatikalisches und Stilistisches:

In V.27 handelt es sich um eine einfache Nebenordnung. Subjekt
und Prädikat können nur aus dem Zusammenhang erschlossen werden[1]. An unserer Stelle ist es wahrscheinlich, dass die beiden
Subjekte am Anfang stehen. Es wird ein Urteil über ein bestimmtes Verhalten gefällt.

יודע דעת ist eine Figura etymologica.

In einem synonymen Parallelismus werden hier zwei Aussagen,
die vom vorsichtigen Reden handeln, zu einem Spruch vereinigt.

Alliterationen auf ח (bzw. כ und ק) und ר : וקר־רוח חושך.
Die alliterierenden ח (bzw. כ und ק) verschmelzen die beiden
synonymen Ausdrücke zu einer Einheit[2].

Auslegung:

חושך kommt häufig in den poetischen Texten vor (Jes, Ps, Ijob
und Spr) und hat die Bedeutung "zurückhalten", "schonen", "sparen". Mit einer Ausnahme (Spr 24,11) wird das Wort in den Proverbien in der Bedeutung von "schonen", "sparen" gebraucht (Spr
11,24; 13,24; 21,26).

In diesem Sinn muss auch V.27 interpretiert werden. חשך ist
nicht etwa mit Schweigen identisch, sondern bezeichnet den
sorgfältigen Gebrauch der Worte. Jener, der die Worte spart,
wägt sie ab und geht sorgsam mit ihnen um. Er achtet darauf,
dass er kein Wort zuviel und zuwenig ausspricht.

יודע דעת ist hier ein besonders sprachlich schön klingender
Ausdruck (Paronomasie) für חכם . Wie דעת und חכמה sich nur
schwer unterscheiden lassen[3], so wird auch יודע nur unwesentlich von חכם zu differenzieren sein (vgl. Ijob 34,2; Koh 9,11).

---

1 Vgl. dazu HERMISSON, Studien 144-146.
2 Vgl. ALONSO-SCHOEKEL, Kunstwerk 65f.
3 Vgl. BARUCQ, Proverbes 111f.

174

Trotz allem steht dieser Ausdruck hier nicht zufällig. Zwischen dem sparsamen Reden und der Erfahrung besteht ein enger Zusammenhang. Je mehr jemand Erfahrung besitzt (יודע דעת), umso mehr wird er zurückhaltend im Reden sein. Die Erfahrung hat ihn gelehrt, vorsichtiger mit seinen Worten umzugehen.

Der Parallelbegriff zu יודע דעת ist איש תבונה. תבונה steht von den 42 Belegen im AT 22x ausdrücklich in Verbindung mit חכמה[1] (Spr 2,2f.; 5,1; 8,1 u.a.). Der איש תבונה besitzt durchaus die Qualitäten des חכם (vgl. Spr 10,23; 11,12; 15,21; 20,5).

קר־רוח kommt nur hier im AT vor. Nach GROLLENBERG entspricht dieser Ausdruck dem Aegyptischen ḳb oder ḳbb und ist zusammen mit gr (Schweiger, Friedlicher) dem Heissen, Leidenschaftlichen, Schwätzer (šm, šmm) gegenübergestellt[2]. ḳb, ḳbb und ḳbḥ bedeutet "kalt" und wird zunächst vom Wasser ausgesagt. Dann aber ist das Wort auch auf Personen übertragen. Im NR erhält Thot den Beinamen "Kalter Mund". Der Zornige sagt zum "Kühlen": "Sitz dort nicht nieder, 'Kühler', sondern sprich" (Pap. S. Petersb. 1119,6). Im Anschluss an diese Beispiele folgert DUESBERG: "Ainsi le concept qu'exprime le gr ce double de celui du ḳb, qui est froid, maître de soi, circonspect"[3]. Es ist gut möglich, dass die Weisheitslehrer diesen Ausdruck vom Aegyptischen übernommen haben, weil die Formulierung gut dem entsprach, was sie unter richtigem Reden verstanden. Schon die Lehre des Ptahhotep (AR) enthält einen ähnlichen Gedanken: "Wenn du stark bist, musst du Respekt einflössen durch Wissen und durch 'Gelassenheit' (hrt) deiner Sprache" (370f.)[4].

1 RINGGREN, ThWAT I 622.
2 GROLLENBERG, A propos de Prov 8,6 et 17,27 42f.
3 DUESBERG, Scribes 114-117.
4 Uebersetzung nach ŽÁBA, Maximes 91.

Einige übersetzen den Ausdruck mit "kaltblütig"[1]. Doch gibt
diese Uebersetzung eine falsche Vorstellung. Sie hat im Deutschen eher einen negativen Sinn und bezeichnet einen abge-
brühten, emotionslosen Menschen. Besser sind die Wiedergaben
"wer besonnenen Geistes ist"[2], "cool temper"[3]. Im Deutschen
gibt es aber keinen Ausdruck, der genau das ausdrückt, was mit
קר־רוח gemeint ist. Man versteht darunter jenen, der kühl
überlegt, die Ruhe bewahrt. Auch wenn andere in ihrer Rede er-
hitzen und den Kopf verlieren, so bleibt er beherrscht und wägt
jedes Wort ab, das er spricht[4]. Das Wort steht wahrscheinlich
dem an mehreren Stellen gebrauchten Ausdruck ארך אפים (Spr 14,
29; 15,18; 16,32) nahe, der dem איש חמה (Spr 15,18), dem קצר־
אפים (Spr 14,17) und dem קצר־רוח (14,29) entgegengesetzt ist.

Auch im folgenden Sprichwort wird חשך verwendet, aber in diesem Fall wird es für eine bestimmte Situation gebraucht.

10,19   בְּרֹב דְּבָרִים לֹא יֶחְדַּל־פָּשַׁע   וְחֹשֵׂךְ שְׂפָתָיו מַשְׂכִּיל:

    Bei der Menge von Worten nimmt ein Vergehen kein Ende,
    aber wer seine Lippen zurückhält, handelt klug.

Grammatikalisches und Stilistisches:

V.19a ist ein scheinbarer Verbalsatz. Doch nach der Absicht
der Aussage ist der erste Halbvers besser als zusammengesetzter
Nominalsatz zu verstehen, in dem die präpositionale Bildung
"bei der Menge von Worten" als Subjekt, der Verbalsatz als Prä-

---

1 DELITZSCH, Spruchbuch 289; FRANKENBERG, Sprüche 105; GEMSER,
  Sprüche 74; KBL 849; vgl. ALONSO-SCHOEKEL, Proverbios 85
  "sangre fría".

2 RINGGREN, Sprüche 72.

3 McKANE, Proverbs 238.

4 Ebd. 507.

dikat fungiert[1].

In V.19b ist Subjekt und Prädikat nicht eindeutig zu bestimmen. Es wäre denkbar, dass משכיל Subjekt wäre. Die Satzstellung macht, wie schon mehrmals beobachtet wurde, keine Entscheidung möglich, da in den anderen Beispielen von Nominalsätzen das dem Sinn nach eindeutige Prädikat auch vorangehen
kann[2]. Doch aus dem Zusammenhang ist eher חשׂך Subjekt.

ברב דברים bildet eine Enallage (Substantiv "Menge" steht anstelle des Adjektivs). Man übersetzt am besten "bei vielen
Worten".

In V.19b bildet das Wort "Lippen" eine Metonymie und steht für
"Rede".

Die Wortpaare ברב דברים und חשׂך שׂפתיו (dazu משכיל) werden
durch die Alliterationen שׂ und בר (vgl. auch ח u.כ) miteinander verbunden und werden besonders hervorgehoben.

Auslegung:

Die präpositionale Bildung ברב tritt häufig bei den Propheten
(Jes, Jer, Ez), in den Proverbien und bei Kohelet auf und
steht meistens um eine "Menge", "Zahl" (Spr 11,14: "bei vielen
Ratgebern"; vgl. 24,6; 15,22; Hos 10,13: "viele Kriege";Ps 5,
11: "zahllose Sünden"; Koh 5,2: "bei viel Geschäftigkeit und
Torengerede in vielen Worten") oder um eine "Grösse", "Fülle"
(Jes 61,3: "in der Fülle seiner Kraft"; vgl. Ps 33,16; 66,3;
Ijob 30,18) auszudrücken.

Allgemein wird חדל mit "fehlen", "ausbleiben" wiedergegeben.
Die meisten Kommentare interpretieren dementsprechend folgen-

---

1 Vgl. HERMISSON, Studien 159.
2 Vgl. BROCKELMANN, Syntax § 27 b-f; HERMISSON, Studien 145.

dermassen: wo viel geredet wird, kann פשע nicht ausbleiben[1].
Man vergleicht etwa Pirke ʾAbôth I 17: "und jeder, der viel
Worte macht, bringt Sünde[2] ein" (vgl. Jak 3,5-8).

Mir scheint allerdings, dass חדל in der ursprünglichen Bedeutung "aufhören", "ein Ende nehmen" übersetzt werden muss. Auch
KOEHLER gibt hier diesen Sinn[3]. Das Verb wird in Ex 9,29.33f.
(J) vom "Aufhören" des Unwetters, in Sir 44,17 "von der Sint-
flut, vom Ende des Jubels und Frohsinns" gebraucht. Dtn 15,11
spricht davon, dass immer die Armen im Lande vorhanden sein
werden. Die Stelle zeigt deutlich, dass es immer Arme gegeben
hat und dass es sie auch weiterhin geben wird. "Durch viel
Reden hört die פשע nicht auf" meint hier wohl, dass man mit
vielem Reden ein Vergehen nicht zur Ruhe bringen kann. Es wird
nicht gesagt, wessen Schuld (פשע) durch viele Worte nicht auf-
hört, vielleicht die des Sprechers. Dann wären die "vielen
Worte" Entschuldigungen, Erklärungen für seine פשע. Gerade
durch diese wird seine Schuld immer wieder in Erinnerung ge-
rufen (vgl. "qui s'excuse, s'accuse").

Unter פשע darf man nicht an ein bestimmtes Vergehen denken
(vgl. 12,13[4]). Auch sind die Uebersetzungen "Treuebruch",
"Auflehnung", "Empörung" hier weniger nützlich[5]. פשע muss als
"ein sittenverletzendes, allgemeinverwerfliches Verbrechen"
verstanden werden, das "als bewusste, beabsichtigte, gewollte
Tat begangen wird"[6]. Ungeeignet ist auch die Uebersetzung der

---

1 DELITZSCH, Spruchbuch 170; FRANKENBERG, Sprüche 68f.; OESTER-
  LEY, Proverbs 79; HARTOM, משלי 35; GEMSER, Sprüche 50; BARUCQ,
  Proverbes 104; SCOTT, Proverbs 82; ALONSO-SCHOEKEL, Proverb-
  ios 60; McKANE, Proverbs 416 u.a.

2 Abôth hat anstelle von פשע חטא (vgl. LXX ἁμαρτία).

3 KBL 277.

4 Siehe unten Kapitel VI 302.

5 KBL 785.

6 KNIERIM, Hauptbegriffe 177.

LXX, welche ἀμαρτία wählt. Wenn auch durch die פשע mit
Gott gebrochen wird, liegt doch das Gewicht des Begriffes auf
dem Aufweis des Frevelhaften, der Schwere der Tat als solcher[1].

Im Gegensatz zum vielen Reden steht חשׂך mit der Bedeutung "zurückhalten", "schonen", "sparen". Das Wort wird, wie bereits
dargelegt wurde (Spr 17,27), in den Proverbien meistens in der
Bedeutung "schonen", "sparen" gebraucht.

Nach den meisten Exegeten wird in V.19b eine allgemeine Aussage über den sorgfältigen Gebrauch der Rede gemacht. Jener handelt klug, der sparsam mit seinen Worten umgeht. McKANE glaubt
zwar, der Weise bewahre das Schweigen bis die Zeit zum Reden
reif geworden sei. Dann könne auch er wirksam sprechen und seine Worte hätten das nötige Gewicht[2]. Allerdings scheint mir,
dass hier McKANE zuviel aus dem Text herausliest. Das Abwarten
auf den richtigen Augenblick ist hier nicht ausgedrückt.

חשׂך muss im Zusammenhang mit פשע gesehen werden und bedeutet
"zurückhalten mit seinen Worten", d.h. nicht immer auf die פשע
zu sprechen kommen. Wer mit seinen Reden diesbezüglich spart,
der vertreibt die פשע. Solches Handeln wird in unserem Sprichwort als "klug" bezeichnet.

Auch im nächsten Sprichwort ist wohl an den sparsamen Gebrauch
der Worte gedacht, falls die Textkorrektur von חיטיב zu תַּטִּיף angenommen wird. Da dieses Sprichwort bereits an anderer Stelle
behandelt wird, kann es hier in Kürze erwähnt werden[3].

1 KNIERIM, Hauptbegriffe 178.
2 McKANE, Proverbs 416.
3 Vgl. oben Kapitel I 53-55.

15,2 לְשׁוֹן חֲכָמִים תֵּיטִיב דָּעַת   וּפִי כְסִילִים יַבִּיעַ אִוֶּלֶת:

Der Weisen Zunge lässt träufeln Erkenntnis,
aber der Toren Mund sprudelt Narrheit aus.

Auslegung:

Es ist möglich, dass die Metapher "sprudeln" die Vorstellung
des fast nutzlosen "Verschwendens" hervorruft. Der Mund des
Toren plappert überflüssige Worte daher. Er erzählt unüberlegt alles weiter. Jedes Wort, das er spricht, ist zuviel. Im
Gegensatz zu diesem sinnlosen Verschwenden gebraucht der Weise seine Worte sparsam und sorgfältig (vgl. 17,27). Falls hier
wie in Hld 4,11 und Spr 5,3 an das Bild des triefenden Honigs
gedacht ist, bedeutet der Ausdruck נטף "träufeln" das sachte
Herabfliessen dieses kostbaren Nahrungsmittels. Langsam sammelt sich die süsse Substanz. Nichts kann davon vergeudet werden. Im Gegensatz zum verschwenderischen Hervorsprudeln wird
hier mit dem Honig eher gegeizt. So ähnlich spart der Weise
mit seinen Worten.

Falls die Textkorrektur des schwer verständlichen MT richtig
ist, handelt auch das folgende Sprichwort vom sparsamen Gebrauch bestimmter Worte. Man wird sich allerdings zu fragen
haben, ob nicht auch der MT einen guten Sinn ergibt.

25,27 אָכֹל דְּבַשׁ הַרְבּוֹת לֹא־טוֹב   וְחֵקֶר כְּבֹדָם כָּבוֹד:

Zuviel Honig essen ist nicht gut
und das Suchen seiner Ehre ist eine Last[a].
(nach LXX) "und spare mit ehrenden Worten".

Textanmerkungen:

a   Meistens wird V.27b als unverständlich beurteilt.
    Deshalb wurden die verschiedensten Textkorrekturen
    vorgeschlagen. PERLES nimmt an, dass חקר mit dem
    arab. ḥaqara "verachten" verwandt ist und mit Hil-
    fe der Vulgata ändert er den Text וחקר כָּבוֹד מְכֻבָּד

"und wer Ehre verschmäht (d.h. wer frei von Ehr-
sucht ist), der ist gerade geehrt"[1]. Diesem Vorschlag folgt auch van der PLOEG[2]. Falls חקר wie
im arab. "verachten" heissen könnte, wäre natürlich diese Lesung erwägenswert. DRIVER geht davon aus, dass in V.27b etwas Gegenteiliges zu
V.27a stehen müsse. Auf Grund der Lesung des
Symmachus ἐξερευνᾶν δὲ τιμὴν ἑαυτῷ δόξαν "das
Nachforschen nach Ehre ist Ruhm in sich selbst"
konstruiert er וְחָקֵר כָּבוֹד מָכְבָּד "but the search for
honour is honourable"[3]. KUHN und BH korrigieren zu
וּדְחֹק כָּבוֹד מִכָּבוֹד "und das Drängen von Ehre auf Ehre",
d.h. ebensowenig, dass eine Ehre die andere drängt"[4].
BARUCQ zieht bloss das מ (im Suffix) zum folgenden
Wort כָּבֹד מִכָּבֹד "ni de rechercher gloire sur gloire"[5].
Aehnlich auch BUBER: "noch das Aeusserste an Ehrung
als Ehre"[6]. EHRLICH liest für das undeutbare כבדם
מִכָּבוֹד . כָּבוּד מִכָּבוֹד : כבוד fasst er als Substantiv
für "schwere Last" auf[7]. Die Schwierigkeit liegt
bei dieser Deutung nur darin, dass מכבוד nirgends
sonst belegt ist[8]. MACINTOSH betrachtet das מכבד
als Part. Ho. mit der Bedeutung "is dealt heavily
with, is oppressed" (מָכְבָּד). Die Vulgataübersetzung
"opprimitur a gloria" entspreche genau dieser Form.
So übersetzt er den Vers: "It is not good to eat
too much honey, and he who searches for glory will
be distressed"[9]. Da der Text etwas schwierig zu
deuten ist, regt FRANKENBERG an, auf Grund der LXX
τιμᾶν δὲ χρὴ λόγους ἐνδόξους anstelle von וְחָקֵר
וְחֹקַר (Hi. von יקר "kostbar, selten machen", "sparsam gebrauchen")(vgl. Spr 25,17) und anstelle von
דִּבְרֵי כְּבֻדָּם zu lesen[10]. Dieser Korrektur folgen verschiedene Exegeten[11].

---

1 PERLES, Analekten 20.

2 Van der PLOEG, Spreuken 85.

3 DRIVER, Problems in the Hebrew Text 190f.

4 KUHN, Beiträge 65.

5 BARUCQ, Proverbes 196.

6 BUBER, Gleichsprüche 260.

7 EHRLICH, Randglossen 150.

8 MACINTOSH, A Note 114 Anm. 2.

9 Ebd. 112-114.

10 FRANKENBERG, Sprüche 143.

11 TOY, Proverbs 470; RINGGREN, Sprüche 101; GEMSER, Sprüche
92; McKANE, Proverbs 587f.; vgl. auch KBL 398.

Grammatikalisches und Stilistisches:

In V.27a liegt ein einfacher Nominalsatz vor. Das Subjekt wird
hier mit einem Infinitiv absolutus gebildet. Der Gebrauch dieser Konstruktion ist selten (vgl. Spr 28,21; Jes 58,6-7; 1 Sam
15,23; Jer 10,5)[1]. Der Infinitiv abs. kann wie der Infinitiv
cs. einen Akkusativ (דבש) bei sich haben[2]. Das Prädikat bildet
hier einen Wertbegriff. Dadurch sind Subjekt und Prädikat eindeutig zu bestimmen.

Analog zu V.27a ist auch V.27b zu verstehen:כבדם חקר ist Subjekt und כבוד Prädikat. Das Suffix (Plur.) ךַ ist als unpersönliches Pronomen aufzufassen[3].

לא־טוב ist eine Litotes. Mit diesem Stilmittel kann man die un-
angenehmen Folgen des übermässigen Genusses von Honig geschickt
umschreiben.

Die häufige Alliteration auf ב und דב zeigt die enge Beziehung
zwischen den beiden Gliedern auf: דבש הרבות טוב כבדם כבוד.
כבדם כבוד bildet eine Paronomasie (gleiche Wurzel in verschiedener Funktion). Gleichzeitig bilden die beiden Ausdrücke ein
Wortspiel (vgl. dazu die Auslegung). Auffällig sind auch die
vielen o-Vokale.

Auslegung:

Der Honig ist ein beliebtes Nahrungsmittel. Er wird gerühmt
wegen seines Geschmackes, als besonders gutes Nahrungs- und
hochgeschätztes Genussmittel (Ri 14,8f.18; 1 Sam 14,25ff.; Ps
19,11; 81,17; 119,103; Spr 16,24 u.a.)[4]. Aehnlich wird in un-

---

1 GESENIUS-KAUTZSCH, Grammatik § 113 a u. b; JOÜON, Grammaire
  §§ 154 b. 123 b.

2 JOÜON, Grammaire § 124f. (vgl. Dtn 10,15); § 123 t.

3 GESENIUS-KAUTZSCH, Grammatik § 144 f.

4 Zum Wort דבש vgl. SILBERMAN, BHH II 747.

serem Sprichwort vor zu einer grossen Menge gewarnt. Zuviel
Honig liegt dem Magen schwer auf und es gibt Magenverstimmung.
Mit dem Ausdruck לאֹ־טֹוֹב wird untertreibend weniger gesagt als
wirklich gemeint ist. Durch diese ironische Darstellung werden die Folgen des übermässigen Genusses nur umso deutlicher
erkenntlich. Wie bereits die Textanmerkungen gezeigt haben,
liegt das Problem des Verses im 2. Glied. Einzelne Aenderungen beachten das Bild von unbeherrschten Honigessen zuwenig
(BARUCQ, BUBER, EHRLICH und PERLES). MACINTOSHs Vorschlag ist
bemerkenswert. Dem Bild "viel Honig essen" entspricht "das
Nachforschen nach Ehre" und der Litotes "nicht gut" das Verb
מָכְבָּד. Allerdings ist das Hof'al von כבד sonst nicht belegt.
Immerhin würde das Verb gut zum Bild vom schweren Aufliegen
im Magen passen.

Nun aber kann man den Vers auch noch einfacher verstehen, ohne
dass eine Textkorrektur erforderlich ist. Das Suffix Plur.
kann als unpersönliches Pronomen aufgefasst werden "die Er-
forschung nach seiner Ehre", d.h. das eifrige Suchen irgend
eines Menschen nach Ehre. Das zweite Substantiv כבוד[1] hat hier
die erste Bedeutung "Last", "Gewicht". Dadurch kommt ein schönes Wortspiel zwischen כבודם "Ehre" und כבוד "Last" zustande.
Solche Wortspiele sind in verschiedenen Sprichwörtern der einzelnen Sprachen beliebt. Ganz deutlich kommt dieser Wechsel
auch in Jes 22,23f. zum Ausdruck: והיה לכסא כבוד לבית אביו
ותלו עליו כל כבוד בית־אביו
"zum Ehrenthron wird er für das Haus seines Vaters, hängt man
aber an ihn das ganze Gewicht seines Vaterhauses...

---

1 BRYCE, Another Wisdom-Book 150, fasst כבוד als Adjektiv auf
und weist daraufhin, dass wenigstens an drei Stellen der adjektivische Gebrauch möglich sei (Jes 11,10; 22,23 und Ps
66,2). Doch in Jes 22,23 kann כבוד ein qualitativer Genitiv sein und in Ps 66,2 ist wahrscheinlich כבוד als eine
Antiptosis zu verstehen.

Durch diese Uebersetzung gibt unser Sprichwort einen guten
Sinn. Genau wie der übermässige Genuss von Honig im Magen
schwer aufliegt, so ist das leidenschaftliche Suchen nach Ehre
für den Menschen schädlich. Es bringt ihm nur Nachteile.

Zum Schluss sei noch auf die Lesung der LXX hingewiesen, obwohl man zwei bedeutende Aenderungen vornehmen muss. Aehnlich
wie zuviel Honigessen Unwohlsein bewirkt, so geht es mit dem
Komplimentemachen. Es ist ein bezeichnendes Merkmal geschwät-
ziger Menschen, dass sie mit lobenden Worten umgehen, um sich
bei den andern beliebt zu machen. Aber solche Worte sind nicht
ehrlich gemeint. Dieses Sprichwort (nach der LXX) will keineswegs verwehren, eine gute Leistung mit entsprechendem Lob an-
zuerkennen. Wie der Honiggenuss mit Mass sehr heilsam ist, so
verleihen sparsam gebrauchte Lobesworte neuen Ansporn und sind
eine gebührende Anerkennung für verdiente Leistung.

Aber wie schon gesagt, muss die Korrektur nach der LXX eher abgelehnt werden, da der MT einen guten Sinn ergibt.

2. Die sorgfältige Rede

a) Mit Ueberlegung reden

Schwätzer sind dadurch bekannt, dass sie gedankenlos und über-
eilig drauflos reden. Dagegen der Weise nimmt sich Zeit und
überlegt sich die Sache gründlich, bevor er spricht und Antwort gibt.

15,28   ‏לֵב צַדִּיק יֶהְגֶּה לַעֲנוֹת   וּפִי רְשָׁעִים יַבִּיעַ רָעוֹת:‏
     Das Herz des Gerechten sinnt, was zu antworten ist[a],
     aber der Mund der Frevler sprudelt das Böse aus.

Textanmerkungen:

a   LXX[B] übersetzt für לענות פיστεις , LXX[אA] mit πίστις;
5 MSS der LXX mit πίστιν. Die Peschitta hat bhjmnut'
und der Targum בְּהֵימָנוּתָא . Es scheint, dass diese
Versionen אמונה oder אמונות gelesen haben[1]. JOÜON
bemerkt, dass אמונה auch den Sinn von "Gutes" habe[2].
KUHN ändert zu לְנָעֲמוֹת "Freundliches"[3].

Obwohl diese Korrekturen einen guten Sinn ergeben,
ist es nicht nötig den MT zu ändern[4].
Die LXX hat noch einen Zusatz: "Die Wege der gerechten Menschen sind angenehm vor Gott, durch sie
werden auch die Feinde zu Freunden". Diese Stelle
erinnert an Spr 16,7: "Wenn Jahwe Wohlgefallen hat
an eines Mannes Wegen, so stimmt er auch seine
Feinde zum Frieden mit ihm".

Grammatikalisches und Stilistisches:

V.15,28a/b sind als zusammengesetzte Nominalsätze zu betrachten, bei denen die Subjekte "Herz des Gerechten" und "Mund des
Frevlers" am Anfang stehen.

יביע ist ein metaphorischer Ausdruck.

לענות und רעות bilden ein Homoioteleuton. Häufiger Wechsel von
a- und i-Vokalen.

Auslegung:

לב bezeichnet hier das Organ des besonnenen Nachdenkens[5]. Oft
steht לב mit אמר (1 Sam 27,1; vgl. 1 Kön 12,26f) und דבר (Gen
24,45) verbunden. Unter diesem Vordersatz werden allerlei
Ueberlegungen durchgeführt, Pläne gefasst und Erwägungen ange-

---

1 Vgl. TOY, Proverbs 319.

2 JOÜON, Notes 185.

3 KUHN, Beiträge 38.

4 Vgl. McKANE, Proverbs 483f.

5 SCHMIDT, Anthropologische Begriffe 385; STOLZ, THAT I 863;
WOLFF, Anthropologie 82f.

stellt[1].

Man darf sich nun nicht vorstellen, dass der Ausdruck לב הגה
einfach "ein kühles Ueberlegen und Nachdenken" meint. הגה bedeutet "summen", "knurren", "murren", so z.B. vom Löwen (Jes
31,4), dann auch "sinnen", "nachdenken", d.h. für sich murmeln,
leise reden, womit das Denken begleitet ist[2]. In den Psalmen
wird es sowohl für den Gerechten wie auch für den Feind gebraucht. Beide führen eine Art Selbstgespräch. So sinnt der
Beter über Gott (Ps 63,7), über seine Werke (Ps 77,13; 143,5)
und Thora (Ps 1,2) nach. Die Feinde ersinnen Uebles (Ps 38,13).
In Spr 24,2 sind es die bösen Männer, die die ganze Zeit Trug
ausdenken.

PAX weist darauf hin, dass das Selbstgespräch im Orient als
echtes Gespräch, "als ein mit-sich-selbst sprechen empfunden
wird, wobei man leise oder laut, in Gedanken oder Worten sich
über irgendwelche Dinge klar werden will". Man redet dabei zu
seinem Herzen[3]. Auch für Aegypten gibt GRAPOW reiches Material,
woraus hervorgeht, dass auch der Aegypter bei seinem Ueberlegen mit sich selbst wie zu einem andern spricht[4]. Ein anschauliches Beispiel bietet die "Geschichte des Schiffbrüchigen"
(12. Dyn.), in der dieser "allein ist nur mit seinem Herzen",
das zu jeder Zeit ihm sagt, was er tun muss. Aehnliche Selbst-
gespräche finden wir in Dtn 32,26-35, beim Prediger (1,16-18;
2,15; 3,17f) und Jesus Sirach[5]. Ebenso weist PAX in der griech.
Literatur auf viele Beispiele hin[6].

Bevor der Gerechte zu antworten beginnt, murmelt er vor sich

1 WOLFF, Anthropologie 82f.
2 Vgl. KOEHLER, Miscellen 240; KBL 224 "murmelnd bedenken".
3 PAX, Volkskunde 294f.; ders., Dialog 254-256.
4 GRAPOW, Wie die alten Aegypter sich anredeten IV 73f.
5 Vgl. dazu Beispiele bei PAX, Dialog 254-256.
6 Ebd. 259f.

hin und denkt nach. Er überprüft seine Worte. Ganz richtig bemerkt OESTERLEY: "the righteous ... man weighs his words before
giving an answer"[1]. In ähnlicher Weise spricht Jesus Sirach:
"Sei zum Hören schnell bereit, doch mit Bedachtsamkeit gib Antwort; gib Antwort deinem Nächsten, wenn du kannst, wenn aber
nicht, leg auf den Mund die Hand" (5,11f).

Man darf aber in diesem Glied das Hauptgewicht nicht auf das
Wort הגה setzen, sondern der Akzent liegt eher auf לענות. Dies
hebt die Antithese in V.28b klar hervor[2].

ענה bedeutet dann nicht einfach "reden", sondern ist als "eingehen auf etwas" zu verstehen, als ein Ausdruck für ein gutes
Verhältnis, wie dies in Hos 2,17 deutlich wird. Die Stelle
wird zwar oft verschieden interpretiert. BH schlägt vor, וְעָלְתָה
anstelle von וְעָנְתָה zu lesen. Doch ist diese Korrektur, wie
AUDET überzeugend feststellt, nicht nötig. "Sie (die Braut)
wird antworten wie in ihrer Jugend Tagen" ist eine Anspielung
auf den damals gebräuchlichen Wechselgesang zwischen Braut und
Bräutigam ("chants nuptiaux alternés")[3]. ענה ist also mehr als
eine Antwort im Sinne eines Wortwechsels; es sagt umfassend:
die Braut geht auf die Worte des Bräutigams ein und antwortet
ihm wie damals zur Zeit der ersten Liebe.

So nimmt sich der Gerechte Mühe und überlegt sich, welche Worte er gebrauchen will, damit das Vertrauensverhältnis zum andern gefördert wird[4].

Im Gegensatz dazu sprudelt der רשע Böses aus. Ihn beherrscht

---

1 OESTERLEY, Proverbs 125.

2 Vgl. TOY, Proverbs 316.

3 AUDET, Le sens 211f: "La 'réponse' de l'épouse serait la
   réponse consacrée par l'usage de ces chants nuptiaux alternés, avec la signification précise qu'elle devait y
   revêtir".

4 Aehnlich interpretiert McKANE, Proverbs 483f.

eine "triebhafte Gier" (Spr 10,3; 28,15; vgl. 11,6) und ein
heilloser Drang zum Verkehrten und Bösen (Spr 12,5; 21,10)[1].
Das Verb נבע kann im guten Sinn gebraucht werden (vgl. Spr 18,
4[2]; 1,23), hat aber meistens eine negative Bedeutung (Spr 15,
2; Ps 59,8) und wird von den Feinden ausgesagt, die "aus der
Fülle innerer Erregung sprechen"[3]. In diesem metaphorischen
Ausdruck spielt wahrscheinlich das Bild des unaufhörlichen
Hervorbrechens des Quellwassers eine Rolle. Wie man das Wasser der Quelle nicht zum Stoppen bringen kann, so kommt das
Böse einfach aus dem Munde des Frevlers hervor. Ganz treffend
übersetzt deshalb BARUCQ mit "vomit"[4]. Während die LXX diesen
kräftigen Ausdruck mit dem gewöhnlichen Wort ἀποκρίνεται wiedergibt, ist in den Uebersetzungen von Aquila, Symmachus und
Theodotion, die ἀναβλύζει wählen, der ursprüngliche Sinn
von נבע noch enthalten.

Der überlegten Rede steht das hastige und übereilige Sprechen
gegenüber. Davor warnt das folgende Sprichwort.

29,20   חָזִיתָ אִישׁ אָץ בִּדְבָרָיו   תִּקְוָה לִכְסִיל מִמֶּנּוּ:

> Schaust du einen Mann, der mit seinen Worten hastet,
> mehr Hoffnung für den Toren als für ihn.

Grammatikalisches und Stilistisches:

Man kann V.20a/b als einen Bedingungssatz verstehen, in dem
die einander bedingenden Sätze asyndetisch nebeneinander geordnet sind[5]: "Wenn du einen Mann siehst ... (so wisse) der

---

1 KEEL, Feinde 110-113.

2 Siehe unten Kapitel VI 279.

3 KEEL, Feinde 171.

4 BARUCQ, Proverbes 136.

5 BROCKELMANN, Syntax § 164 a.

188

Tor hat mehr Hoffnung als er". Doch wahrscheinlicher ist das
erste Glied als eine Frage ohne Interjektion (הֲ) aufzufassen[1].
In V.20a sind eigentlich zwei asyndetische Sätze nebeneinandergestellt (Fragesatz und Partizipialsatz), die aber voneinander abhängig sind. Eine solche Konstruktion nennt RICHTER
"Interdependenz"[2], HERMISSON "konjunktionslose Parataxe"[3].
Am besten übersetzt man diese "Interdependenz" mit einem Relativsatz: "Siehst du einen, der hastet mit seinen Worten"[4].
Die gleiche Form findet sich auch in Spr 22,29[5] und 26,12
(doch hier anstelle von רָאִיתָ:חָזִית).

V.20b bildet einen Komparativsatz. Zwei Menschen werden miteinander verglichen und daraus wird ein Urteil gefällt. Gewöhnlich werden diese Sätze in den Proverbien auf einen Spruch
verteilt (vgl. 12,9; 15,16f; 21,9.19; 28,6; Sir 41,15)[6]. Die
gleiche Form ist auch noch in Spr 26,12b anzutreffen.

Alliteration auf a-Laut und ז (bzw.צ): חָזִית   אִישׁ
Dazu häufige a- und i-Vokale, die sich meistens abwechseln.

Auslegung:

Das Wort אוּץ wird 4x in den Proverbien gebraucht (19,2; 21,5;
28,20; 29,20). Daneben erscheint es noch 2x in Josua (10,13;
17,15) und je 1x in Ex 5,13; Jer 17,16; Gen 19,15 und Jes
22,4 (beidemal im Hi.). Es bedeutet im Qal "drängen", "eilig
haben". In den Proverbien wird es für Hast gebraucht. Alles
unbesonnene, übereilte Draufloshandeln ist verdächtig. So

1 BROCKELMANN, Syntax § 54 a; vgl. FRANKENBERG, Sprüche 158.

2 RICHTER, Recht 31.

3 HERMISSON, Studien 158.

4 Vgl. zu den asyndetischen Relativsätzen BROCKELMANN, Syntax
   §§ 146-149, bes. 149.

5 GRESSMANN, Neugefundene Lehre 276 und HUMBERT, Recherches
   21, wollen חָזִית streichen, da es in Amenemope fehlt.

6 Vgl. SCHMIDT, Studien 47.52; HERMISSON, Studien 155f.

wird vor dem schnell Erworbenen gewarnt. Ein in Hast erworbe-
ner Reichtum bringt keinen Segen (Spr 28,20; vgl. 13,11; 28,
22). In Spr 21,5 steht der Fleissige, der durch Planen Gewinn
erreicht, dem übereilt Handelnden entgegen. Spr 19,2 stellt
den Eifrigen[1], der ohne Einsicht (דעה) handelt, mit dem
Hastenden auf gleiche Ebene. Darin liegt die Schwäche des
Uebereiligen, dass er kopflos (ohne דעה) und planlos etwas un-
ternimmt. Auch in Jesus Sirach wird vor dem hastigen Treiben
gewarnt (11,10). An diesen Stellen ist ein Zug zum Bedächti-
gen und Vorsichtigen erkennbar. Von RAD schreibt: "Alles
Schnelle ... ist von vornherein verdächtig. Man ist fürs Haus-
halten mit den Kräften. Ein unnützes Engagement soll man mei-
den, unnötigen Konflikten aus dem Wege zu gehen, ist nicht ehr-
los, und man soll nicht mehr erstreben, als die Verhältnisse
hergeben"[2].

So wird hier vor dem schnellen Drauflosreden gewarnt. Jeder,
der sich keine Zeit nimmt, seine Worte zu überlegen, bevor er
sie ausspricht, steht schlimmer da als ein Tor.

תקוה bedeutet hier wie in den übrigen Proverbienstellen (10,28;
11,7.23; 19,18; 23,18; 24,14; 26,12) "menschliche Lebenshoff-
nung"[3]. Wer hastig redet, dem wird diese Zukunft und Hoffnung
für sein irdisches Leben abgesprochen. Wie ZIMMERLI richtig
schreibt, will mit dem Ausdruck "mehr Hoffnung für den Toren"
keine Aufwertung der Hoffnungsmöglichkeit des Toren vollzogen
werden, dem nun doch noch Zukunft verheissen würde. "Vielmehr
bleibt auch dieses durchaus im Rahmen der Gesamtsicht, dass
ein Tor keine Hoffnung hat. Das ist die Ordnung, die in der

---

1 נפש bedeutet hier Vitalität und Eifer (vgl. McKANE, Proverbs
  527; GEMSER, Sprüche 77). TUR-SINAI, Sēper 'job 167 Anm 1.,
  liest נפש als Ni. von פוש "einer der herumläuft ohne Nachdenken" (vgl. auch TUR-SINAI, Mischle 227).

2 Von RAD, Weisheit 116f.

3 ZIMMERLI, Hoffnung 20-22.

Welt herrscht"[1].

Auch Spr 12,18 handelt vom unbesonnenen Reden: "Es gibt einen
unbesonnenen Schwätzer - (das ist) wie Schwertstiche, aber die
Zunge der Weisen (ist) Heilkraft". Da jedoch der Akzent auf
der Wirkung solcher Worte liegt, wird dieses Sprichwort an anderer Stelle behandelt[2].

b) Das Suchen nach Erkenntnis und ihre Aufspeicherung

Eng mit dem überlegten Reden ist auch das Suchen und Aufspeichern von Erkenntnis verbunden. Der Weise schwätzt nicht einfach drauflos, sondern ist besorgt, Erfahrungen und Erkenntnis
zu erwerben, um davon im entscheidenden Augenblick wieder weiterzugeben.

15,14   לֵב נָבוֹן יְבַקֶּשׁ־דָּעַת   וּפְנֵי (וּפִי ק') כְּסִילִים יִרְעֶה אִוֶּלֶת׃

Des Verständigen Herz sucht Erkenntnis,
aber der Mund[a] der Toren weidet[b] Narrheit.

Textanmerkungen:

a   Das Ketib liest וּפְנֵי. Wahrscheinlich ist das Qere
     וּפִי vorzuziehen, da auch die andern Versionen (LXX
     στόμα ; Peschitta wpwmʾ; Targum וּפוּמְהוֹן und Vulg.
     os) mit "Mund" übersetzen[3].

     DAHOOD bemerkt aber, dass im Ugaritischen pn "wün-
     schen", "verlangen" bedeute. Dadurch werde die Aen-
     derung zu פִי grundlos. V.14b werde demzufolge über-
     setzt: "but the appetite of fools feeds on folly"[4].

---

1 ZIMMERLI, Hoffnung 22.

2 Siehe unten Kapitel VI 292-295.

3 Vgl. auch DELITZSCH, Spruchbuch 251.

4 DAHOOD, Proverbs 34.

b   Die LXX übersetzt mit γνώσεται κακά (dagegen Symmachus ποιμαίνει ἀνομίαν). THOMAS tritt für die
Leseart יִדְעֶה ein (vgl. mit arab. daʿā "sought",
"demanded") (vgl. LXX): "and the mouth of fools
seeks (desires) folly"[1]. FRANKENBERG meint, dass
רעה das aramäische Wort für das hebr. רצה sei[2].
Nach meiner Auffassung gibt רעה einen durchaus
verständlichen Sinn (vgl. Auslegung).

Grammatikalisches und Stilistisches:

V.14a/b sind zusammengesetzte Nominalsätze.

Das alliterierende ב unterstreicht in V.14a das eifrige Suchen des נבון nach Erkenntnis: לב נבון יבקש.בקש und רעה sind
Metaphern.

Auslegung:

Die beiden entscheidenden Wörter in V.14 sind בקש und רעה.

Viele Kommentare deuten dieses Sprichwort folgendermassen:
Der Einsichtige sucht nach Erkenntnis (ähnlich wie Spr 10,14),
die Toren aber weiden sich an der Dummheit[3]. Sie haben einen
Hunger nach Dummheit. Sie beschäftigen sich andauernd damit.
McKANE glaubt, dass die Metapher "sich sättigen an Dummheit"
einen fremden Gedanken zu V.7 einführe. So leitet er das Verb
von רעה II "sich einlassen mit" ab (Spr 13,20; 28,7; 29,3)[4].

Es stellt sich aber die Frage, ob hier nicht die beiden Ausdrücke בקש und רעה aus der Hirtensprache stammen und von dort
gedeutet werden müssen. So hat רעה vor allem neben "abweiden"
(Gen 41,2.18; Jes 5,17) die wichtige Bedeutung "Tiere auf die

---

1 THOMAS, Textual and Philological Notes 285.

2 FRANKENBERG, Sprüche 92; vgl. HARTOM, משלי 50.

3 TOY, Proverbs 308f; OESTERLEY, Proverbs 121; BUBER, Gleichsprüche 239; HARTOM, משלי 50; BARUCQ, Proverbes 134; SCOTT,
  Proverbs 101; ALONSO-SCHOEKEL, Proverbios 77.

4 McKANE, Proverbs 479.

Weide treiben, weiden lassen"[1] (Gen 37,13.16; Jes 14,30; 49,9).
Die Sorge für die Herde gehört zur wichtigen Eigenschaft des
Hirten. Er ist mit ganzem Einsatz für seine Herde da (Joh 10,
11). Er sammelt die zerstreuten Schafe und führt sie zu guten
Weiden (vgl. Ez 34,11ff; Mich 4,6f; Jer 23,3f)[2]. Jeremias und
Ezechiel wenden sich gegen die Hirten des Volkes, die ihre
Aufgabe vernachlässigt haben, auf die ihnen anvertraute Herde
achtzugeben, so dass die Schafe sich "zerstreuten" und "ver-
lorengingen" (Jer 23,1-4). In Ez 34,4 wird aufgezählt, was zu
den Aufgaben des Hirten gehört, "das Erkrankte stärken", "das
Gebrochene verbinden", "das Versprengte zurückholen" und "das
Verlorene suchen" (vgl. Ez 34,11-15; Mich 4,6f). Eine der
wichtigen Aufgaben ist das "Suchen der Verlorenen und Zerstreuten" (Jer 23,3; Mich 4,6; Ez 34,4.6.11-13.16; Lk 15,4;
Joh 10,11.14). Die Pflicht, dem Verlorenen nachzugehen wird in
Ez 34 dreimal mit dem Verb בקש bezeichnet: "und das Versprengte (habt ihr) nicht zurückgeholt noch das Verlorene gesucht"
(34,4); "über das ganze Land hin zerstreuten sich (die Tiere)
meine(r) Herde, und da war keiner, der (nach ihnen) fragte
noch (nach ihnen) suchte" (34,6); "das Verlorene werde ich
suchen" (34,16).

So kann auch in unserem Sprichwort בקש ein metaphorischer Ausdruck sein und die Sorge des נבון um die דעת bzeichnen. Dies
entspricht durchaus diesem Menschen, der sich vom Weisen nicht
viel unterscheidet. Er wird in den Sprüchen immer als derjenige geschildert, der auf Weisheit und Erkenntnis ausgeht (vgl.
14,6.33; 18,15; 19,25). Deshalb wird auf seinen Lippen Weisheit
gefunden (10,13[3]). Wie der gute Hirte sich um seine Tiere kümmert, sie sucht und zurückholt, so ist das Herz des נבון be-

---

1 Siehe unten Kapitel VI 285.
2 Vgl. zum Hirtenmotiv unten Kapitel VI 285-287.
3 Zum Begriff נבון siehe oben Kapitel II 124f.

sorgt, דֵעַת zu finden. Unablässig geht er der Erkenntnis nach und sucht sie zu erwerben.

Dagegen weidet der Mund des Toren אִוֶּלֶת. Er führt die Torheit auf die Weide. Wie die Herde der Stolz des Hirten ist, so die אִוֶּלֶת derjenige des כְּסִיל.

Dass der כְּסִיל in seinem Reden sich mit אִוֶּלֶת befasst, wird in den Proverbien mehrfach auf verschiedene Weise geäussert. So schreit das Herz des Toren Dummheit aus (12,23; 15,2; vgl. auch 13,16; 26,4.5).

10,14 וּפִי אֱוִיל מְחִתָּה קְרֹבָה: חֲכָמִים יִצְפְּנוּ־דָעַת

    Die Weisen sparen Erkenntnis auf,
    aber des Narren Mund ist ein nahes Verderben (ein
    naher Bankrott).

Grammatikalisches und Stilistisches:

V.14b bildet einen einfachen, V.14a einen zusammengesetzten Nominalsatz.

Alliterationen auf מ und ח (bzw. כ, ק): חכמים מחתה קרבה. Zwischen V.14 und V.15 Stichwortverbindung: מחתה

Auslegung:

Nach FRANKENBERG soll in V.14a gesagt werden, dass kluge Menschen das, was sie vernommen haben, nicht ausschwatzen, sondern für sich behalten sollen[1]. Aehnlich interpretiert auch TOY die Stelle. Die Weisen, die um die Macht der Worte wissen, sind vorsichtig im Reden und halten meistens zurück, was sie wissen[2]. Diese Deutung ist möglich.

---

1 FRANKENBERG, Sprüche 68.
2 TOY, Proverbs 208; vgl. HARTOM, משלי 34; ALONSO-SCHOEKEL,
  Proverbios 60.

צפן heisst zunächst "verbergen" (Ez 2,2; Jos 2,4; Ijob 10,13).
So ähnlich kann man auch das Verb auf V.14 anwenden. Die Weisen verbergen, was sie vernommen haben und werden deshalb den
Toren entgegengestellt, die gleich alles ausposaunen. Doch
wird צפן eher den üblichen Sinn von "aufbewahren" haben. So
heisst es in Spr 13,22, dass das Vermögen des Frevlers für
den Gerechten "aufbewahrt werde". In Hld 7,14 ist die Rede von
"aufgesparten Früchten". Wie allerlei Früchte[1] für den Liebha-
ber aufbewahrt werden (Hld 7,14), so speichert der Weise alle
seine Erfahrung, Erkenntnis und Weisheit auf[2] (vgl. Spr 2,5;
2,1). Vor allem profitiert er von den Erkenntnissen und Erfahrungen der andern. Er hört auf die Worte seiner Lehrer und
nimmt sie auf (vgl. Spr 2,1; 7,1). Er lebt im beständigen Kontakt mit seinesgleichen, von denen er Rat (עצה), Gebot (מצוה)
und Zucht (מוסר) annimmt (Spr 10,8a; 12,1a.15b; 13,1a.20a;
15,5b u.a.). Das "aufbewahrte Wissen" (vgl. 14,33a) führt zu
praktischen Konsequenzen für sein Handeln. Wenn er zu reden
hat, so ist auch sein Mund voll Weisheit (Spr 18,4).

Dagegen der אויל nimmt die דעת nicht auf. Er verachtet Weisheit (Spr 1,7) und verschmäht seines Vaters Zucht (Spr 15,5).
Sein Weg scheint ihm in seinen Augen recht und so hört er nicht
auf Rat (Spr 12,15). Deshalb wird ihm sein Reden zum Verhängnis.

מחתה ist ein beliebtes Wort in den Proverbien (10,14.15; 13,3;
14,28; 18,7; 21,15). Es bezeichnet meistens ein allgemeines
Verderben oder seine Wirkung auf den Menschen "Schrecken". An
drei Stellen steht es im Zusammenhang mit dem Reden. Der Mund
des Toren ist ihm Verderben (Spr 18,7). Hier steht מחתה paral-

---

1 "Früchte" ist hier Bild für die weiblichen Reize.

2 Treffend übersetzen daher BUBER, Gleichsprüche 229: "sparen Erkenntnis auf"; GEMSER, Sprüche 50: "sammeln"; BARUCQ,
  Proverbes 104: "thésaurisent"; McKANE, Proverbs 225: "store
  up".

lel zu מוקש . In Spr 13,3 wird dem Schwätzer "Verderben" verheissen. Das Wort steht da im Gegensatz zu נפש "Leben". Wer
gedankenlos daherschwätzt, schadet sich selber. Er wird in
seiner Umgebung nicht mehr ernst genommen und schliesst sich
dadurch von den andern ab.

TOY sieht im Drauflosreden des אויל ausschliesslich eine Ge-
fährdung der andern[1]. DELITZSCH und McKANE glauben dagegen,
dass im Wort sowohl das eigene Verderben wie auch das der andern eingeschlossen sei[2]. Im Gegensatz zu Spr 13,3 und 18,7,
wo speziell auf das eigene Verderben hingewiesen wird (מחתה־
לו), sind in V.14 tatsächlich beide Deutungen möglich. Doch
scheint es naheliegender, dass hier das eigene Verderben gemeint ist. Häufig werden in den Proverbien gerade beim negativen Reden die Wirkungen auf den Redenden selber hervorgehoben (Spr 10,21.31; 12,19; 13,3.17; 15,4[3]; 17,20; 18,6.7.12;
19,5.9.16; 21,6.28; 22,12; 25,9f.; 28,23; 29,20 u.a.). Dies
ist psychologisch geschickter; denn ein Schüler fühlt sich
eher angesprochen, wenn er sehen muss, wie vernichtend solches Handeln auf ihn selber wirken kann.

Man kann sich auch fragen, ob מחתה in Verbindung mit "aufbewahren", "aufsparen", "sammeln" nicht eine ähnliche Bedeutung
haben könnte wie unser Wort "Bankrott". Dasselbe Wort kommt
auch im folgenden Vers (15) vor und steht in Beziehung mit
Armut. Dann wäre hier das Bild von einem Menschen herangezogen, der nichts aufbewahrt und sammelt und dadurch in eine
wirtschaftliche Krise gerät. Das Sklavengesetz in Ex 21,2-6
denkt an einen Sklaven, der wegen wirtschaftlicher Notlage
sich "erwerben" lassen musste[4].

---

1 TOY, Proverbs 208.
2 DELITZSCH, Spruchbuch 168; McKANE, Proverbs 416.
3 Vgl. McKANE, Proverbs 483; dagegen TOY, Proverbs 304.
4 NOTH, Exodus 143; WOLFF, Anthropologie 289f.

Wie der Fleissige für sich Schätze sammelt (Spr 10,15), bewahren die Weisen Erkenntnis auf. Doch die Toren haben keine Reserven und machen so mit ihrem eigenen Mund "Bankrott".

c) Zuhören kommt vor dem Reden

Zum überlegten Reden gehört auch die Fähigkeit, auf andere zu hören, ihre Argumente aufzunehmen und sie in der Antwort zu verwerten.

18,13   מֵשִׁיב דָּבָר בְּטֶרֶם יִשְׁמָע   אִוֶּלֶת הִיא־לוֹ וּכְלִמָּה:

> Einer der Antwort gibt, ehe er hört,
> Narrheit ist ihm und Schande.

Grammatikalisches und Stilistisches:

Der Nominalsatz ist auf den ganzen Vers verteilt. Die Tätigkeit מֵשִׁיב wird in V.13b wieder aufgenommen und durch das fem. Pronomen הִיא ersetzt. Aehnlich wie das Suffix der 3. Pers. Sing.fem.sich bisweilen auf einen im Vorhergehenden enthaltenen Tätigkeitsbegriff zurückbezieht (vgl. Gen 15,6; Num 23,19; 1 Sam 11,2 u.a.), so kann sich auch das Pronomen separata הִיא auf einen vorausgehenden Tätigkeitsbegriff beziehen (Jos 10,13; Num 14,41; Ri 14,4)[1].

Im einfachen Nominalsatz wird das zum Subjekt zurückweisende Suffix לוֹ hinter das Prädikat gesetzt (vgl. מַחְתָּה ־ לוֹ [13,3]). An unserer Stelle steht es zwischen beiden Prädikaten.

Das Subjekt מֵשִׁיב wird mit einem Nebensatz mit der Konjunktion בְּטֶרֶם, die fast immer mit dem Perfekt steht (Ausnahme: Spr 8,25; Ps 90,2), erweitert[2].

---

1 GESENIUS-KAUTZSCH, Grammatik § 135 p.
2 Ebd. § 107 c; JOÜON, Grammaire §§ 113 j; 160 n.

Etwas merkwürdig erscheint die Wortstellung in V.13b. Die beiden eng zusammengehörenden Wörter "Narrheit und Schande" werden durch die Zwischenschaltung von הׁיא־לו voneinander getrennt. Diese stilistische Figur wird Sperrung oder Hyperba-
ton genannt. Durch diese Trennung werden die beiden Begriffe
besonders hervorgehoben[1].

Durch die Alliterationen auf מ, ש, ב, ר, wird das erste Glied
zu einer Einheit verknüpft: משיב דבר בטרם ישמע
Das gleiche bewirkt das alliterierende ל im zweiten Glied:
אולת היא־לו וכלמה.

Auslegung:

KLOPFENSTEIN möchte diese Sentenz im Gerichtsverfahren situie-
ren. כלמה habe hier den prozessterminologischen Sinn "Widerlegter". כלם im Hi. bedeute in Spr 25,8 (vgl. 1 Sam 20,23)
"jemanden einer falschen Anklage vor Gericht bezichtigen, Ge-
genanzeige erstatten, Widerklage führen, eine Rechtssache an-
fechten, bestreiten, widerlegen". Erst sekundär lasse sich der
Sinn "beschämen" entwickeln[2]. Dementsprechend fasst er den
Ausdruck משיב דבר als prozesstechnischen Terminus für die Antwort auf die Verhörfragen des Richters oder die Anklage der
Gegenpartei (vgl. Ijob 13,22; 31,14; 40,4) auf und übersetzt
die Stelle mit: "Setzt einer zur Gegenrede an, noch bevor er
gehört hat, so steht er als Tor und Widerlegter da"[3]. Allerdings ist die Feststellung, dass unser Sprichwort in der Nähe
von solchen steht, die vom Rechtsleben handeln (V.5.16-19; ev.
auch V.6-8), noch kein sicherer Beweis, dass die beiden Ausdrücke hier prozesstechnische Termini sind, da die einzelnen
Sprüche oft in einer sehr lockeren Ordnung aneinandergefügt
sind.

---

1 BUEHLMANN-SCHERER, Stilfiguren 47.
2 KLOPFENSTEIN, Scham 119-136.
3 Ebd. 131f.

Man wird deshalb besser V.13 für eine allgemeine Ermahnung
halten, dem Gesprächspartner nicht voreilig ins Wort zu fallen.

Eine auffällige Aehnlichkeit mit unserem Sprichwort weist Sir
11,8 auf: "Antworte nicht (אל תשיב דבר), bevor du gehört hast
(טרם תשמע) und mitten in die Unterhaltung rede nicht". Aus dem
Kontext in Jesus Sirach geht hervor, dass ·es sich dort um eine
Weisung für den alltäglichen Gebrauch handelt. Auch Pirke
Aboth (5,7) äussert einen verwandten Gedanken: "(Der Weise)
fällt seinem Genossen nicht in die Rede. Er überstürzt sich
nicht beim Antworten".

In V.13a geht es um jenen, der im Gespräch immer hineinredet.
Er achtet nicht darauf, was die andern sagen und geht auf ihre
Argumente nicht ein. Ein solches Verhalten wird als Dummheit
(אולה)[1] bezeichnet und wer so spricht, gibt sich eine Blösse
und wird von den andern nicht mehr ernst genommen. Er ist bei
ihnen abgeschrieben, und man distanziert sich von ihm. Noch
mehr als bei uns leidet ein solcher Mensch im Orient an den
Folgen dieser Beschämung (vgl. Spr 10,14a; 13,3b; 18,7).

Durch diese negative Feststellung will das Sprichwort zum vorsichtigen Gebrauch der Rede hinweisen. Das Hinhören ist eine
wichtige Voraussetzung zum wirkungsvollen Reden (vgl. Spr 21,
28). Dadurch lernt man die Argumente der andern kennen und kann
seine eigene Meinung überprüfen. Man riskiert dann nicht, dass
man bei den andern Schande erleiden muss.

---

1 Zum Begriff אולה siehe oben Kapitel II 134f.

21,28   עֵד־כְּזָבִים יֹאבֵד   וְאִישׁ שׁוֹמֵעַ לָנֶצַח יְדַבֵּר׃

> Ein lügenhafter Zeuge geht zugrunde,
> aaber ein Mann, der zuhört, redet für die Dauerb.

Textanmerkungen:

a   Die LXX übersetzt das 2. Glied mit:ἀνὴρ δὲ ὑπήκοος
φυλασσόμενος λαλήσει
"aber ein gehorsamer Mann spricht vorsichtig".

b   SCOTT liest für לנצח שומע wie in Spr 12,15
שֹׁמֵעַ לְעֵצָה
"then one who is well advised will speak up"[1].

Grammatikalisches und Stilistisches:

In V.28a/b finden sich zwei zusammengesetzte Nominalsätze.
V.28b ist mit einem Adverb לנצח näher bestimmt. לנצח wird
nach den Wörterbüchern mit "für die Dauer" übersetzt[2]. Die
Präposition ל wird oft auf die Zeit übertragen (vgl. לעלם in
Ex 3,15;לבקר in Ex 34,25; לעד in Spr 12,19)[3] (vgl. Auslegung).

Durch den Gleichklang zwischen עד und יאבד und durch das alliterierende ב wird auch klanglich hervorgehoben, dass dem Lügenzeugen der Untergang bevorsteht: עד־כזבים יאבד.
Durch die Alliteration auf ש wird das Subjekt איש שומע besonders betont.

Auslegung:

Die Schwierigkeit dieser Sentenz liegt im Ausdruck איש שומע.
Die meisten glauben, dass dieser Vers von der falschen (bzw.
aufrichtigen) Anklage vor Gericht handle. DRIVER vermutet,
dass איש שומע "Ohrenzeuge" bedeute. Er vergleicht mit Ri 11,10:

---

1 SCOTT, Proverbs 125.

2 KBL 630.

3 BROCKELMANN, Syntax § 107 b.

"Der Herr ist Ohrenzeuge (שֹׁמֵעַ) zwischen uns" und verweist auf
das Assyrische šāmeānu "Ohrenzeuge" (vgl. auch im Aethiopischen)[1].

GEMSER weist mit BOSTROEM auf den "Hörenden" und ähnliche Ausdrücke in Ptahhotep hin, wo er terminus technicus für den Weis-
heitsjünger ist: "Der Weise ist 'ein Künstler, der gut gehört
hat'". Er ist in der Lage das Gehörte weiterzusagen und eignet
sich gut für den Zeugenstand, indem er wirkungsvoll spricht[2].

Man wird sich aber fragen müssen, ob hier diese Sentenz überhaupt die Zeugenschaft vor Gericht vor Augen hat. Auch wenn
שׁוֹמֵעַ "Ohrenzeuge" bedeuten könnte, gibt doch das Wort hier
einen weniger guten Sinn[3]. Ich habe bereits an anderer Stelle
darauf hingewiesen, dass עֵד im Hebr. weiter gefasst werden
muss als unser deutsches Wort "Zeuge" (vgl. Jer 32,10.12.25.44;
Rut 4,9.10.11)[4].

עֵד־כֹּזָבִים charakterisiert hier wohl einen Menschen, dessen Aussagen unbelegt, unstimmig und unbestätigt sind. Er lügt insofern, als seine Angaben entweder auf mangelnder Kenntnis des
tatsächlichen Sachverhaltes oder auf blosser Phantasie beru-
hen[5].

Dem "Lügenzeugen" wird Dauerhaftigkeit abgesprochen (vgl. Lügen haben kurze Beine). Ein solcher Mensch riskiert, dass er
mit der Zeit nicht mehr ernst genommen wird, man distanziert
sich von ihm und dies bedeutet sein Untergang.

DAHOOD versteht das Verb אבד im ursprünglichen Sinn und über-

---

1 DRIVER, Problems in "Proverbs" 144f.; DRIVER-MILES, The
  Assyrian Laws 416f.488.

2 GEMSER, Sprüche 81.

3 Vgl. auch TOY, Proverbs 410f.

4 Siehe oben Kapitel II 97.

5 KLOPFENSTEIN, Lüge 223.

setzt: "the false witness will be a wanderer", d.h. einer, der
Lügen verbreitet, muss beständig umherziehen. Ueberall, wohin
er kommt, wird er verstossen. Es ist aber wohl fraglich, ob
diese ursprüngliche Bedeutung noch mitwirkt. DAHOOD schliesst
auf diese Uebersetzung vor allem vom 2. Glied her. Auf Grund
des in Amarna vorkommenden duppuru mit der Bedeutung "to drive
out, pursue" bringt er יִדבר damit in Verbindung und übersetzt:
"and the man who listens will forever be pursued (יְדָבָּר)". Jener, der auf falsche Berichte hört, wird von Stadt zu Stadt
getrieben. Er vergleicht damit Sir 28,16: "Wer auf sie achtet
(d.h. auf die Zunge eines Dritten), findet keine Ruhe und kann
im Frieden nimmer wohnen"[1]. Solange aber der MT einen verständlichen Sinn gibt, besteht kein Grund, diese etwas gesuchte Interpretation zu übernehmen.

Zu unserer eher allgemeinen Deutung des 1. Gliedes passt gut
die Antithese. Im Gegensatz zum "Lügenzeugen" vergewissert
sich der אִישׁ שׁוֹמֵעַ genau, ob seine Aussagen stimmen. Bevor er
eine Antwort gibt oder einen Bericht erteilt, hört er aufmerksam hin und überprüft das Vernommene. Er verbreitet nichts,
was nicht belegt ist und was dem wahren Sachverhalt wider-
spricht.

Ein solcher Mensch redet für die Dauer. DRIVER gibt dem Wort
לנצח die Bedeutung "wahrhaftig", "erfolgreich": "the truthful
or successful witness shall speak (on)". Er beruft sich auf
Ijob 23,7[2], wo das Wort ebenfalls diese Bedeutung habe. Zudem

---

1 DAHOOD, Proverbs 45; JENNI, Faktitiv u. Kausativ 148f. Anm.
  7, stellt fest, dass die Grundbedeutung von אבד "sich ver-
  laufen, weglaufen" bedeute. In der Bedeutung "zugrunde gehen" sei die Wurzel nur im Nordwestsemitischen lebendig. In
  den übrigen semitischen Sprachen bezeichnet das Wort nur
  "fortlaufen, umherirren usw.".

2 Nach KOPF, Arab. Etymologien 185f., muss לנצח in Ijob 23,7
  mit "wahrlich" übersetzt werden: "Dann entrinne ich wahrlich
  meinem Richter" (vgl. auch Ps 77,9; Am 8,7).

gebe die Peschitta לנצח mit "rightly" und der Targum mit שרירראית
"truthfully" wieder[1]. Ihm schliessen sich McKANE und RINGGREN
an[2].

Die gewöhnliche Bedeutung von לנצח "für die Dauer" scheint mir
jedoch hier durchaus möglich[3]. Das Wort steht sogar in einem
guten Gegensatz zu יאבד. Wer vor seinem Reden genau hinhört
und nicht voreilig spricht, auf den wird man immer hören. Die
andern werden ihn akzeptieren, weil sie wissen, dass seine Worte zuverlässig sind.

d) Kontrolle über das Reden

Zum sorgfältigen und überlegten Reden kann man auch den Ausdruck "Wache über den Mund" ordnen. Diese und ähnliche Aus-
drucksweisen finden sich nicht nur in den Proverbien (13,3;
21,23), sondern auch in der altorientalischen Weisheitsliteratur, in den Psalmen und bei Jesus Sirach (22,27; vgl. 28,24).

13,3   נֹצֵר פִּיו שֹׁמֵר נַפְשׁוֹ   פֹּשֵׂק שְׂפָתָיו מְחִתָּה־לֹו:

> Wer seinen Mund bewacht, bewahrt sein Leben,
> wer seine Lippen aufsperrt, ihm ist Verderben.

Grammatikalisches und Stilistisches:

In V.13a/b sind zwei einfache Nominalsätze. Die beiden parti-
zipalen Bildungen נצר und פשק sind zusammen mit ihren Objekten
die Subjekte. Die partizipiale Form ermöglicht, ein Verhalten
und eine damit charakterisierte Person in einem Ausdruck zu erfassen. Zugleich wird dadurch die Allgemeingültigkeit des Spru-

---

1 DRIVER, Problems in "Proverbs" 145.

2 RINGGREN, Sprüche 84; McKANE, Proverbs 555f.

3 GB 517; KBL 630; vgl. BARUCQ, Proverbes 166 u.a.

ches ausgedrückt[1].

פשק im Qal bezeichnet im Gegensatz zum Pi'el (Ez 16,25) die
Bewegung in ihrem Vollzug (Aktualis)[2].

Die Alliterationen auf נ, ר, שׁ unterstreichen die enge Verbindung zwischen dem kontrollierten Reden und dessen Wirkungen:
נצר פיו שמר נפשו. Der Ausdruck פשק שפתיו erhält durch die Alliteration auf פשׁ (Umstellung der Konsonanten) eine besondere
Betonung.

Auslegung:

Das Verb נצר bedeutet zunächst "bewachen", "behüten", dann
auch "bewahren". Im Griechischen wird der Ausdruck entweder
mit φυλάσσειν, τηρεῖν oder φυλακή übersetzt[3]. Sowohl
τηρεῖν wie auch φυλάσσειν können mit "bewachen", "Wache
halten", "aufbewahren", "beobachten" übersetzt werden. Es
lässt sich nicht nachweisen, welche Bedeutung hier gemeint
ist. Es scheint jedoch, dass "bewachen" im Vordergrund steht,
wie dies auch DUESBERG und FRANKENBERG vermuten[4]. Dann meint
das 1. Glied, dass jener, der seinen Mund unter Kontrolle
hält und achtgibt, was er spricht, das Leben bewahre.

Oder aber das Wort hat den Sinn von "bewahren", dann wird man
das Sprichwort eher so deuten: wer seine Worte aufbewahrt, sie
zurückhält, d.h. schweigt.

---

1 HERMISSON, Studien 163.

2 JENNI, Pi'el 132-134.

3 In den folgenden Proverbien wird φυλάσσειν mit נצר
übersetzt: 2,8; 4,13; 6,20; 13,3.6; 28,7. Dagegen wird das
Verb mit שׁמר wiedergegeben: 2,11; 4,4.21; 5,2; 6,22.24;
7,1.2; 8,32; 10,17; 13,18; 14,3; 15,5; 19,8.16; 21,23; 22,5;
27,18; 29,18. τηρεῖν wird in 2,11; 3,1; 3,21; 4,6.23 mit
נצר und in 7,5; 8,34; 13,3; 16,17; 19,16 mit שׁמר übersetzt.

4 FRANKENBERG, Sprüche 81; DUESBERG, Scribes 327.

Beide Bedeutungen sind in den Proverbien belegt. Mehr im Sinne
von "bewachen" sind folgende Stellen zu verstehen (Spr 4,23;
13,3; 16,17; 20,28; 27,18).

Es scheint mir, dass die Wirkung dieses Sprichwortes gerade
darin liegt, dass die beiden synonymen Ausdrücke נצר und שמר
eine verschiedene Bedeutung annehmen (vgl. Spr 25,27[1]).

Der Ausdruck "über den Mund Wache halten" ist in der altorientalischen Weisheitsliteratur durchaus bekannt. Schon in den
Sprüchen des Achikar spricht der greise Vater zu seinem Sohn:

> "Mein Sohn, schwatze nicht übermässig, bis du jedes
> Wort kund tust, das dir in den Sinn kommt ...
> hüte deinen Mund, dass er nicht dein Ankläger (?) werde.
> Mehr als alle Wachen bewache deinen Mund und bei dem,
> was du hörst sei hartherzig, denn ein Vogel ist das
> Wort. Wenn es losgelassen ist, holt es niemand zurück
> von irgendwoher in deinen Mund" (VII 96-99)[2].

In Sir 22,27 heisst es:

> "O wäre doch vor meinem Munde eine Wache und auch ein
> kunstvoll Siegel über meinen Lippen, damit ich nicht
> mit ihnen Wüstes rede und meine Zunge mich nicht ins
> Verderben stürze."

Auch in den Psalmen ist der Ausdruck gebräuchlich. So bittet
der Beter in Ps 141,3 um eine "Wache" am Tor der Lippen (vgl.
auch Ps 34,14; 39,2; Mich 7,5).

Aus diesen Gründen scheint es wahrscheinlicher zu sein, dass
auch hier der Ausdruck eher im Sinne von "bewachen" zu verstehen ist.

שמר נפש kommt in den Proverbien 5x vor (13,3; 16,17; 19,16;
21,23; 22,5[3]; vgl. Sir B 35,24a) und bedeutet "sein Leben be-

---

1 Siehe oben 182.

2 AOT 558; ANET 429.

3 Auch in Spr 22,5 übersetzt man besser "sein Leben" (vgl.
  McKANE, Proverbs 565).

hüten, bewahren". BECKER fasst נפשו als eine Umschreibung des Pronominalbegriffes "sich selbst" auf[1]. Doch die Antithesen zu Spr 19,16a und zu Spr 13,3a machen deutlich, dass doch eher נפש mit "Leben" übersetzt werden muss. Während חיים einfach das physische, organische Leben meint, sind die Aussagen über Wesen und Wert des Lebens mehr mit נפש verknüpft. Insbesondere weist נפש auf Vitalität, auf die wirkende Kraft hin, auf der das Leben beruht[2]. Doch die Tatsache, dass oft die beiden Begriffe synonym stehen (Ijob 33,18.22.28; 36,14)[3], lässt vermuten, dass die beiden Wörter nicht so genau auseinander gehalten werden können.

BARUCQ glaubt, dass in V.3a ein doppelter Sinn vorliege: "Qui veille à ce qu'il mange garde sa gorge ou son ventre (נפש) et qui mange inconsidérément risque la ruine de santé. Puis un sens moral: qui surveille 'ses paroles' se garde, 'garde son âme'"[4]. Doch ist es unwahrscheinlich, dass נצר פיו "Enthaltsamkeit" und פשק שפתיו "Gefrässigkeit" bedeuten kann[5].

Das Wort פשק erscheint je einmal im Qal und im Pi‘el (Ez 16, 25). Im Pi‘el steht es für die eingenommene Haltung, im Qal für die Bewegung "auseinandersperren"[6]. Der Ausdruck פשק שפתיו wird mit "die Lippen auseinandersperren = zuviel reden" übersetzt. Er ist mit den Ausdrücken יפטיר בשפה; פצה פה ;ירחיב פה ; פער (ב)פה zu vergleichen, die ebenfalls "zuviel reden" bedeuten (vgl. Ri 11,35: פציתי־פי; Ps 66,14: פצו שפתי; Ijob 35,16: יפצה־פיהו; Ps 22,8: יפטירו בשפה). In Verbindung mit על meinen die Ausdrücke ein "aggressives Reden gegen jemanden" (Klgl

---

1 BECKER, Begrip nefesj 73f.
2 FOHRER, Hiob 98; WOLFF, Anthropologie 37-44.
3 WOLFF, Anthropologie 37-40.
4 BARUCQ, Proverbes 118.
5 McKANE, Proverbs 457.
6 JENNI, Pi‘el 133.

; Jes ‏ירחיבו עלי פיהם‎ Ps 35,21:‏פיהם‎ [vgl. Ps 22,14]‏פצו עליך פיהם:‏2,16
57,4:‏פה תרחיבו‎ ‏על־מי‎ ; Jjob 16,10:‏בפיהם עלי‎ ‏(פערו‎).

Im Gegensatz zu jenem, der seine Rede unter Kontrolle hält,
nimmt der andere seinen Mund voll und spricht zuviel[1]. Wer un-
geprüft und unüberlegt alles heraussagt, was ihm in den Sinn
kommt, der ist sich selber "Verderben" (‏מחתה‎)[2], d.h. er verliert das Ansehen und wird nicht mehr ernst genommen. Das bedeutet aber für ihn soviel wie sein Untergang.

21,23   ‏שֹׁמֵר פִּיו וּלְשׁוֹנוֹ   שֹׁמֵר מִצָּרוֹת נַפְשׁוֹ:‎

Wer seinen Mund und seine Zunge bewacht,
bewahrt vor Bedrängnissen sein Leben.

Grammatikalisches und Stilistisches:

Die einfache Form der Nebenordnung in einem Glied (Spr 13,3a)
ist hier auf die ganze Spruchzeile zerdehnt worden. Sowohl das
Subjekt ‏שמר פיו‎, wie auch das Prädikat ‏שמר נפשו‎ sind entsprechend erweitert worden.

Die Wiederholung des gleichen Wortes ‏שמר‎ am Anfang einer neuen
Zeile wird Anapher genannt. Durch die Wiederaufnahme desselben
Wortes wird besonders die Bedeutung der beherrschten Zunge deutlich gemacht. Das wird noch durch die verschiedenen Alliterationen verstärkt (4x ‏שו‎; 3x ‏מ‎; 3x ‏ר‎; dazu Häufung der o-Laute).

Auslegung:

Das Verb ‏שמר‎ hat an einigen Stellen der Proverbien die Bedeutung von "bewachen". Spr 2,11: "Ueberlegung wird über dich wa-
chen" (vgl. 5,2). Spr 27,18: "Wer seinen Herrn hütet, wird geehrt" u.a.

---

1 Vgl. HARTOM, ‏משלי‎ 43.
2 Zum Begriff ‏מחתה‎ siehe oben 194f.

Auch wenn im 2. Glied das gleiche Wort in der 2. Bedeutung
"bewahren" gebraucht wird (vgl. Spr 13,3; 16,17; 19,16; 22,5),
spricht die Aehnlichkeit mit Spr 13,3 dafür, dass auch unser
Vers gleich zu verstehen ist. Die Besonderheit dieses Sprichwortes liegt wahrscheinlich in dieser Doppeldeutigkeit von
שמר (Wortspiel). Ein anschauliches Beispiel einer solchen Dop-
pelbedeutung zeigt uns Spr 25,27, wo כבוד das erstemal mit
"Ehre" und das zweitemal mit "Last" übersetzt werden muss
(vgl. Spr 26,4f.)[1].

Darum steht in diesem Sprichwort weniger die Sparsamkeit der
Rede und die Fähigkeit zu schweigen im Vordergrund[2], sondern
es geht auch hier um die Kontrolle über das Reden. Sorgfältig
werden Mund und Zunge geprüft.

V.23b enthält eine Erweiterung durch צרות. TOY versteht darunter "troubles", d.h. die gesetzlichen und sozialen Schwierigkeiten, die beim unvorsichtigen Reden vor einem Mächtigen
oder König entstehen[3]. Man könnte auf verschiedene Weisheits-
texte hinweisen, die vor allem das vorsichtige Reden vor dem
König oder vor einem Vorgesetzten vor Augen haben[4]. Doch darf
das Sprichwort nicht auf diesen Sonderfall, der zweifellos
eine grosse Rolle spielte, eingeschränkt werden. Durch das un-

---

1 Siehe oben 182.

2 McKANE, Proverbs 551.

3 TOY, Proverbs 408.

4 So heisst es schon bei Ptahhotep: "Wenn du als Gast im
  Speisezimmer eines Mannes bist, der höher gestellt ist als
  du ... Du sollst erst reden, wenn er dich anredet. Dann
  wird das, was du sagst, wohlgefällig sein" (119-130). An
  einer andern Stelle wird bemerkt: "Sei geduldig zur Zeit,
  wo du sprichst. Du sollst etwas Vornehmes sagen" (624-626).
  Dieses beherrschte Reden ist besonders für einen Gesandten
  wichtig: "Bewahre dich (auch) davor, schlechte Worte zu
  machen, die einen Grossen den andern verächtlich (?) machen
  würden durch die Redeweise aller Leute" (157-158). Auch in
  Koh 8,2-4 steht eine Mahnung zum rechten Verhalten vor dem
  König (vgl. ZIMMERLI, Prediger 217).

kontrollierte Reden verstrickt man sich in eine gefährliche
Enge (Bedrängnis). Wie das Wort "Verderben" in Spr 13,3, bedeutet auch "Bedrängnis" eine Lebensverminderung. Möglicher-
weise ist auch hier noch an das Bild einer Falle gedacht (vgl.
צרר "einschnüren", "einengen").

Wer aber seine Zunge vorsichtig gebraucht, der entkommt dieser
Gefahr. Er geniesst daher das Leben in seiner Fülle.

3. Zusammenfassung

Dieses Kapitel zeigt deutlich, wie eindringlich auf die spar-
same und sorgfältige Rede aufmerksam gemacht wird. Zunächst
geht es in den Proverbien (10,19; 17,27; 15,2; ev. 25,27) um
den sparsamen Gebrauch der guten Rede. In 17,27 wird darauf
hingewiesen, dass jener als Weise gelten kann, der seine Rede
abwägt und auch in erregten Situationen die Ruhe bewahrt. In
10,19 wird betont, dass nur durch den sparsamen Gebrauch der
Worte ein Vergehen beseitigt werden kann. 15,2 verwendet das
Bild vom triefenden Honig, um den haushälterischen Gebrauch
der Rede darzustellen. Gleichzeitig wird auch auf die Kostbarkeit der Worte angespielt, die Angenehmes bewirken. Nach
der Interpretation der LXX wird in 25,27 ein Spezialfall der
sparsamen Rede besprochen. Schmeichelnde, mit Komplimenten
überladene Lobreden sind schädlich. Dagegen können anerkennen-
de Worte, die im Mass gebraucht werden, heilsam und nützlich
sein.

In einer weiteren Gruppe geht es vor allem um das sorgfältige
Reden. Wir haben festgestellt, dass die Proverbien diesen Begriff sehr vielseitig zu umschreiben wissen.

In erster Linie versteht man darunter das überlegte Reden, d.h.
die Worte werden im Selbstgespräch abgewogen (Spr 15,28), um

andern Wohlwollendes zu sagen. Dieses nach allen Seiten hin
ausgeglichene Wort ist dem hastigen Reden entgegengesetzt
(Spr 15,28b; 29,20), das gedankenlos ausgesprochen wird. Eine
wichtige Voraussetzung für das überlegte Reden ist das kluge
und umsichtige Aufspeichern von Erkenntnis. Dadurch gelingt
es dem Weisen, im richtigen Augenblick erfolgreich zu sein
(Spr 10,14a; 15,14a).

Zum vorsichtigen Reden gehört auch das aufmerksame Zuhören,
wenn ein anderer sich zum Wort meldet. Die Aufmerksamkeit
setzt ihn in die Lage, jederzeit das entscheidende Wort zu
finden (Spr 21,28). Dadurch erwirbt er sich Achtung und Erfolg. Ein dummer Schwätzer aber wird nicht ernst genommen und
gibt sich seine eigene Blösse (Spr 18,13b; 21,28a).

Schliesslich gehört auch das kontrollierte Sprechen hierher,
welches in den Proverbien (13,3; 21,23) mit der Metapher
"Wache über den Mund" umschrieben wird. Wer alles, was er
spricht, genau prüft, kommt nicht durch beständige Widersprü-
che in die Klemme (Spr 21,23b), sondern ist in seiner Umgebung
angesehen und geachtet.

Die tägliche Erfahrung, wie durch unvorsichtiges Reden viel
Unheil und Missgeschick verursacht wurde, lehrte diese Menschen zu kluger und umsichtiger Zurückhaltung. Auch die grosse
Empfindlichkeit des altorientalischen Menschen[1] verlangte eine
ausgewählte, vorsichtig formulierte Rede, die nicht verletzen
konnte. Besonders aber spielte für den Beamten der richtige
Umgang mit dem Wort eine grosse Rolle. Er musste sich am Königshof oder bei der Vertretung einer politischen Mission an
fremden Höfen durch eine kluge und vorsichtige Rede auszeichnen[2].

---

1 KEEL, Feinde 38.
2 Siehe oben 207 Anm. 4.

Das bedeutet aber nicht, dass man in diesen schwierigen Situationen nur schöne und nichtssagende Worte gebrauchen musste, um ja niemanden vor den Kopf zu stossen. Im Gegenteil, das vorhergehende Kapitel zeigte, wie man sich vor unaufrichtigen Reden hüten musste. Ebenso war die heuchlerische Rede verpönt[1]. Entscheidend war, dass man bei solchen Gelegenheiten offen sprechen konnte, ohne andere zu verletzen. Wer einfach unüberlegt drauflos schwatzte, diente der Sache nicht und machte sich selber Feinde.

Ganz im Gegensatz zum vorsichtigen Reden, wie es die Weisheitslehrer forderten, steht das Auftreten der Schriftpropheten. Mit ungeschminkten Worten übten sie scharfe Kritik. Sie wandten sich gegen die religiösen Einrichtungen. Den volkstümlichen Kult geisselten sie als Abfall von Jahwe und bezeichneten ihn als Ursache für das bevorstehende Strafgericht (Hos 2,15). Sünde waren die Altäre, Masseben und Schlachtopfer (Hos 8,11-13; 10,1f.). Sie wandten sich gegen das rein äussere Vollziehen der kultischen Pflichten (Am 4,4f.; Jes 29,13f.; Jer 7,1-15 u.a.)[2].

Schonungslos kritisierten sie die selbstsichere, in ihrem Wohlstand dahinlebende Oberschicht und prangerten die üble Uebertretung des Rechts an (Am 6,1-7; Mich 3,1-3; Jes 1,21-26; 3,12-15.16-24; 5,11-13; 5,8-10)[3].

Schliesslich richteten sie offene Anklage gegen den Staat und seine Politik (Hos 13,9-11; Jes 3,12-15; 30,1-5; 31,1-3.4-9; Jer 22,13-17 u.a.)[4].

Auffallend ist auch ihr polemischer Stil gegenüber den fal-

---

1 Siehe oben Einleitung 20-23.
2 Vgl. FOHRER, Geschichte 279-282.
3 Ebd. 282-284.
4 Ebd, 284-286.

schen Berufskollegen (Mich 3,5f.; Jes 28,7-13; Jer 2,8; 23,9-12 u.a.)[1].

Durch diese Haltung ist ihr Auftreten mit Feindschaft von überallher verbunden und sie werden zu Aussenseitern der Gesellschaft. So müssen sie ihre Anerkennung gegen Widerstände erkämpfen.

---

1 HOSSFELD-MEYER, Prophet.

IV

VOM RICHTIGEN SCHWEIGEN

Das Thema "Schweigen" nimmt in der Weisheitsliteratur einen grossen Raum ein[1]. Es ist deshalb nicht verwunderlich, wenn auch im biblischen Spruchbuch oft vom Schweigen gesprochen wird.

Man kann aus ganz verschiedenen Gründen schweigen. Oft geschieht es aus Ratlosigkeit. "Gar mancher schweigt, weil er nicht Antwort weiss" (Sir 20,6). Jesus brachte die Pharisäer auf die Frage: "darf man am Sabbat (nicht eher) Gutes als Böses tun, ein Leben retten, als es zugrundegehen lassen?" zum Verstummen (Lk 6,9f.; vgl. 14,3f.).

Man kann aber auch aus Klugheit sich still verhalten. "Mancher schweigt, weil er die Zeit bedenkt. Der Weise schweigt bis zur Zeit, der Tor aber achtet nicht auf die Zeit" (Sir 20,6b.7, vgl. 20,19f.; 22,6; Koh 3,7).

Auch die Treue zu den Nächsten verpflichtet oft zur nötigen Diskretion. So mahnt Jesus Sirach, die Geheimnisse eines Freundes nicht preiszugeben: "Wenn du einen Freund hast, plaudere nicht aus" (Sir 22,26). "Und hast du deinen Freund, enthülle nichts" (Sir 19,8b).

Weiter gibt es das Schweigen aus Respekt und religiösem Ueberwältigtsein. Die Beamten hielten beim Eintreten Ijobs mit der Rede inne, sie verstummten achtungsvoll, sie "legten die Hand auf ihren Mund" (Ijob 29,7-10). Hierher gehört auch die Phase des Schweigens und der Erstarrung im Klageritual (Ijob 2,11-13; Esr 9,3-5; Ez 26,15-18; Klgl 1,4.16), auf die LOHFINK aufmerksam gemacht hat[2].

Schliesslich kennt man auch das Schweigen als Ausdruck der Einfügung in die göttliche Ordnung oder als Akt des Vertrauens. Hierher gehört das Ideal des "rechten Schweigers (gr mᵌᶜ)",

---

1 Vgl. von RAD, Theologie I 444f.; ders., Weisheit 115f.
2 LOHFINK, Phase des Schweigens 260-277.

das in Aegypten in der Spätzeit aufkommt[1]. Das Stillesein als
Akt des Vertrauens wird in Jes 30,15 erwähnt: "Denn so sprach
der Herr Jahwe, der Heilige Israels: 'In Umkehr und Ruhe liegt
euer Heil, im Stillhalten und Vertrauen besteht eure Stärke.
Aber ihr habt nicht gewollt'".

Im folgenden Kapitel geht es darum, die Texte, die vom Schweigen handeln, zu untersuchen und sie zu befragen, aus welchen
Gründen in ihnen das Schweigen empfohlen wird. Handelt es sich
um ein Stillesein aus blosser Klugheit, aus Treue, aus Respekt
oder aber wird es explizit als Ausdruck der Einfügung in göttliche Ordnungen und so als Akt des Vertrauens gesehen.

1. Aus Ratlosigkeit und Verlegenheit

24,7   :בְּשַׁעַר לֹא יִפְתַּח־פִּיהוּ   רָאמוֹת לֶאֱוִיל חָכְמוֹת

Zu hoch (Korallen)[a] ist dem Narren die Weisheit,
im Tor öffnet er nicht seinen Mund.

Textanmerkungen:

a   BICKELL liest: "Wenn du dich still hältst (דַּמֹּתָ) ge-
    genüber dem Tor, bist du weise (חָבַמְתָ). Nach dieser
    Lesung wären V.1.3.5.7 alphabetisch-akrostichisch
    angeordnet[2]. Doch kann sich diese Lesung auf keine
    alte Version stützen[3].
    KOEHLER schlägt רָמוֹת von רָמָה vor: "zu hoch"[4];

1 LANGE, Weisheitsbuch 20f.; VOLTEN, Demotische Weisheitsbuch
  126; OTTO, Inschriften 67f.; LANCZKOWSKI, Reden und Schweigen 193-196; BRUNNER, Erziehung 123; MORENZ, Gott und
  Mensch 68; SCHMID, Wesen 35f.72.

2 BICKELL, Kritische Bearbeitung 276.

3 Vgl. DRIVER, Problems in the Hebrew Text 188.

4 KBL 865.

ebenso deuten die meisten Exegeten das Wort[1].

DRIVER ist der Ansicht, man müsse anstelle von
רמה = רָמָה / רָאמוֹת lesen. הכמות sei Sing. Fem. (vgl.
Spr 1,20; 9,1)[2].
Es ist aber durchaus möglich, dass das Wort hier
"Korallen" bedeutet[3].

Grammatikalisches und Stilistisches:

Falls ראמות hier die Bedeutung eines Adjektivs hat, so entspricht die Satzstellung der Regel. Das prädikate Adjektiv
steht ohne Artikel und gern vor dem Subjekt[4]. Falls aber die
Bedeutung "Korallen" die Richtige ist, müsste das Subjekt in
diesem Nominalsatz am Anfang stehen[5]. Wie wir aber schon öfters festgestellt haben, sind Metaphern und Vergleiche häufig
an den Anfang gestellt[6].

V.7b bildet einen Verbalsatz mit einer adverbiellen Bestimmung
am Anfang[7].

ראמות und הכמות enthalten ein Homoioteleuton. DELITZSCH sieht
im Wort ראמות ein Wortspiel. Die Metapher "Korallen" bedeute
"Unerschwinglichkeit". Einen ähnlichen Sinn ergebe auch das
gleichklingende רמות "zu hoch". Der Dichter habe wahrscheinlich um dieses Doppelsinns willen nicht פנינים gewählt[8].

---

1 FRANKENBERG, Sprüche 135; TOY, Proverbs 443; OESTERLEY, Proverbs 209; RINGGREN, Sprüche 96; GEMSER, Sprüche 88; BUBER,
  Gleichsprüche 256; BARUCQ, Proverbes 186; SCOTT, Proverbs
  145; ALONSO-SCHOEKEL, Proverbios 107; McKANE, Proverbs 398
  u.a.

2 DRIVER, Problems in the Hebrew Text 188.

3 Vgl. DELITZSCH, Spruchbuch 381f.; GB 737.

4 HOLLENBERG-BUDDE-BAUMGARTNER, Schulbuch § 31 d Anm. 2.

5 MICHEL, Tempora 178.

6 Zur Begründung siehe oben Kapitel I 38.

7 Bei einem Verbalsatz kann die adverbielle Bestimmung vor dem
  Verb stehen (MICHEL, Tempora 177).

8 DELITZSCH, Spruchbuch 382.

Auslegung:

בשער bedeutet "im Tor" (vgl. בבית "im Haus", d.h. in einem
Raum). Der Verhandlungsort der palästinensischen Städte war
im Tor, d.h. in den Torkammern, vielleicht auch hinter oder
eher vor dem Tor (vgl. 1 Kön 22,10)[1].

חכמות erscheint dreimal in den Proverbien (1,20; 9,1; 24,7),
dazu חכמות נשים(Spr 14,1)[2], ferner in Ps 49,4 und Sir 4,11[3].
Die Form wird verschieden gedeutet. Nach BARTH istחכם mit der
Nominalendung ôth zu einem Afformativ ausgebildet worden[4].
Nach BROCKELMANN ist הכמות ein Abstraktum im Plur., indem man
dieses nicht als einheitlichen Begriff, sondern als die Sum-
me ihrer einzelnen Erscheinungsformen betrachtet (vgl.אמונות
Spr 28,20; המות Ps 76,11)[5]. SCOTT sieht das Wort in Spr 1,20;
9,1; 14,1 als eine kananäische Form des Hebr.חכמה (vgl. das
Kananäische ḥukmatu). חכמות wäre entstanden durch Beibehaltung
der t-Endung und durch Dehnung des kurzen a zu ō[6]. Er erklärt
aber das Wort in Spr 24,7 als Intensivplural.

Da vor allem am Tor die Weisheit gepflegt wurde[7], ist es möglich, dass hier der Ausdruck חכמות ein Intensivplural ist[8]
und auf die vielen weisen Aeusserungen am Tor anspielt. Man

---

1 Siehe oben Einleitung 30.

2 Zum Text vgl. McKANE, Proverbs 472.

3 Vgl. RICKENBACHER, Weisheitsperikopen 41.

4 BARTH, Nominalbildung § 259 c; vgl. GESENIUS-KAUTZSCH,
  Grammatik § 86 l.

5 BROCKELMANN, Grundriss II 59; vgl. ders., Syntax § 19 b.

6 SCOTT, Proverbs 147; vgl. ALBRIGHT, Sources 8; McKANE, Proverbs 363.

7 WOLFF, Amos' geistige Heimat, meint, dass in Thekoa die israelitische Weisheit mit ihren besonderen Formen und Themen
  intensive Pflege fand. Was dort im Tor zur Sprache kam, habe
  wahrscheinlich fast soviel Verwandtes mit der Weisheit der
  "Söhne des Ostens" wie mit der höfischen Weisheit in Jerusalem; vgl. dagegen HERMISSON, Studien 88-92.

8 Vgl. DELITZSCH, Spruchbuch 55.

kann dabei auf Spr 1,20ff. verweisen, wo die חכמות auf der
Strasse, auf den Plätzen und an den Toreingängen ihre Stimme
erhebt (vgl. Spr 9,1ff.). Unter חכמות könnte man auch an Weisheitssprüche denken, die am Tore ausgetauscht werden[1]. Wir wissen, dass noch heute im Orient die Umgangssprache mit vielen
solchen Weisheitssprüchen geprägt ist. Die Sprache erhält dadurch sein eigenes Gepräge und entwickelt sich zu einem Sonder-
gut, das nur im engeren Kreise, der mit den Gegebenheiten vertraut ist, verstanden wird[2].

Es ist nicht auszuschliessen, dass anstelle von ראמות "Korallen" רמות "zu hoch" zu lesen ist (Part. Fem. Plur. von רום;
vgl. Vulgata: "excelsa stulto sapientia")[3].

Doch scheint mir das Sprichwort origineller, wenn die Bedeutung
"Korallen" beibehalten wird. Das Wort kommt noch in Ez 27,16
und Ijob 28,18 vor, wo es nicht sicher gedeutet werden kann.
FOHRER meint zu Ijob 28,18: ראמות "ist wie in Ez 27,16 ein
Importartikel, dessen Bedeutung nicht ganz sicher ist ... Im
ugaritischen Text ˁnt III,1 dient rimt (rʔm II) als Brust-
schmuck"[4].

Auch wenn die Metapher hier kaum für etwas Wertvolles steht,
wie in Ijob 28,18, darf nicht daraus geschlossen werden, dass
dieses Wort "Korallen" hier keinen Sinn ergibt. Darin liegt ja
das Wirkungsvolle der Metapher, dass sie den "Bedeutungsraum
zu weiten und den Aufnehmenden in Bewegung zu setzen" vermag[5].

---

1 KOEHLER, Hebräische Mensch 90-94, gibt eine anschauliche Darstellung, wie man sich eine solche Unterhaltung vorstellen
könnte; vgl. SCOTT, Proverbs 145: "wise sayings".

2 Vgl. LUTFIYYA, Baytin 52.

3 Vgl. auch die verschiedenen Schreibweisen von ראמות (eine
Stadt in Gilead):ראמת בגלעד   (Dtn 4,43; Jos 20,8 u.a.) und
רמת גלעד (1 Kön 4,13; 22,3-29; 2 Kön 8,28; 9,1.4.14 u.a.).

4 FOHRER, Hiob 391.

5 KAYSER, Kunstwerk 125f.; vgl. WEINRICH, Linguistik 42-47;
WEISS, Methodologisches 1-25, bes. 3f.11.

So hat vielleicht dieser Ausdruck beim Hörer die Vorstellung
von etwas Unerreichbarem ausgelöst, weil der Gegenstand ein
seltener Importartikel war. Wie die Korallen für viele uner-
schwinglich sind, so sind die weisen Reden für den אֱוִיל kaum
zugänglich. Die ganze Atmosphäre am Tor ist ihm ungünstig. Was
hier im Kreise der Weisen geäussert wird, ist ihm zu hoch. Deshalb tut er seinen Mund nicht auf. Er schweigt nicht etwa,
weil für ihn die Zeit noch nicht gekommen ist, sondern weil er
dem Gespräch nicht gewachsen ist. Es fehlt ihm die nötige
Schärfe des Verstandes. So geschieht sein Schweigen aus Ratlosigkeit.

2. Aus Vorsicht und Schlauheit (Klugheit)

a) Aus Vorsicht

23,9   בְּאָזְנֵי כְסִיל אַל־תְּדַבֵּר   כִּי־יָבוּז לְשֵׂכֶל מִלֶּיךָ:

> In die Ohren eines Toren rede nicht,
> denn er verachtet die Klugheit deiner Worte.

Grammatikalisches und Stilistisches:

Bei V.9a handelt es sich um einen Vetitiv. Der Vetitiv drückt
die Erwartung und den Wunsch aus, dass eine Handlung nicht eintrete[1]. Gewöhnlich steht das Verb mit אַל am Anfang. Die adverbielle Bestimmung wird wohl an erster Stelle stehen, um besonders hervorzuheben, wen man nicht belehren soll. Evtl. war
auch das Bestreben bestimmend, Vetitiv und Begründung möglichst
eng zusammen zu rücken.

Alliterationen auf ל, (שׂ) כס und בז.

---

1 RICHTER, Recht 71f.

Auslegung:

Auffällig ist der Ausdruck דבר באזני. Er wird recht häufig, besonders in Gen, Ex, Dtn, 1 u. 2 Sam und Jer gebraucht. Eine
Uebersicht zeigt, dass er oft für "eindringliches Reden" verwendet wird. Nachdem Joseph die Brüder wissen liess, dass derjenige, bei dem der Kelch gefunden werde, sein Knecht werde,
da ergreift Juda das Wort und bittet ihn eindringlich, er möge von diesem Vorhaben lassen. Dieses Eingreifen des Juda wird
mit den Worten eingeleitet: "Bitte, mein Herr, dein Knecht möge ein Wort in die Ohren meines Herrn sprechen dürfen" (Gen
44,18; vgl. 50,4). Ebenso wendet sich Abigail mit einer fast
übertriebenen Höflichkeit an David, er möge doch nicht diesen
nichtsnutzigen Nabal beachten: "Sie fiel ihm zu Füssen und
sprach: 'mich allein, mein Herr, (treffe) die Schuld! Und möge doch deine Magd in deine Ohren sprechen'"(1 Sam 25,24). In
Dtn 5,1 beruft Moses ganz Israel und ruft sie auf: "Höre Israel,
die Satzungen und Gebote, die ich heute in deine Ohren verkün-
dige! Lernt sie und achtet darauf, sie zu befolgen". Auch an
dieser Stelle wird deutlich, dass es um ein nachdrückli-
ches Einprägen geht (vgl. Ex 11,2; Dtn 31,28). Dementsprechend
muss auch Spr 23,9 verstanden werden. Es wird der Wunsch geäussert (Vetitiv), einem Toren nicht eindringlich zuzureden und
ihn zu belehren.

Nach JENNI bedeutet das Pi‛el von דבר "im Wortlaut bestimmt ge-
dachte Worte machen"[1]. Es sind einsichtige Worte (דברי תבונה)[2],
wie dies in V.9b durch den Ausdruck שכל מליך deutlich wird.

In V.9b wird begründet, wieso der Weise vor dem Toren schweigen
soll. Der כסיל verachtet seine Belehrung (בוז; dieses Verb wird
oft mit ל konstruiert, vgl. Spr 11,12; 13,13; 14,21; 30,17 u.a.).
Er weiss den Wert solcher klugen Worte nicht zu schätzen. Er

---

1 JENNI, Pi‛el 165.
2 HARTOM, משלי 75.

ist sich seiner Sache sicher und will sich nicht von den Erfahrungen der Weisen belehren lassen (Spr 14,16; 28,26). Dem
Toren fehlt es nicht etwa an einem "intellektuellen Defekt"[1].
Sondern es handelt sich um eine mangelnde Bereitschaft, sich
den Lehren der Weisen zu fügen. Es ist eine gewisse Ueberheblichkeit. Weil er sich für weise hält, ist er überhaupt nicht
mehr für die Weisheit offen.

Deshalb wird dem Weisen das Schweigen vor dem כסיל empfohlen,
damit er nicht "Verachtung" (בוז) ernten muss. Auch in Spr
29,19 werden mahnende Worte gegenüber einem Sklaven als nutz-
los angesehen. Allerdings unterscheidet sich der Sklave vom
Toren deutlich. Dieser hört einfach nicht auf die Worte, während der Tor sie offensichtlich geringschätzt.

Ebenso im folgenden Mahnwort wird das Schweigen aus Vorsicht
angeraten.

30,32f. אִם־נָבַלְתָּ בְהִתְנַשֵּׂא וְאִם־זַמּוֹתָ יָד לְפֶה:
כִּי מִיץ חָלָב יוֹצִיא חֶמְאָה וּמִיץ־אַף יוֹצִיא דָם
וּמִיץ אַפַּיִם יוֹצִיא רִיב:

Hast du wie ein נבל gehandelt, als du zornig wurdest,
oder hast du nachgedacht? (Leg nun) die Hand zum
Mund! Denn das Pressen von Milch lässt Butter her-
vorgehen und das Pressen der Nase lässt Blut her-
ausfliessen [a]und das Pressen des Zorns lässt Streit
entstehen.

Textanmerkung:

    a   BH und SCOTT interpretieren V.33c als Zusatz
       zu V.33b (vgl. Auslegung)[2].

---

1 Von RAD, Weisheit 90.
2 SCOTT, Proverbs 182.

Grammatikalisches und Stilistisches:

Meistens werden die beiden אם-Sätze als Bedingungssätze aufgefasst. Nach SCOTT und McKANE folgt der Hauptsatz im Anschluss
an diese beiden Bedingungssätze und muss ergänzt werden (Aposiopese): "Beware" (SCOTT), "watch your step" (McKANE)[1]. Nach
SAUER folgen die Hauptsätze unmittelbar auf die Bedingungen:
"Wenn du ein Tor bist, (so zeigt es sich) im Sich-Erheben,
aber wenn du nachsinnst, (so legst du die) Hand an den Mund"[2].
Dieser Vorschlag scheint von all den verschiedenen Lösungen der
wahrscheinlichste zu sein.

Es besteht aber noch eine weitere Möglichkeit. Man kann אם־ואם
als Doppelfrage verstehen[3]. Doppelfragen werden in der Regel
durch: a) ה־ אם(Ijob 4,17), b) האף־ואם (Ijob 34,17; 40,8.9),
c) אם־אם (Ijob 6,12; 1 Chr 21,12) ausgedrückt[4].

כ steht oft zur Einleitung eines Infinitivsatzes und bedeutet
"als" (vgl. Gen 2,4; 4,8; 33,18; Ex 13,17)[5]. Beide Fragen beziehen sich auf diesen Infinitivsatz[6].

Die Redewendung יד לפה ist gewöhnlich mit שים verbunden (Ri 18,
19; Ijob 21,5; 29,9; 40,4; Mich 7,16). Wahrscheinlich muss wie
in Sir 5,12 שים ergänzt werden[7].

In V.32f. handelt es sich um einen Mahnspruch mit drei Begründungssätzen. Im Gegensatz zu den Aussagesätzen haben die Mahnworte meistens eine Begründung bei sich[8].

---

1 SCOTT, Proverbs 180; McKANE, Proverbs 260.
2 SAUER, Sprüche 111.
3 Vgl. auch BUBER, Gleichsprüche 271.
4 GB 46; KBL 58; FOHRER, Hiob 131.
5 GB 81; KBL 104.
6 So auch BUBER, Gleichsprüche 271.
7 Aehnlich BARUCQ, Proverbes 226.
8 Vgl. HERMISSON, Studien 162.

V. 32/33 ist reich an stilistischen Figuren:

1) Auffällig sind die verschiedenen Wiederholungen:
   a) die Doppelfrage beginnt zweimal mit אִם (Anapher) (vgl.
      die normale Einleitung der Doppelfrage: ה-אִם);
   b) die dreimalige Wiederholung des Ausdrucks: "das Pres-
      sen... lässt... hervorgehen" (bei V.33b u. c Anapher;
      bei V.33a ist כִּי vorangestellt);
   c) häufige Alliterationen mit מ und צ. Spiel mit den
      Vokalen i und a.

2) In V.33 ist eine Beispielreihung (Priamel) mit Schlusspointe.

3) Ellipsen:
   a) zu יד לפה ist שׂים zu ergänzen;
   b) der Ausdruck "als du zornig wurdest" in V.32a bezieht
      sich auch zu "oder hast du nachgedacht" in V.32b
      (ἀπο-κοινοῦ-Konstruktion).

4) מִיץ אַפִּים "das Pressen der Nasenflügel" ist ein Concretum
   pro abstracto. Der hebr. Ausdruck für den Körperteil "die
   beiden Nasenflügel, bzw. Nasenlöcher" wird für den abstrakten Begriff "Zorn" verwendet[1]. Häufiger wird das Wort "Zorn"
   mit אַף "Nase" wiedergegeben[2].

Auslegung:

Meistens wird der Ausdruck בהתנשׂא mit "sich geltend machen",
"sich überheben", "stolz werden" übersetzt[3]. Tatsächlich bedeutet das Hitp. von נשׂא, das nur noch in Num 16,3; 23,24;
24,7; 1 Kön 1,5; 1 Chr 29,11; Ez 17,14; 29,15; Dan 11,14 vor-

---

1 Die übertragene Bedeutung "Zorn" liegt nur an zwei Stellen
  vor: Spr 30,33 und Dan 11,20 (SAUER, THAT I 222).

2 Ebd. 223; vgl. BOMAN, Das hebr. Denken 86f.

3 Vgl. DELITZSCH, Spruchbuch 517; RINGGREN, Sprüche 117;
  GEMSER, Sprüche 106; ALONSO-SCHOEKEL, Proverbios 132 u.a.

kommt, "sich erheben", mit עַל "sich über jd. erheben" (Num 16,3; Ez 29,15).

Doch aus dem Zusammenhang scheint mir diese Uebersetzung nicht richtig. In V.33c geht es um den Zorn, der zu Streit führt (vgl. Spr 15,18; 29,22). So muss auch hier dieses Verb in dieser Bedeutung verstanden werden. Am besten ergänzt man zu "sich erheben" "in deinem Zorn": "als du dich (in deinem Zorn) erhobst = als du zornig wurdest". Im Nif. steht einmal das Verb in diesem Sinne: "Stehe auf, Jahwe, in deinem Zorne, erhebe dich (הִנָּשֵׂא) wider den Grimm meiner Feinde" (Ps 7,7). Auch נבלה passt hier besser zu dieser Uebersetzung. Wie wir unten sehen werden heisst נבל nicht "töricht handeln", sondern bezeichnet ein "leidenschaftliches Tun".

נבלה leitet GESENIUS von נבל II ab mit der Bedeutung "verächtlich handeln" im Qal und "gering achten", "verwerfen", "beschimpfen", "schänden" im Pi‘el[1]. KOEHLER nimmt nur eine Wurzel an נבל "welken", "zerfallen" und gibt für Spr 30,32 die besondere Bedeutung "nichtig, töricht sein"[2]. Das Verb aber scheint mit נבל zusammenzuhängen. Daher ist die Uebersetzung "töricht handeln" ein zu harmloses Wort. נבל bezeichnet im AT einen geizigen Menschen (Jes 32,5f.; Spr 17,7[3]), einen besonders im Bereich des Sexuellen Gierigen und Gewalttätigen (Gen 34,7; Dtn 22,21; Ri 19,23f.; 20,6.10; 2 Sam 13,12f.; Jer 29,23), einen Reichen, der seine Macht in jeder Hinsicht missbraucht (vgl. 1 Sam 25,2-45)[4]. Es ist einsichtig, dass an unserer Stelle diese Bedeutungen nicht genau zutreffen. Da jedoch נבלה im Gegensatz zu זמות "nachdenken", "überlegen" steht, kann man sich fragen, ob hier nicht eher die allen diesen Menschen gemeinsa-

---

1 GB 480.

2 KBL 589; vgl. auch GISPEN, NBL 162.

3 Siehe oben Kapitel II 143f.

4 Vgl. CAQUOT, Désignation 1-16.

me Charaktereigenschaft, nämlich die Leidenschaftlichkeit, die
Gier, gemeint ist. נבלה würde dann bedeuten: "Hast du wie ein
נבל gehandelt", d.h. gleich leidenschaftlich wie ein נבל, "als
du zornig wurdest oder hast du nachgedacht", d.h. bist du mit
Grund zornig geworden.

Dadurch, dass wir V.32 als eine Doppelfrage interpretieren
(nicht als Bedingungssätze), unterscheidet sich unsere Uebersetzung von den übrigen, die das Mahnwort etwa folgendermassen
verstehen: Wenn einer sich solz gebärdet, dann hat dies der
Grund, dass er töricht denkt. Die rechte Haltung aber, nämlich
die des Legens der Hand auf den Mund als Zeichen des Verstum-
mens, entspringt einem klugen Nachdenken[1]. Doch scheint diese
Auffassung nicht gerade gut mit den Begründungssätzen überein-
zustimmen. Mit einer Doppelfrage wird aber das Mahnwort besser
verständlich: Wenn einer zornig geworden ist - sei es aus Lei-
denschaft oder aus berechtigten Gründen -, so ist das Beste,
wenn er in der Folge schweigt, damit kein Streit entfacht wird.
Die Mahnung geht von der Tatsache der menschlichen Erfahrung
aus. Durch den Gebrauch des Perfekts wird nicht etwa an einen
konkreten Fall gedacht, sondern es wird ein Zustand festgestellt, der immer vorhanden ist, für dessen Richtigkeit der Beweis in der Vergangenheit durch die Erfahrung erbracht ist[2].

In solchen Situationen ist die einzig richtige Haltung das
Schweigen. Dies wird mit יד לפה ausgedrückt. COUROYER hat darauf hingewiesen, dass an einigen Stellen nicht die üblichen Verben דמה; דמם; הרש; חשה gebraucht werden, sondern der viel kräf-
tigere Ausdruck "die Hand auf den Mund legen"[3]. Er bedeutet
"sich zum Schweigen verpflichten" und zwar aus verschiedenen Motiven: aus Klugheit (Ri 18,19; Sir 5,12), aus Respekt (Ijob

---

1 Vgl. SAUER, Sprüche 111; RINGGREN, Sprüche 117; BARUCQ, Proverbes 226.

2 Vgl. SCHMIDT, Studien 49.

3 COUROYER, Mettre sa main 197-209.

29,9; 40,4; Weish 8,12) und aus Verwunderung (Erstaunen) (Ijob 21,5; Mich 7,16). Dieser Ausdruck scheint mit ähnlichen ägyptischen Parallelen verwandt zu sein. Oft erkennt man auf ägyptischen Bildern, auf denen das Fangen von Vögeln mit einem Netz dargestellt ist, einen Aufseher, der im Augenblick, wo sich Vögel vom Köder anlocken lassen, die Hand zum Mund hält, um von den abseits stehenden Kollegen absolute Ruhe zu verlangen[1], bevor sie das Netz zusammenziehen[2].

Während an diesen Stellen das Zeichen "Hand auf den Mund" andere zum Schweigen verpflichtet, gibt es auch ägyptische Texte, die mit dem Ausdruck "seine Hand auf den Mund legen" auf das eigene Schweigen hinweisen. In der Lehre des Cheti (12. Dyn.) lesen wir: "Wenn du eintrittst und der Hausherr in seinem Haus ist, und wenn seine Arme einem andern mehr als dir gehören (?), dann sitze schweigend"[3]. BRUNNER übersetzt den Ausdruck "mit der Hand am Mund" mit "schweigend" und verweist auf das Deutezeichen 𓄿 [4]. Noch deutlicher ist der Pyramidentext 254b (AR): "Die Götter schweigen vor dir (d.h. aus Respekt vor dir), die Neunheit hat ihre Hand an ihren Mund gelegt"[5]. SETHE kommentiert igr n-k mit "Schweigen bewahren"[6]. Der Parallelismus zwischen "die Götter schweigen vor dir" und "die Neunheit legt die Hand auf den Mund" beweist, dass der Ausdruck "die Hand auf den Mund legen" deutlich für Schweigen steht[7].

Nachdem der Angesprochene in V.32 sich vom Zorn ereifern liess,

---

1 COUROYER, Mettre sa main 206f.

2 Sobald sich eine Menge Vögel zwischen den beiden Flügeln des Netzes niedergelassen haben, gibt der Aufseher seinen Kollegen ein Zeichen, und diese beginnen kräftig zu ziehen (vgl. KEEL AOBPs 80f. und Abb. 115).

3 BRUNNER, Lehre 24.

4 Ebd. 46.

5 FAULKNER, Texts ; 254b.

6 SETHE, Pyramidentexte I 240.247.

7 COUROYER, Mettre sa main 208.

geht die Mahnung an ihn zu schweigen. Nur dadurch wird ein Streit verhindert werden können. Dies wird durch die Begründung mit einer Beispielreihung anschaulich gemacht. In V.33c ist die Schlusspointe, auf die die beiden Beispiele in V.33 a/b auslaufen[1]. Wenn hier TOY und SCOTT (vgl. auch BH) eines der drei Glieder streichen wollen[2], so wohl darum, weil sie die Priamel übersehen. TOY vermutet, dass V.33a eine Glosse sei[3]. Aber im Beispiel (V.33a) will nicht etwa gezeigt werden, dass durch Rühren der guten Milch ein schlechteres Produkt entsteht; denn wie TOY richtig bemerkt, war saure Milch oder Quark bei den Israeliten ein beliebtes Nahrungsmittel[4]. Durch das Beispiel will nur gesagt werden, dass das Schlagen der Milch eine bestimmte Wirkung hat, nämlich dass die Milch dicker wird. Aehnlich im 2. Beispiel (V.33b) bewirkt das starke Pressen der Nase Nasenbluten. So ähnlich entsteht bei steigerndem Zorn notwendig Streit[5]. Die Wurzel ריב kann ebenso gut "Handgemenge" und "Streit" wie einen institutionalisierten Streit, d.h. Prozess bezeichnen[6].

Auch SCOTT übersieht das zweite Beispiel und übersetzt אף in V.33b mit "Zorn". Dadurch scheint ihm V.33c bloss eine Variante zu V.33b zu sein[7]. Doch wenn diese Interpretation richtig wäre, müsste wohl דמים stehen, da die Pluralform gebraucht wird, sobald es "das gewaltsam vergossene fremde Blut betrifft"[8].

---

1 Vgl. BUEHLMANN-SCHERER, Stilfiguren 61f.

2 TOY, Proverbs 537; SCOTT, Proverbs 180.

3 TOY, Proverbs 537.

4 Ebd. 537.

5 Vgl. McKANE, Proverbs 664.

6 Vgl. KEEL, Feinde 49.

7 SCOTT, Proverbs 180.

8 KOCH, Blut 406.

Zusammenfassung:

Das stilistisch interessant aufgebaute Mahnwort richtet sich
an einen Menschen, der sich vom Zorn hinreissen liess. Selbst
wenn sein Groll berechtigt wäre, wird er mit Vorsicht in einem
solchen Moment schweigen, da entfachter Zorn meistens in einen
üblen Streit ausartet.

Das folgende Sprichwort handelt vom אויל. Für ihn bringt das
Schweigen nur Vorteile. Aus Vorsicht, von den andern nicht als
dumm und einfältig hingestellt zu werden, wird er sich am besten still verhalten.

Die beiden Sentenzen Spr 17,27f. stehen eigentlich in Verbindung zueinander. Darauf weisen schon die Stichwortverbindungen
(נבון-תבונה) und die Alliterationen auf ח (bzw. כ) hin. Da es
aber in V.27 eher um den sparsamen Gebrauch der Rede geht,
haben wir diesen Vers im vorhergehenden Kapitel behandelt[1].

17,27f.   וְקַר־רוּחַ אִישׁ תְּבוּנָה׃   חוֹשֵׂךְ אֲמָרָיו יוֹדֵעַ דָּעַת
          אֹטֵם שְׂפָתָיו נָבוֹן׃   גַּם אֱוִיל מַחֲרִישׁ חָכָם יֵחָשֵׁב

> Wer mit seinen Worten spart, ist einer der Erkennt-
> nis kennt,
> wer kühlen Geistes ist ein Mann der Vernunft.
> Sogar der Narr wird, wenn er schweigt, als weise
> gelten,
> wenn er seine Lippen verschliesst, als verständig.

Grammatikalisches und Stilistisches:

In V.28 handelt es sich um zwei reale Bedingungssätze. Wird
das Imperfekt mit seinen Aequivalenten (Jussiv, Kohortativ,
Impf., Perf. cons., Part.) gebraucht, so handelt es sich um
eine in der Gegenwart oder Zukunft erfüllbare Bedingung[2]. Bei

---

1 Siehe oben Kapitel III 172-175.
2 GESENIUS-KAUTZSCH, Grammatik § 159 b und i.

Partizipien steht der Nachsatz meist mit dem Waw apodosis (z.B.
Spr 23,24:וישׂמח הכם יולד)[1]. An dieser Stelle fehlt jedoch das
Waw. Subjekt (אויל) und Verb des Prädikats (יחשׁב) werden in
diesem synonymen Parallelismus nur im ersten Glied genannt
(ἀπο-κοινοῦ-Konstruktion). Das Verb wurde wahrscheinlich an
das Ende der 1. Vershälfte gestellt, um gleichsam auf die andere Hälfte hinüberzuwirken[2]. Allerdings haben alle Fälle dieses Verbs im Ni., die ohne Präposition konstruiert sind, die
gleiche Wortfolge (Dtn 2,20; 2,11; Neh 13,13). "Denn sie gal-
ten als zuverlässig (כי נאמנים נחשׁבו " (Neh 13,13). Es scheint,
dass in diesen Fällen das Verb nachgestellt ist, weil der Akk.
besonders betont ist. Auch eine Ueberprüfung beim Qal mit dop-
peltem Akk. gab keine eindeutige Auskunft. Es finden sich folgende Wortstellungen: Verb - Akk. (od. Suff.) - ל (Gen 38,15;
1 Sam 1,13; Ijob 13,24; 33,10; 41,24); ל - Verb - Suff. (Ijob
19,15); Akk. - Verb - ל (Ijob 35,2); Verb - ל - Akk. (Ijob 41,
19).

גם gibt dem Wort אויל einen besonderen Nachdruck (vgl. Spr 14,
20)[3].

Durch die alliterierenden מ,ה , und שׁ יהשׁב הכם מהריש wird die
enge Verbindung zwischen dem Weisesein und dem Schweigen aufgezeigt.

Auslegung:

Vom אויל erwartet man keinenfalls, dass er schweigt. Durch sein
aufbegehrtes Reden entfacht er überall Streit (Spr 20,3). Wird
er von einem andern geschmäht, so gibt er bald seinen Aerger
kund (Spr 12,16). Wenn ein Weiser mit ihm redet, so reagiert
dieser tölpelhaft (Spr 29,9; vgl. auch 10,14.21; 14,3).

---

1 Ebd. § 159 i; BROCKELMANN, Syntax § 164 a.
2 Vgl. SCHMID, Studien 20.
3 Vgl. KBL 186; JACOB, Erklärungen 279-282.

Doch hat auch er eine Chance. Wenn er sich nämlich ruhig verhält, kann er als weise gelten. חשׁב im Ni. bedeutet "gerechnet
werden für", "gelten als" und steht in Dtn 2,11.20, Spr 17,28;
Neh 13,13 ohne Präposition; sonst mit ל (Gen 31,15; Jes 40,17;
Spr 27,14), ב (Jes 2,22) und כ (Num 18,27.30; Jes 5,28; 29,16;
40,15; Hos 8,12; Ps 44,23; Ijob 18,3; 41,21).

Parallel zu מחריש (Part. Hi.) "stumm sein", "schweigen" steht
אטם שפתיו. אטם bedeutet "verstopfen" und bezeichnet sonst das
Zuhalten der Ohren (Jes 33,15; Ps 58,5; Spr 21,13). In 1 Kön
6,4; Ez 40,16; 41,16.26 wird es mit חלון verbunden: "vergit-
terte Rahmenfenster". NOTH vermutet, dass die konkrete Grundbedeutung "vergittern" heisse. Bei der Beziehung auf Ohren und
Lippen wäre dann eine bildliche Verwendung anzunehmen[1].

Für den אויל ist es klüger, wenn er seinen Mund zuhält ("ver-
gittert"), dann kann er sogar für einen Weisen, bzw. für einen
Einsichtigen[2] gehalten werden. Einen ähnlichen Gedanken findet
sich bei Ijob 13,5: "O wenn ihr euch doch still verhieltet, so
wäre es Weisheit für euch". Wenn die Freunde schwiegen, hätten
sie wenigstens den Anschein der Weisheit gewahrt[3]. Ebenso äussert sich Sir 20,5: "Mancher schweigt und ist für weise zu halten und mancher wird abgelehnt trotz vielen Redens". Das Sprichwort erinnert auch an: "sie tacuisses, philosophus mansisses".
In gleiche Richtung weist das Sprichwort in der ägyptischen
Lehre des "Anch-Scheschonki" (ca. 6. Jh. v. Chr.): "Schweigen
verbirgt Torheit" (23,4).

---

1 NOTH, Könige I 97f.
2 Zum Begriff נבון siehe oben Kapitel II 124f.
3 FOHRER, Hiob 248.

b) Aus Schlauheit (Klugheit)

12,23 אָדָם עָרוּם כֹּסֶה דָּעַת   וְלֵב כְּסִילִים יִקְרָא אִוֶּלֶת:

Einer, der Erkenntnis verdeckt[a], ist ein schlauer
(kluger) Mensch, (od. ein schlauer Mensch ist einer...)
aber das Herz des Toren schreit Narrheit aus[b].

Textanmerkungen:

a   GRAETZ schlägt für יַבִּיעַ כֹּסֶה vor[1]. Van der WEIDEN
     vokalisiert zu כִּפָּה (Pi'el) und versteht das Verb
     im privativen Sinne "exposer"[2]. Wie die Auslegung
     zeigen wird, kann aber das Part. Qal. befriedigend
     erklärt werden.

b   Die LXX hat eine merkwürdige Uebersetzung: Ἀνὴρ συνε-
     τὸς θρόνος αἰσθήσεως, καρδία δὲ ἀφρόνων συναντήσεται
     ἀραῖς. "Der Kluge ist ein Thron der Erkenntnis, aber
     das Herz des Toren wird Verwünschungen antreffen"[3].

Grammatikalisches und Stilistisches:

In V.23a handelt es sich um einen Nominalsatz. Es lässt sich
nicht genau entscheiden, welches das Subjekt des Satzes ist.
Der Regel entsprechend ist "ein schlauer Mensch" Subjekt: Ein
Schlauer ist einer der Erkenntnis verdeckt. In diesem Fall wird
über das Verhalten eines bestimmten Menschen berichtet. Von
V.23b her müsste man sich für diese Interpretation entscheiden:
"das Herz des Toren, es schreit Narrheit aus" (zusammengesetzter Nominalsatz). Doch wie wir bereits aufmerksam machten, wollen die Weisheitslehrer nicht so sehr über ein Verhalten eines
bestimmten Menschen berichten, sondern in den Weisheitsprü-
chen wird in erster Linie ein Urteil über ein bestimmtes Ver-

1 Vgl. TOY, Proverbs 255.

2 Van der WEIDEN, Proverbes 101f.

3 Zur Erklärung dieser merkwürdigen Uebersetzung vgl. TOY,
  Proverbs 257.

halten gefällt[1]. HERMISSON hat sogar darauf hingewiesen, dass
selbst in den Konstruktusverbindungen "Lippen des Toren",
"Ohr des Weisen", "Herz des Toren" bereits ein Urteil enthalten ist[2]. Aus diesem Grunde gebe ich der Uebersetzung: "einer,
der Erkenntnis verdeckt, ist ein schlauer Mensch" den Vorzug.

Im Gegensatz zum Pi'el (כִּסָּה), das ein dauerndes Verbergen ausdrückt (vgl. Spr 11,13), hat das Part. Qal von כסה die Bedeutung "verdecken", "nicht sofort zeigen"[3].

Die Wortverbindung אדם ערום wird durch den a-Laut und das Mem
besonders miteinander verkettet. Das alliterierende ל verdeutlicht, wie eng לב כסילים und אולת zusammengehören. Dazu die
Alliteration auf כס: כסה כסילים.

Auslegung:

Das Qal von כסה ist hier bewusst gewählt, um anzudeuten, dass
es nur um ein vorübergehendes Bedecken der Erkenntnis geht.
Nur jener wird als ערום qualifiziert, der vorsichtig ist und
seine Erkenntnis (sein Wissen)[4] nicht gleich zur Schau trägt.
Er behält sie für sich, bis eine Gelegenheit sich bietet, sie
am rechten Orte zur rechten Zeit an den rechten Mann zu bringen. Er macht dies auch aus eigenem Interesse, damit er sich
durch voreiliges Gerede keine Blösse gibt und demzufolge nicht
ernst genommen wird. Das Schweigen ist deshalb für ihn nur auf
eine bestimmte Zeitspanne beschränkt. Wer so handelt, wird als
אדם ערום beurteilt. ערום wird hier wohl besser mit "schlau"[5]

---

1 Siehe oben Einleitung 34-36.
2 HERMISSON, Studien 164f.; vgl. auch 156f.
3 Vgl. darüber ausführlicher unten (Auslegung), ferner 235f.
4 Zum Begriff דעת siehe Kapitel VI 298.
5 Vgl. DUESBERG, Scribes 250f.; dazu FRANKENBERG, Sprüche
   79; ALONSO-SCHOEKEL, Proverbios 67f.; McKANE, Proverbs 442f.

als mit "klug"[1] wiedergegeben. Wenn auch das Wort "Schlauheit"
nicht immer als ein positiver Wert beurteilt wird[2], so hat es
in den Proverbien keinen negativen Sinn[3]. An vier Stellen ist
es dem Wort פֶּתִי gegenübergestellt (Spr 14,15.18; 22,3; 27,12).
In Spr 12,23, 13,16, 14,8 bildet כְּסִיל sein Gegenbegriff und in
Spr 12,16 אֱוִיל.

Der Tor merkt nicht, wann er zu reden und zu schweigen hat. Er
ist bekümmert, möglichst alles weiterzusagen, selbst dann, wenn
er nichts beizutragen hat. Dadurch verbreitet er notwendiger-
weise אִוֶּלֶת[4] und steht im krassen Gegensatz zum Schlauen, der
gelegentlich sogar דַּעַת verbirgt. In Spr 13,16 erfahren wir ge-
naueres, wieso der Schlaue (Kluge) für gewisse Zeiten sein Wissen zurückhält: "Ein Schlauer (Kluger): 'alles'[5] tut er mit
Einsicht (בְדַעַת), aber ein Tor: er breitet (יִפְרֹשׂ) Narrheit
aus"[6]. בְדַעַת bedeutet, dass der Schlaue stets bewusst handelt,
d.h. unter Einbeziehung seiner Erkenntnisse, Erfahrungen und
Begegnungen. Er überlegt sich alles und entscheidet sich erst,
wenn er überzeugt ist, dass es das Richtige ist. Ganz anders
der Tor, er breitet seine Dummheit aus. Im Ausdruck פָּרַשׂ liegt
wahrscheinlich das Bild des Händlers vor, der seine Ware ausbreitet, um sie zum Verkauf anzubieten ("auskramen"). Damit

---

1 Vgl. TUR-SINAI, Mischle 213; RINGGREN, Sprüche 52f.; GEMSER,
  Sprüche 60 u.a.

2 So stehen in Ijob 5,13 die "Schlauen" den "Verschlagenen" parallel, die hinterlistige Machenschaften hegen und krumme Wege gehen (vgl. Dtn 32,5; Ps 18,27).

3 CAZELLES, Sagesse 35 und Anm. 2.

4 Zum Begriff אִוֶּלֶת siehe oben Kapitel II 134f.

5 Nach dem MT: "jeder Kluge", wahrscheinlich ist mit der
  Peschitta und der Vulgata כֹּל zu lesen (vgl. McKANE, Proverbs 456 u.a.). Das Objekt כֹּל ist vorangestellt (vgl. Spr
  1,7; 2 Kön 5,13) (BROCKELMANN, Syntax § 122 r). Zu כֹּל als
  Objekt vgl. Ps 74,3b (GUNKEL, Psalmen 323).

6 Auch in diesem Sprichwort wird in erster Linie ein Urteil
  über ein bestimmtes Verhalten gefällt.

liegt im Worte etwas Spottendes. Wie der Kaufmann seine Ver-
kaufsartikel zur Empfehlung aufwickelt und ausbreitet, so macht
es der Tor mit seiner Dummheit[1].

12,16   אֱוִיל בַּיּוֹם יִוָּדַע כַּעְסוֹ   וְכֹסֶה קָלוֹן עָרוּם:

Der Narr: einer, dessen Aerger am gleichen Tag bekannt wird[a],
einer, der seine Schmach verhüllt: der Schlaue (Kluge).

Textanmerkung:

a   Anstelle von יִוָּדַע wird oft nach den verschiedenen Versionen (vgl. z.B. LXX ἐξαγγέλει ὀργὴν αὐτοῦ;
Symmachus δηλώσει θυμὸν αὐτοῦ; Vulg. indicat iram
suam) יוֹדִיעַ "jd. etwas wissen lassen" vorgeschlagen[2]
(vgl. Auslegung).

Grammatikalisches und Stilistisches:

V.16a bildet einen zusammengesetzten Nominalsatz. Da der Prädikatssatz ein anderes Subjekt hat, wird das "Uebersubjekt"
(אֱוִיל) im Prädikatssatz durch ein Suffix, das sogenannte Bindepronomen wieder aufgenommen (כַּעְסוֹ)[3].

In V.16b ist an und für sich das Subjekt nicht eindeutig zu bestimmen. Rein Grammatikalisch scheint auch hier "ein Schlauer"
Subjekt zu sein. Dadurch, dass das Subjekt nachgestellt ist,
entsteht ein Chiasmus.

Man darf sich in V.16 nicht so sehr an die grammatikalischen
Subjekte oder Prädikate halten, sondern muss nach dem Ziel der
Aussage fragen. Es geht auch hier nicht darum die Idee des
"Schlauen", bzw. "Narren" darzustellen, sondern bestimmte Ver-

---

1 Vgl. DELITZSCH, Spruchbuch 218; GEMSER, Sprüche 64.

2 Vgl. BH; SCOTT, Proverbs 90 u.a.

3 Vgl. NYBERG, Grammatik ʃ 85 g; MICHEL, Tempora 179f.

haltensweisen als "schlau", bzw. als "närrisch" zu qualifizieren[1].

Das Qal in כסה bezeichnet ein "vorübergehendes Verdecken" (vgl.
12,23 und Auslegung)[2].

Die Alliteration auf כס in כעסו וכסה unterstreicht den Gegensatz zwischen dem Enthüllen des Aergers und dem Verbergen der
Schmach[3].

Auslegung:

Der Begriff אויל impliziert häufig negatives Reden (Spr 10,8.
10.14.21; 12,16; 14,3.9; 17,28; 20,3; 24,7; 29,9)[4].

Die vorgeschlagene Korrektur יודע "wissen lassen" ändert nicht
viel den Sinn[5]. Vielmehr ist das Passiv (Ni. Impf: יִוָּדַע) um
eine Nuance reicher. Dadurch wird ausgedrückt, dass der Aerger
des "Narren" von selbst auskommt. Natürlich ist er es selber,
der ihn ausbringt, aber er kann nichts dafür. Die Erwiderung
des "Narren" auf eine Beschimpfung oder Beleidigung ist eine
unüberlegte Reaktion. Sie geschieht unmittelbar und ist ein
blinder Vergeltungsschlag. Er reagiert wie ein verletztes
Tier[6]. Sein Gegner geht gerade darauf aus, ihn zu kränken und
hat seine Befriedigung, wenn er sieht, wie sich der אויל är-
gert.

Ganz anders verhält sich der "Schlaue". Im Gegensatz zum Pi'el
drückt das Part. Qal nicht ein "bleibendes Ergebnis" aus, sondern bedeutet "verdecken", "nicht sofort zeigen". Es geht nicht
darum, dass die angetane Schmach für immer vergessen wird und

---

1 Siehe oben Einleitung 34-36.

2 JENNI, Pi'el 204f.

3 Vgl. ALONSO-SCHOEKEL, Kunstwerk 301f.

4 Zum Begriff אויל vgl. CAZELLES, ThWAT I 149.

5 Vgl. McKANE, Proverbs 442.

6 Vgl. ebd. 442.

der "Schlaue" niemals davon reden darf, sondern nur darum, dass
die momentane, vorschnelle Reaktion des "Narren" vermieden
wird[1]. Diese Bedeutung wird auch durch בריב in V.16a bestätigt.
קלון bezeichnet hier die "(erlittene) Niedertracht"[2]. Wenn der
"Schlaue" von jemandem beleidigt wird, lässt er sich nichts an-
merken und bleibt unerschütterlich. Dadurch gibt er seinem Gegner keine Gelegenheit, sich über ihn lustig zu machen. Er
schweigt aber nur vorübergehend. In veränderter Situation kann
er darauf zurückkommen, ohne seinen Ruf zu gefährden.

In der Weisheit ist im allgemeinen ein Misstrauen gegenüber allen starken Affekten[3] und allem Voreiligen eine gewisse Abnei-
gung (Spr 11,2).

c) Zusammenfassung

Eine Anzahl Sprichwörter motivieren das Schweigen aus Vorsicht
(23,9; 30,32f.; 17,28) und aus Schlauheit (Klugheit) (12,23;
12,16). Einzelne Sentenzen machen den Eindruck, als ob es hier
um rein utilitaristische Motive gehen würde (z.B. 17,28; 12,16;
12,23)[4]. Gewiss sind diese Sprichwörter praktisch, d.h. auf die
Bewältigung des Alltags ausgerichtet. Dem Schüler werden Lebensregeln mitgegeben, um seine täglichen Probleme zu meistern.
Wenn hier der Erfolg (bzw. Misserfolg), der Beifall (bzw. die
Missbilligung) der Umgebung im Vordergrund stehen (vgl. 17,28;
12,16; 12,23), so geschieht dies wohl aus pädagogischen Gründen. Man wird aber diese Sprüche nicht aus dem gesamten Rahmen
des Spruchbuches herausnehmen dürfen. "Die Kernfrage der Weis-

1 Vgl. JENNI, Pi‘el 204f.
2 KLOPFENSTEIN, Scham 189f.
3 Vgl. von RAD, Weisheit 116f.
4 Vgl. dazu SKLADNY, Spruchsammlungen 86-95; GEMSER, Sprüche
  10f.63.65.

heit (wie sie in den ältesten Spruchsammlungen erscheint) lautet: Wie erkennt der Mensch die von Jahwe gesetzte und garantierte Ordnung der Welt und wie wird er ihr im Alltagsleben gerecht - in der Verantwortung für die Gemeinschaft wie für sein eigenes Schicksal?"[1]. So sind wohl Aussagen mit individualistisch geprägtem Inhalt nicht ohne Bezug zur Gemeinschaft zu verstehen. Während aber diese Seite in einzelnen Sprüchen nicht zum Vorschein kommt (17,28; 12,16; 12,23), so weisen andere Sentenzen, die das Schweigen aus Vorsicht (Klugheit) begründen, diese gesellschaftsverpflichtenden Aspekte auf. So soll der Weise nicht zum Toren sprechen, weil dieser die klugen Weisheitssprüche verspottet und dadurch der Weisheit schadet (Spr 23,9). Ebenso soll man in einer erhitzten Situation aus Vorsicht schweigen, damit nicht Streit entfacht wird (Spr 30,32f.).

Ganz ausgeprägt liegt in den folgenden Sprichwörtern das Interesse an den konkreten Bindungen der Gemeinschaft. An diesen Stellen wird das Schweigen empfohlen, damit die Gemeinschaftstreue nicht verletzt wird (Spr 11,13 [vgl. 20,19]; 25,9f.).

3. Aus Gemeinschaftstreue

Zunächst sind hier zwei ähnlich aussehende Proverbien zusammengestellt. Es wird sich zeigen, ob ihre Aussagen identisch sind[2].

---

1 SKLADNY, Spruchsammlungen 93.
2 Vgl. RICHTER, Recht 153.

11,13   הוֹלֵךְ רָכִיל מְגַלֶּה־סּוֹד   וְנֶאֱמַן־רוּחַ מְכַסֶּה דָבָר:

> Wer mit Geschwätz (als Schwätzer) umhergeht, deckt
> Geheimnisse auf,
> wer zuverlässigen Sinnes ist, bedeckt die Sache.

20,19   גּוֹלֶה־סּוֹד הוֹלֵךְ רָכִיל   וּלְפֹתֶה שְׂפָתָיו לֹא תִתְעָרָב:

> Geheimnisse offenbart, wer mit Geschwätz (als
> Schwätzer) umhergeht,
> wer mit seinen Lippen unerfahren ist, mit dem lass
> dich nicht ein.

Grammatikalisches und Stilistisches: 11,13 und 20,19

In 11,13 haben wir zwei Nominalsätze mit normaler Wortstellung:
Subjekt "wer mit Geschwätz umhergeht", Prädikat "deckt Geheim-
nisse auf" (V.13a); Subjekt "wer zuverlässigen Sinnes ist",
Prädikat "bedeckt die Sache" (V.13b).

In 20,19a ist das Subjekt grammatikalisch nicht eindeutig be-
stimmbar. Wäre hier die normale Wortfolge, so wäre "wer Geheimnisse offenbart" Subjekt. Doch dem Sinn nach ist eher
"wer mit Geschwätz umhergeht" Subjekt. Es ist zu vermuten,
dass לפתה in V.19b zu dieser Umstellung beigetragen hat; denn
"wer mit seinen Lippen unerfahren ist" ist eigentlich eine
weitere Charakterisierung des Subjekts in V.19a. Durch die
Nebeneinanderstellung bekommt die Aussage über den Schwätzer
noch mehr Gewicht.

In V.19b liegt ein Verbalsatz vor. לפתה שפתיו ist dem Verb vor-
angestellt·(casus pendens ohne rückweisendes Suffix), um den
Ausdruck besonders hervorzuheben[1].

Nach RICHTER ist V.19a kaum ein selbständiger Nominalsatz.
Die Partizipien in V.19a sind parallel zu dem der zweiten

---

1 Vgl. GESENIUS-KAUTZSCH, Grammatik § 143 b; BROCKELMANN,
   Syntax § 123 a/b.

Vershälfte und verzichten, weil vorgezogen, auf das Kasuszeichen: "Wer Geheimnisse offenbart, als Verleumder umhergeht, wer einfältig handelt mit seinen Lippen - habe ja keine Gesellschaft (mit ihnen)"[1]. RICHTERs Vorschlag scheint mir möglich zu sein. Auch im Hebräischen kann bei Aufzählungen das Waw gelegentlich wegfallen (vgl. im Deutschen: Mann, Frau und Kind). "Wie? Stehlen, Morden und Ehebrechen und Falschschwören und dem Baal räuchern und andern Göttern nachlaufen, die euch unbekannt sind" (Jer 7,9). "Ich schenke in der Steppe Zeder, Akazie und Myrte und Kiefer" (Jes 41,19a). "Ich setze in der Wüste Wachholder, Fichte und Zypresse" (Jes 41,19b).

Ebenso kann das ל in V.19b auch auf die vorhergehenden Objekte zurückwirken. DAHOOD gibt dazu einige Beispiele aus den Psalmen[2].

In V.19b steht ein Prohibitiv לא תהערב. Eigentlich würde man einen Vetitiv erwarten, ähnlich wie Spr 24,21, wo das gleiche Verb vorkommt[3].

DELITZSCH deutet רכיל als Intensivform von רֵכֵל "Klätscher"[4]. BAUER-LEANDER erklärt das Wort als Verbalnomen (Dehnstufe des Inf. qatil) von qatīl "Verleumdung" (vgl. auch BARTH)[5].

רכיל ist acc. adverbialis und beschreibt die Art und Weise des Vollzugs einer Handlung näher: "wer einhergeht mit Geschwätz" (vgl. Mich 2,3 ולא תלכו רומה "nicht sollt ihr einhergehen in aufgerichteter Stellung")[6].

---

1 RICHTER, Recht 80.152f.

2 DAHOOD, Psalm III 436-439, bes. 437.

3 Vgl. RICHTER, Recht 80f.

4 DELITZSCH, Spruchbuch 182.

5 BAUER-LEANDER, Grammatik § 61 p α; BARTH, Nominalbildung § 85f.

6 GESENIUS-KAUTZSCH, Grammatik § 118 q.

Die Tatsache, dass גלה einmal im Qal (Spr 20,19) und einmal im
Piʿel (Spr 11,13) steht, hat folgende Bedeutung: Das Piʿel
weist auf das Ergebnis der Handlung hin. Das Geheimnis kann
nur einmal verraten werden, dann bleibt es dauernd enthüllt
(vgl. Spr 25,9 im Gegensatz zu Am 3,7 Qal). Dass dies gemeint
ist, zeigt auch מכסה in 11,13b. Wie was einmal bedeckt ist, bedeckt bleibt, so bleibt enthüllt, was einmal enthüllt ist. Die
Aufmerksamkeit richtet sich bei 11,13 darauf, "was mit dem Objekt geschieht, ob das zu Verschweigende offenbar gemacht oder
verborgen bleibt. In Spr 20,19 dagegen zielt der zweite Halbvers nicht auf eine Aussage über das Objekt, über das Verschweigende, sondern auf eine weitere Charakterisierung des
Subjekts ("der die Lippen öffnet = der viel redet"). Damit bekommt auch das Prädikat von V.19a in erster Linie nur die Funktion einer Aussage über das Subjekt (= "er ist einer, der Geheimnisse ausplaudert") und kann daher im Qal bleiben"[1].

Die Alliterationen auf לכ in 11,13a unterstreichen den Gedanken, dass der Schwätzer Geheimnisse enthüllt: הולך רכיל מגלה.
Ebenso verstärken die Assonanz in מגלה - מכסה und die Alliterationen auf סוד- מכסה דבר:סד den Gegensatz.

In 20,19b betonen die Alliterationen auf ת (4x) und ל (2x),
dass man sich mit dem Schwätzer auf keinen Fall einlassen darf.
Zu 20,19a vgl. 11,13a.

Auslegung:

11,13

Die meisten Exegeten übersetzen הולך רכיל entweder "als Ver-

---

1 JENNI, Piʿel 203.

leumder umhergehen"[1] oder "Verleumdung treiben"[2]. Aus den beiden Proverbienstellen (11,13; 20,19) geht hervor, dass es sich
nicht um Verleumdung handeln muss, sondern eher um ein Geschwätz[3]. Der Ausdruck findet sich auch in Lev 19,16; Jer 6,28;
9,3 und Ez 22,9 (אנשׁי רכיל). Während in Jer 6,28 und 9,3 die
Stellen ohne weiteres mit "Geschwätz" übersetzt werden können,
zeigen die Kontexte in Ez 22,9 und Lev 19,16 deutlich, dass
nur "Verleumdung" gemeint sein kann. Man kann deshalb vermuten, dass ursprünglich (in vorexilischer Zeit) der Ausdruck
eher die Bedeutung "mit Geschwätz umhergehen" hatte (vgl. Spr
11,13; 20,19; Jer 6,28; 9,3) und später die Bedeutung "Verleumdung treiben" annahm (Lev 19,16[4]; Ez 22,9). Das Wort רכיל
wäre dann vom Stamm רכל "hausieren", "Handel treiben", "als
Hausierer umhergehen"[5] abzuleiten. Es ist durchaus möglich,
dass dieses Wort die Bedeutung "Geschwätz" oder "Schwätzer" bekommen hat, da Hausierer wohl gerne Verbreiter von
Neuigkeiten, aber auch von Geschwätz waren. Da auf diese Art
aber auch manche Verleumdungen zustande kamen, hätte der Ausdruck später eher die Bedeutung von schlechtem Geschwätz (Verleumdung) bekommen.

Wie wir bereits festgestellt haben, ist die Wahl des Pi‘els
v. גלה gezielt. Die Aufmerksamkeit richtet sich darauf, ob

---

1 Vgl. FRANKENBERG, Sprüche 73: "als Zwischenträger und Verleumder umhergehen"; RINGGREN, Sprüche 48; GEMSER, Sprüche
54; TOY, Proverbs 227 und OESTERLEY, Proverbs 85:
"talebearer".

2 BARUCQ, Proverbes 110: "colportant la médisance" (vgl. auch
GB 760: KBL 892).

3 Vgl. DELITZSCH, Spruchbuch 182.

4 Allerdings lasst sich nicht genau bestimmen, ob wir in Lev
19,16 einen vorexilischen oder nachexilischen Text vor uns
haben (vgl. ELLIGER, Leviticus 242ff.; NOTH, Leviticus
119f.).

5 Vgl. EHRLICH, Randglossen II 64.

das Verschweigende aufgedeckt wird. Die Bedeutung "aufdecken"
hat daher leicht etwas Resultatives (etwas Verborgenes aufgedeckt machen).

סוד , das mit dem Syr. swdʾ "Gespräch", dem Arab. sāda "heimlich reden" zusammenhängt, drückt die vertraute Gemeinschaft
aus, die innerhalb einer Gruppe besteht (vgl. Ps 55,15; Jer
6,11 u.a.). KOEHLER hat darauf hingewiesen, dass damit der
vertraute Kreis der Männer gemeint ist, die sich an öffentlichen Orten, meistens am Tor treffen[1]. Dort werden Neuigkeiten
des Tages mitgeteilt. Es ist die Stätte, wo Anliegen der kommenden Tage und bevorstehenden Unternehmungen besprochen werden, und wo schliesslich Gericht abgehalten wird. Ferner ist
der סוד auch der Ort der Unterhaltung. Ijob beklagt sich, dass
ihn seine engsten Kreises Männer hassen (Ijob 19,19; vgl. auch
Jer 15,17, wo der Prophet die Klage führt, dass er nicht im סוד
der Scherzenden sitzen darf. In Ps 111,1 will der Fromme aus
vollem Herzen im סוד der Redlichen dem Herrn danken).[2]

In Beziehung auf Gott handelt es sich um die himmlische Rats-
versammlung, in der die Himmelswesen mit Gott zusammentreffen,
so dass Gottes und ihre Weisheit dort zu finden sind (Ijob
15,8; die Vorstellung ohne das Wort in 1 Kön 22,19ff.; Ijob
1,6ff.). In Jer 23,18.22 (vgl. auch Am 3,7) ist סוד יהוה Kriterium wahrer Prophetie geworden, dass ein Prophet in der vertraulichen Gesprächsrunde um Jahwe gestanden hat[3].

Das Wort bezeichnet dann auch den im vertraulichen Gespräch
beratenen Inhalt, das Geheimnis (Spr 11,13; 20,19; 25,9).

---

1 KOEHLER, Hebräische Mensch 89-92.

2 Ebd. 90f.; LUTFIYYA, Baytin 82f., zeigt in seiner soziologi-
  schen Untersuchung seines Heimatdorfes, dass heute noch die
  Bürger bei wichtigen Verhandlungen sich auf einem öffentlichen Platz versammeln. Jeder Bürger hat dort das Recht zu
  sprechen. Zu dieser Versammlung haben nur die Mitglieder des
  bestimmten Clans Zutritt (vgl. auch 179).

3 Vgl. FOHRER, Hiob 269; WOLFF, Dodekapropheton Amos 226; ZIM-
  MERLI, Ezechiel I 292f.; HOSSFELD-MEYER, Prophet 77f.

Durch das Ausplaudern ist das im vertraulichen Kreise Behandel-
te für immer enthüllt. Man kann es nicht mehr zurücknehmen. Was
aber in einem solchen Kreise diskutiert und beraten wird, gehört nicht zum Stadtgespräch. Es geht hier offenbar mehr als
um einen dummen Plauderer, der aus Einfalt etwas ausschwatzt.
Es handelt sich um einen Menschen, der die nun einmal gesetzte Ordnung missachtet. Er hält sich nicht an die Regeln, die
in einem Sod gelten. Dadurch verletzt er sich gegen die Gemeinschaft und zieht sich Schuld zu.

Dem gegenüber steht der Zuverlässige und Loyale (נאמן־רוח
"treuen Geistes")[1]. Er "bedeckt" dauernd alles, was er im vertraulichen Kreise gehört hat (vgl. Piʿel von כסה). Aus Treue
zu seinem Clan oder zu seinen Freunden bewahrt er das dort
Gehörte. Er ist der "Verlässliche", auf den man vertrauen kann.
Nicht bloss Verschwiegenheit wird hier gelobt, sondern dadurch,
dass der נאמן־רוח schweigt, bleibt das Vertrauensverhältnis
zur Gemeinschaft ungestört.

Jesus Sirach mahnt mehrmals, anvertraute Geheimnisse nicht
preiszugeben (19,10; 22,21f.; 27,16f.). Bei ihm sind es meistens die Geheimnisse eines Freundes, die bewahrt werden sollen.

20,19

Obwohl 20,19 der besprochenen Sentenz ähnlich ist, lässt sich
grammatikalisch nachweisen, dass es hier nicht um das Objekt
geht, dass nämlich das zu Verschweigende offenbar gemacht wird,
sondern der Weisheitslehrer will solche Menschen charakterisieren, vor denen sich der Weise hüten muss. Wer immer mit Geschwätz umherzieht, ist auch einer, der jeweils Geheimnisse
ausplaudert (vgl. das Qal von גלה). Es handelt sich bei ihm
um eine mangelnde Fähigkeit (vgl. V.19b "wer mit seinen Lippen

---

1 Siehe oben Kapitel II 160.

unerfahren, einfältig ist"), über im Vertrauen Erfahrenes zu schweigen. Dadurch gefährdet er die andern.

Das Verb ערב II im Hitp. wird mit verschiedenen Präpositionen konstruiert (mit ב: "sich mischen in etw." Spr 14,10; mit ב: "sich mit jemandem abgeben, einlassen" Ps 106,35; Esr 9,2; mit עם: "sich einlassen mit" Spr 24,21). An unserer Stelle steht es mit ל und bedeutet "sich einlassen mit jemandem". Das Beste ist, wenn man sich mit einem solchen Schwätzer nicht einlässt und vor allem ihm nichts Wichtiges anvertraut. Man wird sich hüten, ihn in einen Sod aufzunehmen. Bei ihm bewahrheitet sich das palästinische Sprichwort: "What is spoken by two is known by two tausend"[1].

Auch in der Lehre des Amenemope wird einmal gewarnt, mit einem Schwatzhaften sich einzulassen: "Lasse deine Rede nicht zu den Leuten herumgehen und befreunde dich nicht mit einem Schwatzhaften. Ein Mann, der sie im Leibe (verbirgt) ist besser als der, der sie zum Schaden sagt" (22,13f.)[2].

Im Mahnwort Spr 25,9f. wird abgeraten, bei einem Rechtsstreit eine Sache (Geheimnisse) eines Dritten mithineinzuziehen. Wie allgemein angenommen wird, steht V. 9f. nicht isoliert, sondern ist mit V.7c.8 verbunden. Da jedoch nur V.9f. für unsere Untersuchung wichtig ist, verweisen wir für die nähere Exegese von V.7c.8 auf die verschiedenen Kommentare (bes. McKANE).

---

1 OESTERLEY, Proverbs 85.
2 Uebersetzung nach LANGE, Weisheitsbuch 111.

25,7c-10   אַל־תֵּצֵא לָרִב מַהֵר   אֲשֶׁר רָאוּ עֵינֶיךָ:

פֶּן מַה־תַּעֲשֶׂה בְּאַחֲרִיתָהּ   בְּהַכְלִים אֹתְךָ רֵעֶךָ:

רִיבְךָ רִיב אֶת־רֵעֶךָ   וְסוֹד אַחֵר אַל־תְּגָל:

פֶּן־יְחַסֶּדְךָ שֹׁמֵעַ   וְדִבָּתְךָ לֹא תָשׁוּב:

7c	Was deine Augen gesehen haben[a],
8	geh[b] nicht übereilt zum Rechtsstreit[c], sonst[d] - was willst du in ihrer Folge (= hinterher) machen, wenn dich dein Nächster beschämt.
9	Ficht deinen Streit mit deinem Nächsten aus, aber das Geheimnis eines andern decke nicht auf,
10	damit nicht, wer es hört, die Gunst dir entziehe, und das Gerede über dich nicht aufhöre[e].

Textanmerkungen:

a   Mit Symmachus (ἃ εἶδον οἱ ὀφθαλμοί σου,μὴ ἐξενέγκῃς εἰς πλῆθος ταχύ) und Vulg.(quae viderunt oculi tui ne proferas in iurgio cito) ist V.7c zu 8 zu nehmen[1].

b   BH und GEMSER ändern zu תֹצֵא[2]. Doch kann sich diese Lesung auf keine textliche Grundlage stützen.

c   BH und GEMSER lesen mit Symmachus (εἰς πλῆθος) לָרֹב[3]. רִב hat aber nirgends die Bedeutung von "Volksmenge"[4]. Für dieses Wort wird meistens הָמוֹן gebraucht (vgl. 1 Sam 14,19; Jes 16,4; 17,12; Ijob 31,34). רֹב hat nur in Verbindung mit einem Nomen die Bedeutung von einer "Menge Leute" (vgl. Spr 11,14).

d   Viele ändern mit BH פֶּן zu כִּי[5].
DRIVER versteht פֶּן als indefinites Pronomen[6], das

---

1 Vgl. FRANKENBERG, Sprüche 140; GEMSER, Sprüche 90; ALONSO-SCHOEKEL, Proverbios 112; McKANE, Proverbs 250 u.a.

2 GEMSER, Sprüche 90f.

3 Ebd. 90f.

4 Vgl. McKANE, Proverbs 581.

5 Vgl. FRANKENBERG, Sprüche 140; OESTERLEY, Proverbs 222; RINGGREN, Sprüche 100; GEMSER, Sprüche 90f.

6 Vgl. BROCKELMANN, Syntax § 143 d.

unmittelbar dem Verb, welches es regiert, voraus-
geht (vgl. 1 Sam 20,10): "damit du nicht etwas
tust an seinem Ende auf Kosten davon, dass dich
..."[1].

Aus dem Zusammenhang bedeutet פן an dieser Stelle
"sonst". Gewöhnlich steht zwar פן mit Maqqef direkt vor dem Verb (vgl. 2 Sam 20,6 "sonst findet
er noch ["פן־מצא]"). Doch wird wahrscheinlich פן
hier besonders betont und steht deshalb am Anfang
(Emphase)[2].

e   Die LXX weicht ziemlich stark vom MT ab. Sie fügt
in V.10 noch hinzu: χάρις καὶ φιλία ἐλευθεροῖ,ἃς τή-
ρησον σεαυτῷ,ἵνα μὴ ἐπονείδιστος γένῃ,ἀλλὰ φύλαξον
τὰς ὁδούς σου εὐσυναλλάκτως
"Die Gunst und Freundschaft sind frei, bewahre sie
für dich, damit du nicht tadelnswert werdest, aber
bewahre deine Wege friedlich."

Grammatikalisches und Stilistisches:

V.7c.8

V.7c erklärt sich am besten als Hauptsatz mit substantivier-
tem אשר. Das Relativpronomen wird an dieser Stelle absolut
gebraucht (proposition substantivale avec אשר)[3].

Das Suffix in באחריתה ist als Neutrum aufzufassen und bezieht sich auf אשר in 7c. Es ist ähnlich zu erklären wie das
Suffix der 3. Pers. Sg. fem., das sich bisweilen zusammenfassend auf einen im Vorhergehenden enthaltenen Tätigkeitsbegriff
bezieht (vgl. Spr 18,21)[4].

בהכלים (Inf. cs. Hif.): Die hebr. Konstruktion des Inf. mit
einer Präposition wird im Deutschen gewöhnlich in das Verbum
finitum mit Konjunktion aufgelöst ("wenn dich ... beschämt")[5].

---

1 DRIVER, Problems in the Hebrew Text 190.
2 Vgl. KBL 765; BUBER, Gleichsprüche 259.
3 JOÜON, Grammaire § 158 l.
4 Vgl. GESENIUS-KAUTZSCH, Grammatik § 135 p.
5 Ebd. § 114 d u. e.

V.9f

רִיבְךָ רִיב: Es handelt sich hier um einen Casus pendens[1] (ohne
rückweisendes Suffix). Das Akk. Objekt steht zur Betonung am
Anfang.

In V.9 findet sich ein Mahnspruch im Wechsel zwischen Imperativ
und Vetitiv. Der Vetitiv steht mit der Kurzform der Präfixkon-
jugation. Er wendet sich in der Zeitstufe nur an die Zukunft
und drückt die Erwartung und den Wunsch aus, dass eine Handlung oder ein Ereignis nicht eintrete[2].

Eine Schwierigkeit bietet das Waw in V.9b. SCOTT fasst den Im-
perativsatz als Konditionalsatz auf (ohne אִם): "When you are
disputing with your neighbor. Do not betray another man's
confidences"[3]. Aus der Uebersetzung ist nicht klar, wie er den
Satz grammatikalisch rechtfertigt. Vielleicht liest er anstelle von רִיבְךָ: רָבְתָ (vgl. Spr 25,16)[4].

Am besten erklärt man das Waw als adversatives Waw[5]. Diese
Interpretation gibt den besten Sinn. Es wird davor gewarnt,
eine dritte Person in den Streit hineinzuziehen, indem man
anvertraute Geheimnisse von dieser Seite preisgibt.

גָּלָה (Pi'el) hat resultative Bedeutung "etwas Verborgenes aufgedeckt machen"[6].

Die Konjunktion פֶּן steht gewöhnlich im Anschluss weisheitli-
cher Mahnworte und leitet eine Begründung ein[7].

---

1 GESENIUS-KAUTZSCH, Grammatik § 143 b; BROCKELMANN, Syntax
  § 123 a u. b; JOÜON, Grammaire § 156 a u. c.

2 RICHTER, Recht 71.

3 SCOTT, Proverbs 153.

4 Vgl. BROCKELMANN, Syntax § 164 a (Spr 25,16; Sir 7,23f.).

5 Vgl. DELITZSCH, Spruchbuch 401; FRANKENBERG, Sprüche 140;
  RINGGREN, Sprüche 100; GEMSER, Sprüche 90 u.a.

6 JENNI, Pi'el 202f.; siehe oben 240.

7 HERMISSON, Studien 162.

יְחַסֵּד wird gewöhnlich mit "schmähen" von חסד I übersetzt. Die
Wörterbücher unterscheiden zwischen zwei Wurzeln: חסד I im
Pi'el "schmähen" (Spr 25,10; Sir 14,2), dazu חסד I "Schmach"
(Lev 20,17; Spr 14,34) und חסד II im Hitp. "sich liebreich be-
weisen" (2 Sam 22,26; Ps 18,26); dazu חסד II "Gnade", "Gunst",
"Huld".

Man kann sich fragen, ob hier nicht eine und dieselbe Wurzel
vorliegt. Beim Pi'el würde es sich dann um ein privatives Pi'el
handeln "jem. die Gunst entziehen"[1]. Die spätere Bedeutung
"schmähen", die im Mittelhebräisch bezeugt ist, kann durchaus
von diesem Sinn her abgeleitet werden. Bei Jesus Sirach wird
das Verb in der LXX mit καταγιγνώσκω "jem. verurteilen", "jem.
einen Vorwurf machen" wiedergegeben (Sir 14,2).

דִּבָּתֶךָ ist Genitivus objectivus: "Gespräch über jem." (vgl. auch
Num 13,32; 14,37)[2]; dagegen Sir 42,11 "Stadtgespräch" [Gen.
subjectivus]).

רִיב רִיבְךָ ist eine Figura etymologica (Verb mit Akk.-Objekt des
gleichen Wortstammes).

25,7c-10 ist voll von Alliterationen. Es seien hier nur die
häufigsten in V.9f. erwähnt. Das alliterierende ר (u.ב) in
V.9a und die Assonanz in V.9b (רִיבְךָ רִיב אֶת־רֵעֶךָ/אַל־תְּגַל) betonen die Notwendigkeit, den Streit mit dem Nächsten auszufechten,
ohne einen andern mithineinzuziehen (vgl. auch Figura etymologica). Die vielen End-Suffixe ךָ sprechen immer wieder den Schüler
persönlich an. Dadurch wirkt das Mahnwort umso eindringlicher.

---

1 Vgl. GESENIUS-KAUTZSCH, Grammatik § 52 h; JOÜON, Grammaire
  § 52 d; DAHOOD, Psalms III 390.

2 GESENIUS-KAUTZSCH, Grammatik § 128 h.

Auslegung:

Während in V.7c.8 davor gewarnt wird, ein auf flüchtige Be-
obachtung hin vermutetes Delikt beim Richter anhängig zu machen, sollen bei einem berechtigten Rechtsstreit mit einem
Nächsten nicht noch vertrauliche Sachen eines Dritten aufgedeckt werden (V.9).

ריב kann zunächst einfach heissen "in ein Handgemenge geraten", "streiten" (Ex 21,18; Ri 11,25; 12,2f.; Spr 17,14; 18,6).
Doch überwiegt die andere Bedeutung "eine Rechtssache, einen
Prozess führen", welche schon in alten Texten vorkommt (1 Sam
24,16)[1]. Zwischen privatem und öffentlichem Rechtsstreit gibt
es eigentlich keine scharfe Trennung. Beide müssen rechtmässig
ausgetragen werden, für beide werden gleiche Ausdrücke gebraucht. Häufig werden die beiden Begriffe ריב und דין verwendet[2].

Entscheidend ist, dass bei dieser Auseinandersetzung nicht Geheimnisse eines Dritten, d.h. was man aus einem vertraulichen
Gespräch weiss (vgl. zum Begriff סוד 11,13[3]), enthüllt werden
(vgl. das Pi'el von גלה, welches mit "etwas Verborgenes aufgedeckt machen" übersetzt werden muss[4]). In V.9b kommt deutlich zum Ausdruck, dass man darauf achten soll, dass kein
Dritter in die Affäre hineingezogen wird. Auch wenn einer der
Streitenden etwas von einem andern über seinen Gegner weiss,
so soll er dies wohlweislich verschweigen; denn es handelt
sich um etwas Vertrauliches. Dadurch, dass man ein solches Geheimnis preisgeben würde, könnte noch der Streit ausgedehnt

---

1 Vgl. SEELIGMANN, Terminologie 260ff.; KEEL, Feinde 48ff.

2 דין heisst "Gefecht, Zank, Gekneife". Es kann aber nicht an
der "forensischen Ursprungsbedeutung" von דין gezweifelt
werden (vgl. auch im Akkad. und Ugarit.) (SEELIGMANN, Terminologie 256).

3 Siehe oben 242.

4 Siehe oben 240.

werden.

In zwei Begründungssätzen wird auf die Folgen eines solchen un-
korrekten Verhaltens hingewiesen. Durch das privative Pi'el
wird hervorgehoben, dass einem solchen unloyalen Menschen jegliche חסד entzogen wird. Nach STOEBE meint חסד ein menschliches Verhalten, das über das Selbstverständliche und Pflicht-
gemässe hinausgeht. Das Wort bezeichnet eine "Grossherzigkeit",
eine "selbstverzichtende Bereitschaft für den andern dazusein"[1].
Sie bewährt sich in der liebevollen Hinwendung zum andern Menschen, mit dem man durch irgendeine Form der Gemeinschaft verbunden ist.

Auf diese besondere Zuwendung muss ein unloyaler Mensch verzichten. Darüberhinaus gerät er noch in schlechten Ruf. דבה
bezeichnet in Jer 20,10 (= Ps 31,14) und Ez 36,3 das "Gezischel feindseliger Menschen". In Jer 20,10b (= Ps 31,14b) wird
der Inhalt des Geredes erwähnt. Das Wort erscheint 4x in P
(Gen 37,2; Num 13,32; 14,36f.) und hat die Bedeutung von "Nach-
rede". Da der Begriff in Verbindung mit רעה erscheint (Gen 37,2
und Num 14,37), hat er nicht unbedingt die Bedeutung von einer
bösartigen Rede, sondern kann auch "Geschwätz", "Gerede" heissen, wie z.B. in Sir 42,11 דבה עיר "Stadtgespräch". In diesem
Sinne ist das Wort auch an unserer Stelle zu interpretieren.

Dieses "Gerede" hört nicht mehr auf. תשוב bedeutet "weggehen",
"zurückweichen", "in den früheren Zustand zurückkehren", d.h.
das Gerede kehrt nicht mehr in den früheren Zustand zurück. Es
wird, wenn es einmal in Umlauf gekommen ist, nicht wieder rück-
läufig.

Ein solcher Mensch, der Geheimzuhaltendes in einen Rechtsstreit
hineinzieht, wird deshalb in Verruf geraten und in der Gemeinschaft erledigt sein.

---

1 STOEBE, דסד 248; ders., THAT I 600-621.

4. Aus Respekt

11,12   בָּז לְרֵעֵהוּ חֲסַר־לֵב   וְאִישׁ תְּבוּנוֹת יַחֲרִישׁ:

> Einer, der seinen Nächsten verachtet, ist ein Unver-
> ständiger,
> aber ein Mann von Einsicht: er schweigt (od. ist
> einer, der schweigt).

Grammatikalisches und Stilistisches:

Das Subjekt in V.12a ist nicht eindeutig bestimmt. Es bestehen aber verschiedene Gründe, חסר־לב als Prädikat zu verstehen. In den meisten Proverbien geht es darum, bestimmte Verhaltensweisen als klug, weise, töricht oder unverständig zu
qualifizieren. So wird hier der Ausdruck "einer, der seinen
Nächsten verachtet" in ein einfaches Wertsystem eingestellt
("ist unverständig"). Auch die andern Proverbien, die mit
חסר־לב verbunden sind, sind in gleicher Weise zu verstehen
(vgl. Spr 6,32a; 12,11; 17,18). Ebenso steht der in Spr 14,21a
parallele Ausdruck "einer, der seinen Genossen verachtet" als
Subjekt. Ferner kann man auch darauf hinweisen, dass der prä-
dikative Gebrauch des Partizipiums in den Proverbien selten
ist[1].

In V.12b steht ein zusammengesetzter Nominalsatz. Auch wenn
der Wertbegriff "ein Mann der Einsicht" als Subjekt (richtiger
als Uebersubjekt) erscheint und das Prädikat eine Aussage über
das Verhalten des so Bezeichneten macht, wird doch ein Urteil
gefällt. Es wird also nicht einfach nur ausgesagt, was der
Einsichtige tut, sondern zugleich: Wer sich so als Schweigender verhält, der ist ein Einsichtiger[2]. Deshalb übersetzen wir
besser: "aber ein Mann von Einsicht, (es ist einer), der

---

1 Vgl. SCHMIDT, Studien 41f.49f.
2 Vgl. HERMISSON, Studien 156f. (zu Spr 14,15).

schweigt".

איש תבונות ist ein Concretum pro abstracto und hat praktisch adjektivische Funktion "ist einsichtig" (vgl. Spr 17,27).

In V.12b findet sich ein Homoioteleuton: איש יחריש.

Dazu treten die Alliterationen auf: חר : יחריש חסר-לב.

Auslegung:

בוז wird vorwiegend mit ל und nur zweimal im AT mit dem Akk. (Spr 1,7; 23,22) konstruiert. Das Verb bedeutet entweder "jd. geringachten" (vgl. 2 Kön 19,21; Jes 37,22; Spr 6,30; 11,12; 14,21; 23,22; 30,17; Hld 8,1.7) oder "etwas verachten" (z.B. die Weisheit und Zucht, die Worte usw., vgl. Spr 1,7; 13,13; 23,9; Sach 4,10).

Man kann sich fragen, ob es in diesem Sprichwort um die Verachtung eines Freundes geht, der "irgend etwas Unrechtes oder Törichtes begangen hat"[1]. Der Weise würde in diesem Falle nicht aus "Liebe" (Spr 10,12), sondern auch aus "Eigennutz" zu diesen Fehlern des Nächsten schweigen[2]. Dann wäre etwa Sir 20,1 mit unserem Sprichwort zu vergleichen: "Mancher Vorwurf wird gemacht zur falschen Zeit, doch mancher schweigt still, und der ist weise"[3]. In diesem Falle würde Spr 11,12 in der Nähe von 12,16 und 12,23 stehen, wo der Schlaue (Kluge) abwartet, bis er zu reden beginnt[4].

Sicher ist, dass es hier nicht um die Verachtung eines Menschen

---

1 FRANKENBERG, Sprüche 73.

2 Ebd. 73; GEMSER, Sprüche 54.

3 Eine ähnliche Situation wird bei Ptahhotep geschildert: Der junge Beamte soll schweigen, wenn ein Gleichgestellter schlecht spricht. Die aufmerksamen Hörer werden sein Gerede von selbst missbilligen und der junge Beamte wird angesehen sein (vgl. 68-73).

4 Siehe oben 231-236.

geht, der eine bösartige Tat verbrochen hat, da in der Spruchliteratur die Verachtung als Folge der bösartigen Gesinnung
legitim ist (vgl. 12,8; 18,3)[1].

Für die obige Interpretation, dass der Weise über die Fehler
der Nächsten schweigt, scheint auch das Wort חסר לב zu sprechen. Dieses Wort steht für einen Unerfahrenen, "dem es an
Verstand fehlt". Er jagt nichtigen Dingen nach und vernachlässigt die Arbeit (Spr 12,11). Er lässt seinen Weinberg verwahr-
losen (Spr 24,30f.). Er leistet unvorsichtig Bürgschaft (Spr
17,18). Er lässt sich von der fremden Frau betören (Spr 7,7).
Spr 9,4 und 9,16 zeigen, dass חסר לב und פתי "Unerfahrener"
einander sehr nahe verwandt sind. Von einem solchen Menschen,
dem es an Verstand fehlt, ist es nicht zu erwarten, dass er
im richtigen Moment schweigt. Er muss seine Verachtung zeigen.

Und doch gibt es Gründe, dieses Sprichwort nicht in diesem Sinne zu verstehen. Es ist nämlich auffällig, dass in den Proverbien neben der Geringachtung der Weisheit und Zucht, der
Klugheit der Worte besonders von der Geringschätzung der Eltern, der Elenden und Armen die Rede ist. Den hungernden Dieb
verachtet man nicht (Spr 6,30). Wer seinen Nächsten gering-
achtet, sündigt (Spr 14,21). Ein Auge, das die altgewordene
Mutter abschätzig ansieht, fällt Raubvögeln zum Opfer (Spr
30,17; vgl. 23,22; 15,20). Es ist deshalb ebenso gut möglich,
dass jener als "Unverständiger" bezeichnet wird, der seinen
vom Leid, von einer Krankheit oder von der Armut getroffenen
Nächsten verachtet. Da Krankheit[2] und Armut[3] oft als selbst-

---

1 GOERG, ThWAT I 584.

2 Vgl. BURKARD, BL 987; BARTH, Errettung 96; KOEHLER, Hebr.
  Mensch 41; KEEL, Feinde 137. Noch heute wird bei den Arabern
  die Krankheit als Folge von Bosheit und Schlechtigkeit angesehen. So gibt es besondere Flüche über Kranke. Z.B. über
  Blinde: "Der Einäugige ist frech" (vgl. CANAAN, Flüche 122f.).

3 Vgl. van den BORN, BL 107f.; PEUCKER, BHH I 129f.

verschuldetes[1] Uebel angesehen wurden, war man leicht in Ver-
suchung, solche geprüfte Menschen in einer Gesellschaft zu
verachten. Besonders die Psalmen, Ijob und Jeremias sprechen
von Verwandten, Freunden und Bekannten, die die Armen und
Kranken in ihrer Not verachten[2]. So redet auch die Spruchliteratur von den Armen, die von den nächsten Angehörigen im Stich
gelassen werden (Spr 14,20; vgl. 19,4.7).

Als gegenläufiger Begriff zu בוז steht חרש im Hi. Das Verb bedeutet "sich still verhalten", "schweigen" und wird gewöhnlich
für "still sein" verwendet (Ri 18,19; 2 Sam 13,20; Ijob 13,5;
Neh 5,8).

An einer Stelle aber bedeutet חרש gleichzeitig "nachsinnen",
"innewerden". Nachdem der Knecht Abrahams am Brunnen Rebekka
begegnet ist, schaut er in innerer Bewegung, aber schweigend
zu (מחריש), "um zu erkennen, ob Jahwe seine Reise würde gelingen lassen" (Gen 24,21)[3]. Muss nicht auch חרש in Spr 11,12 in
diesem Sinne verstanden werden?

Unser Sprichwort muss ähnlich wie Spr 14,21 erklärt werden.
Dort steht als entgegengesetzter Begriff zu בוז "verachten"
חנן "sich erbarmen". "Wer seinen Nächsten verachtet, sündigt,
aber wer sich erbarmt der Elenden, wohl ihm" (14,21). In diesem Falle hat hier "schweigen" den Sinn von "inne werden",
"nachdenken" und steht mit חנן in enger Beziehung. Der איש
תבונה ist vom Leiden seines Freundes tief beeindruckt, er kommt
zu sich und empfindet Mitleid. Nachdem die Freunde Ijobs vernommen hatten, dass er vom Leid geprüft werde, gingen sie hin,
"um ihre Teilnahme zu bekunden und ihn zu trösten... Sie erho-

---

1 Vgl. SKLADNY, Spruchsammlungen 19.38.61.

2 Vgl. die wichtigsten Stellen bei KEEL, Feinde 133f.

3 Vielleicht hat auch כמחריש in 1 Sam 10,27 einen ähnlichen
  Sinn: "Doch er verhielt sich wie ein Schweigender" (vgl.
  SMITH, Samuel 74; HERTZBERG, Samuelbücher 68).

ben ihre Stimme und weinten... und sie sassen bei ihm auf der
Erde sieben Tage und sieben Nächte lang, ohne dass einer ein
Wort zu ihm sprach. Denn sie sahen, dass der Schmerz sehr
gross war" (Ijob 2,11-13). Angesichts des übergrossen Schmer-
zes schweigen die Freunde[1]. Das Schweigen ist in dieser Situation ein Ausdruck des Mitleids[2] und wird vom Kranken eher
als Trost empfunden als oft tröstende, ermunternde, verheis-
sende Worte, die nur hohles Reden sind (vgl. Ps 41,7)[3].

Den tiefsten Grund für das sinnende Schweigen erfahren wir
in zwei Proverbien. "Arme und Leuteschinder begegnen sich,
der beiden das Augenlicht gibt, ist Jahwe" (29,13). "Reich
und arm begegnen sich, der sie alle schuf, ist Jahwe" (22,2).
Sowohl der Reiche wie der Arme sind Geschöpfe Gottes. Der Einsichtige ist sich dessen bewusst und wird sich deshalb nicht
verächtlich über den Armen äussern, sondern versinkt in nach-
denkliches Schweigen.

Im Gegensatz dazu masst sich der Einfältige an, einen von Leid
und Elend Geplagten zu verschmähen. Von einem solchen Menschen
heisst es in Spr 14,31: "Wer den Geringen bedrückt, schmäht
dessen Schöpfer" und in 17,5 stehen die Worte: "Wer den Armen
verspottet (nachäffelt), schmäht dessen Schöpfer, wer sich am
Unglück freut, bleibt nicht ungestraft".

---

1 LOHFINK, Phase des Schweigens 260-277, vermutet, dass das
  Schweigen der Freunde zu einem Klageritual gehöre, das sich
  bis heute im Orient erhalten habe.
2 Vgl. FOHRER, Hiob 105-107.
3 Zu Ps 41,7 vgl. KEEL, Feinde 145f.

5. Zusammenfassung

Es gibt verschiedene Gründe, wieso in den Proverbien das
Schweigen empfohlen wird. Neben dem Schweigen aus Ratlosigkeit
und Verlegenheit (Spr 24,7) wird häufig das Motiv der Vorsicht
und Klugheit (Schlauheit) erwähnt (Spr 23,9; 30,32f.; 17,27f.;
12,23; 12,16). Hier wird nicht unter allen Umständen Schweigen
gefordert. Aber es gibt im Leben Situationen, in denen es klüger ist, wenn man sich zurückhält. So wird man einem Toren
oder Zornigen gegenüber mit äusserster Vorsicht begegnen (vgl.
Spr 23,9; 30,32f.). Oft ist es auch besser, wenn man bei gewissen Gelegenheiten schweigt und abwartet, bis die Situation
sich geändert hat (vgl. Spr 12,23; 12,16).

Auch in der ägyptischen Weisheit wird das Schweigen oft aus
diesen Gründen angeraten. So wird dem jungen Beamten in
Ptahhotep (5. Dyn.) nahegelegt: "Wenn du ein angesehener Mann
bist, der im Rat seines Herrn sitzt, so ziehe dein Herz zusammen auf das Gute. Schweige - das ist schöner als die Teftef-
blumen; rede (nur) wenn du weisst, dass du (die Schwierigkeit)
lösest" (362-366). Ganz am Anfang der Lehre wird zur Zurückhaltung in der Rede gegenüber einem Schwätzer (dȝjśw)[1] gebo-
ten. Sowohl gegenüber einem Höhergestellten (60-67), wie auch
gegenüber einem Gleichgestellten (68-73), wie gegenüber einem
Untergebenen (74-83) soll man schweigen. Der aufmerksame Zuhörer wird diese Reden von selbst missbilligen und der junge
Beamte wird angesehen sein. Diese Mahnungen zum Schweigen sind
bei Ptahhotep gegen Geschwätzigkeit gerichtet. Wenn ein Beam-
ter sein Ansehen nicht verlieren will, muss er Zurückhaltung

---

1 ŽÁBA, Maximes 114 Anm. zu 60, übersetzt mit "Polémiste":
"celui qui discute, polémise... Il s'agit ici d'un magistrat
en train de haranguer ses collègues. Il polémise avec eux et
donne ses propres conseils". LANCZKOWSKI, Reden und Schweigen 195, versteht unter dȝjśw einen "'Schwätzer', der zer-
setzend wirkt".

üben.

Auch noch in der späten Lehre des Anch-Scheschonki (ca. 6.
Jh.) ist von diesem Schweigen die Rede. "Stummheit ist besser
als eine hastige Zunge" (15,16). "Schweigen verbirgt Torheit
(?)" (23,4)[1].

Wenige Proverbien reden auch vom Schweigen aus Treue zum Nächsten. Wer in einem Vertrautenkreis etwas hört, ist gehalten,
nichts auszuplaudern (Spr 11,13; 20,19; 25,9f.), sonst wird
ein solcher Schwätzer das Vertrauen verlieren und Schande er-
leben (Spr 25,10).

Schliesslich ist man auch verpflichtet, aus Respekt vor dem
vom Leid Geplagten zu schweigen (Spr 11,12).

Es muss uns auffallen, dass in den Proverbien sich keine Stellen finden, die das Schweigen als Ausdruck der Einfügung in
die göttliche Ordnung (vgl. das Ideal des "Rechten Schweigers"
im NR[2]) und als Akt des Vertrauens (vgl. Jes 30,15) begründen.

---

1 Nach der englischen Uebersetzung von GLANVILLE, Instructions.

2 Das Ideal des "Rechten Schweigers" wird vor allem in den
 Lehren des Anii und Amenemope erwähnt. Der Begriff der "wahre Schweiger" ist natürlich umfassender als unser Wort "der
 Schweigsame". Der "Schweigende" ist der Diskrete, der Be-
 scheidene, der Ruhige und Überlegene, der seine eigenen Wünsche zurückstellt, der Selbstbeherrschte (vgl. VOLTEN, De-
 motisches Weisheitsbuch 126; GESE, Lehre 16; MARZAL, Enseñanza 30f.). Dieses Ideal wird in der ägyptischen Lehre des
 Amenemope religiös begründet. Diese religiöse Motivierung
 entspricht durchaus der Spätzeit, in der das Verhältnis zwischen Gott und Mensch unmittelbarer und persönlicher geworden ist (LANCZKOWSKI, Reden und Schweigen 196; vgl. auch
 MORENZ, Gott und Mensch 66-71; BRUNNER, Freie Wille Gottes
 108-112).

V

VOM REDEN ZUR RECHTEN ZEIT

In einer langen Reihe von 14 Antithesen stellt der Prediger
(3,1-8) fest, dass "alles seine Zeit hat". Eine Tat oder ein
Ereignis ist nicht zu jeder Zeit opportun oder überhaupt möglich, sondern hat seine eigene, d.h. geeignete Zeit. Es gibt
eine Zeit für das Hervorbringen der Früchte (Ps 1,3; Mk 11,13),
der Ernte (Ijob 5,26; Jer 50,16 u.a.). Auch das Menschenleben
hat seinen eigenen Rhythmus (vgl. Koh 3,1-8). Es gibt eine
Zeit der Liebe (Ez 16,8), eine Zeit des Alters (1 Kön 11,4;
15,23; Ps 71,9) und eine Zeit des Todes (Ijob 22,16; Koh 7,17).
Sogar Gott hat seine Zeiten: Zeiten des Wohlgefallens (Ps 69,
14; Jes 49,8), des Zorns (Ps 21,10; Jer 18,23), der Heimsu-
chung (Jer 6,15; 8,12 u.a.) und es gibt den "Tag Jahwes"[1].

Besonders auch im Kult gab es die festgesetzten Zeiten
(מוֹעֵד vgl. Lev 23,2-44). Noch heute wird im Orient der Auf-
stellung des Kalenders grösste Aufmerksamkeit gewidmet. Im Altertum mussten zwei Männer dem Synhedrium unabhängig berichten, dass sie Neumond gesehen hätten und dann wurde dieses Ereignis durch Feuerzeichen oder Boten verkündet[2]. In Qumran war
die Hl. Zeit ein fester Ritus. 1 QS IX, 26 bβ - X, 8 enthält
eine Ordnung für Gebets- und Kultzeiten. Charakteristisch an
dieser Ordnung ist die Tatsache, dass die gottesdienstlichen
Zeiten in sehr genauer Weise den Zeitabschnitten entsprechen
müssen, die durch den Tages- und Jahreskreis der Sonne festge-
legt werden[3]. Insbesondere ist der Sabbat die Hl. Zeit.

Die Weisheit will den Menschen behilflich sein, die rechte
Handlung zur rechten Zeit zu vollbringen. In vielen Stellen

---

1 Vgl. NELIS, BL 1922-1925.

2 Die Sitte ist bei den Moslems immer noch üblich, wenn der
  Beginn des Fastenmonats Ramadan durch Bezeugung zweier Per-
  sonen vor dem Kadi festgestellt wird (PAX, Palästinensische
  Volkskunde 296).

3 WEISE, Kultzeiten 3-57.

der Proverbien zeichnet sich das Bild des Weisen, dessen Regel es ist, nicht unter dem ersten Impuls zu handeln, sondern sich zurückzuhalten, bis der rechte Augenblick gekommen ist[1]. Davon spricht nicht nur die alttestamentliche Weisheit, sondern auch die gesamte Weisheitstradition weist in zahlreichen Stellen darauf hin, dass nicht jedes Ding zu jeder Zeit angebracht ist und darum auch nicht zu jeder Zeit Erfolg hat. In der ägyptischen Literatur gibt es eine ganze Reihe von Aeusserungen, die in diese Richtung gehen[2].

Man wird ohne weiteres verstehen, dass gerade das menschliche Wort zur rechten Zeit, am richtigen Ort, bei der richtigen Situation gebraucht werden muss. In der Lehre des Anch-Scheschonki (ca. 6. Jh. v.Chr.) heisst es: "Mache keinen Spruch, wenn die Zeit für ihn nicht da ist" (12,24). Auch in der um einige Jahrhunderte jüngeren Lehre des Papyrus Insinger treffen wir ähnliche Gedanken: "Lasse dich nicht 'dumm' genannt werden, weil du schweigst, wenn es Zeit ist zu reden" (3,7). Ebenso sprechen die Sprüche Achikars, die wahrscheinlich auf ein assyrisches Original zurückgehen, von der rechten Zeit: "Sprich aus dein Wort zu seiner Zeit, denn stärker ist die List des Mundes als die List des Krieges" (99).

In der älteren Weisheit sind die Stellen, die direkt vom rechten Wort zur rechten Zeit sprechen, eher selten. Wir werden im folgenden uns diesen wenigen Proverbienstellen zuwenden.

15,23   שִׂמְחָה לָאִישׁ בְּמַעֲנֵה־פִיו   וְדָבָר בְּעִתּוֹ מַה־טּוֹב׃

     Freude für einen Mann durch die Antwort[a] seines
     Mundes,
     eine Rede zu ihrer Zeit wie gut.

---

1 Vgl. ZIMMERLI, Struktur 182.
2 Vgl. ders., Ort 134f.; SCHMID, Wesen 33f.

Textanmerkung:

a   KUHN schlägt für בְּהֶגְעֲמוֹ במענה vor: "wenn er seinen
Mund (seine Rede) freundlich macht"[1]. Diese Korrektur ist aber nicht nötig[2].

Grammatikalisches und Stilistisches:

מענה ל drückt den Dativ aus und steht analog wie "gut auf ihn
hin", "gut für ihn", "Gewinn für ihn"[3] (vgl. Ijob 10,3).

מה־טוב in V.23b ist ein Wertbegriff und bildet das Prädikat[4].
Die beiden synonymen Glieder sind chiastisch aufgebaut. Der
Chiasmus wird die Wortstellung in V.23a beeinflusst haben.
Eigentlich würde man erwarten: "Durch die Antwort eines Mannes
Mund wird Freude für ihn".

Die Präposition ב in במענה gibt die Ursache einer Wirkung an
(vgl. Dan 10,12)[5].

Das alliterierende ב in V.23b unterstreicht die Aussage und
verbindet דבר mit במענה : ודבר בעתו מה־טוב .

Auslegung:

מענה hat in Ijob 32,3.5 und in Mich 3,7 eindeutig die Bedeutung
"Bescheid, Antwort". Doch vermutet TOY, dass in Spr 15,23 das
Wort im allgemeineren Sinn zu verstehen ist und einfach "Wort"
bedeutet[6]. Es ist durchaus möglich, dass das Wort in den Proverbienstellen (15,1; 15,23; 16,1) für דבר stehen könnte. In
15,1 ist nämlich מענה dem Begriff דבר entgegengesetzt und in

---

1 KUHN, Beiträge 37.

2 Vgl. McKANE, Proverbs 477.

3 GB 371; KBL 464.

4 Vgl. HERMISSON, Studien 154.

5 GB 81; KBL 104.

6 TOY, Proverbs 313.

15,23 wird es scheinbar synonym zu דבר gebraucht. Ebenso liesse sich auch in 16,1 דבר einsetzen. Doch allein aus diesen wenigen Stellen lässt sich nichts Bestimmtes sagen.

Man muss sich aber selbst bei einem synonymen Parallelismus im Klaren sein, dass die parallele Zeile nicht einfach wiederholt, was schon gesagt wurde, sondern sie bereichert sie[1]. Demzufolge ist wohl das Wort מַעֲנֵה nicht einfach דבר gleichzusetzen, sondern es bestehen bestimmte Gründe, dass hier das Wort in seiner ursprünglichen Bedeutung verstanden werden muss. Auffällig ist, dass hier die Präposition ב steht. Analog zu Spr 15, 21: "Narrheit ist Freude für den Unverständigen" könnte man auch erwarten: "eine Antwort ist Freude für einen Mann". Durch die Präposition wird aber ein anderer Akzent gesetzt und die Ursache der Freude hervorgehoben. Durch die Antwort seines Mundes (d.h. durch die besondere Antwort)[2] wird ein angenehmes Gefühl der Freude verursacht. Präposition und der Genitiv (פּיו) machen deutlich, dass es hier um eine bestimmte Antwort im richtigen Moment geht. Dies wird im folgenden Vers noch klarer ausgedrückt. Es kommt also darauf an, dass die richtige Antwort im richtigen Moment gegeben wird. Allein darin liegt der Erfolg oder der Misserfolg. 2 Sam 16,15-19 bietet dazu ein entsprechendes Beispiel. In der Auseinandersetzung zwischen Absalom und David erreicht Chuschaj, der auf der Seite des Davids steht, bereits am Königshof zu Jerusalem eine Vorentscheidung. Durch eine geschickte Antwort gelingt es Chuschaj, sich beim Absalom einzuschleichen. Er tritt vor ihm mit zweimal vorgebrachten Huldigungsrufen ein. Er wird dennoch nicht mit offenen Armen aufgenommen, sondern mit einigem Hohn an den gewiesen, zu dem er durch seinen Titel und seine bisherige Haltung gehört. Chuschaj lässt sich beeindrucken und reagiert in die-

---

1 Vgl. MUILENBURG, Study 98.
2 Vgl. DELITZSCH, Spruchbuch 254f.

sem Moment mit der geeigneten Antwort, in der er Absalom für
den rite gewählten König erklärt. Dadurch wird er von Absalom
angenommen und gehört nun zu denen, die "vor dem Angesicht"
des Königs Dienst tun[1].

Wenn einer richtig geantwortet hat, so empfindet er selber
seine Befriedigung (שמחה). Es ist dies eine innere Freude, die
ihn beglückt (ähnlich wie bei demjenigen, der zum Frieden geraten hat [Spr 12,20; vgl. auch 21,15]).

Der zweite Halbvers vertieft und ergänzt den ersten Gedanken
und ist allgemeiner gehalten. Ein Wort, das zur rechten Zeit
gesprochen ist, ist etwas Gutes. Das Wort ist an den "Kairos"
gebunden und hat nur so seine Mächtigkeit[2]. Es nützt dem Menschen nichts mehr, wenn es ihm zu spät einfällt. בעתו ist ein
häufig gebrauchtes Wort (Dtn 11,14; 28,12; Jer 5,24; Ez 34,26;
Hos 2,11; Ps 1,3; 104,27; 145,15; Ijob 5,26; 38,32; Koh 3,11;
בעתה Jes 60,22; בעתם Lev 26,4 und Jer 33,20). Es lässt sich
mit unserem Wort "Zeit" nur ungefähr zur Deckung bringen. Oft
tritt der temporale Aspekt zurück und es bedeutet die rechte
Gelegenheit, die bestimmte Situation[3]. בעתו wird oft im Zusammenhang mit dem Regen, der zur rechten Zeit kommen muss (5x)
oder mit den Früchten, die rechtzeitig reifen (2x), gebracht[4].
Gerade der Landmann wusste aus seiner Erfahrung, wie notwendig
das richtige Einsetzen des Regens im Herbst[5], die dazwischen
liegende Regenpause[6] und schliesslich der neueinsetzende Spät-
regen für die Ernte war. Von diesen alltäglichen Erfahrungen
geprägt, war es dem damaligen Menschen ein leichtes auch ein-

---

1 Vgl. HERTZBERG, Samuelbücher 282f.

2 ZIMMERLI, Weisung 283.

3 WILCH, Time 21-33.

4 Ebd. 26f.

5 Vgl. DALMAN, AuS I,1,116.118.

6 Vgl. ebd. I,1,157-160.

zusehen, dass das menschliche Tun nicht zu allen Zeiten glei-
chermassen erfolgreich und sinnvoll ist, dass auch sein Handeln an gewisse Zeiten gebunden ist. Dies gilt ganz besonders
auch vom Wort, das bei der richtigen Gelegenheit ausgesprochen
werden muss, um seine Wirkung zu erzielen. Wie peinlich kann es
für jemanden werden, wenn ihm das rechte Wort (bzw. Antwort)
erst einfällt, nachdem der Gesprächspartner längst weg ist oder
der Prozess schon vorbei ist. Ein nachträgliches Bedauern:
"hätte ich doch dies oder jenes noch gesagt", nützt nachher
nichts mehr.

So war es verständlich, dass die Weisheitslehrer sich anstreng-
ten, die Menschen dazu aufmerksam zu machen, dass sie in der
Lage waren, die Umstände behutsam abzuschätzen und die Situation genau zu prüfen, um zur rechten Zeit das geeignete Wort
herauszufinden[1].

Auch die beiden Sprichwörter (12,16.23), die im vorhergehenden
Kapitel behandelt wurden, müssen an dieser Stelle erwähnt werden.

12,23: Einer, der Erkenntnis (Wissen) verdeckt, ist ein
      schlauer (kluger) Mensch,
      aber das Herz des Toren schreit Narrheit aus[2].

12,16: Ein Narr: einer, dessen Aerger am gleichen Tag
      bekannt wird,
      einer, der seine Schmach verhüllt: der Schlaue
      (Kluge)[3].

Wir haben gezeigt, dass כסה im Qal. Part. die Bedeutung von
"verdecken", "nicht sofort zeigen", "zurückhalten" hat. Es geht
nicht darum, dass der Schlaue (Kluge) sein Wissen (bzw. die
Schmach) dauernd verborgen hält, sondern es handelt sich nur

---

1 Vgl. von RAD, Weisheit 186.
2 Siehe oben Kapitel IV 231-234.
3 Siehe oben Kapitel IV 234-236.

um ein momentanes Verbergen. Er wartet den günstigen Augenblick
ab, bis er wirkungsvoll sprechen kann (V.23). Ebenso geht es in
V.16 nicht darum, dass die angetane Schmach dauernd vergessen
wird. Zur rechten Zeit, d.h. in einer andern Situation kann
man ohne weiteres auf den Fall zurückkommen, ohne dass das Ansehen gefährdet ist.

Allgemein wird auch Spr 25,11: "Goldene Aepfel in silbernen
Schaugeräten, ein Wort geredet 'zur rechten Zeit'" zu den
Sentenzen vom Reden zur rechten Zeit eingereiht[1].

Doch wie ich an anderer Stelle nachzuweisen versuchte, kann der
Ausdruck עַל־אָפְנָיו kaum so gedeutet werden[2].

Zusammenfassung

Die Uebersicht zeigt, dass in der älteren Weisheit recht wenig vom Reden zur rechten Zeit gesprochen wird. Erst in der
Spätzeit tritt dieses Thema in den Vordergrund. So ist bei
Jesus Sirach viel häufiger davon die Rede (4,20-23; 20,6.7;
vgl. 22,6). Nach Jesus Sirach gilt jener als weise, der um
die rechte Zeit weiss und sie auch wahrnimmt. Weisheit und Torheit werden hier sogar nicht nach dem Inhalt der Rede bemessen,
sondern lediglich daran, ob einer zur Zeit oder Unzeit spricht[3].
Offenbar waren für die Weisheitslehrer der älteren Weisheit andere Aspekte der rechten Rede zentraler, wie z.B. die Kunst der
anmutigen und schönen Rede[4] oder die aufrichtige (bzw. maatge-

---

1 Vgl. TOY, Proverbs 462; OESTERLEY, Proverbs 223; RINGGREN,
  Sprüche 100; GEMSER, Sprüche 90; BARUCQ, Proverbes 194;
  ALONSO-SCHOEKEL, Proverbios 112 u.a.

2 Siehe oben Kapitel I 50-52.

3 Von RAD, Weisheit 322.

4 Ders., Theologie I 444f.

mässe) und zuverlässige Rede usw.

Bei Jesus Sirach ist die Erkenntnis von der rechten Zeit "in
anspruchsvolle theologische Zusammenhänge" gestellt. Gott ist
es, der den Menschen "seine Zeit" zuteilt. "Die Taten des
Herrn, sie alle sind gut, für alles Nötige genügen sie zu ihrer Zeit" (39,16). Zu ihrer Zeit sind auch die scheinbar negativen Phänomene "vortrefflich" (V.17.34). Der Mensch muss nun
"in den Aufgaben des täglichen Lebens wie bei den letzten Fragen der göttlichen Fügungen" die richtige Zeit herausfinden[1].

---

1 Von RAD, Weisheit 322-326; vgl. auch 182-188.

VI

VON DER HEILBRINGENDEN KRAFT
DER RICHTIGEN REDE

Eine grosse Anzahl Proverbien weisen auf die Folgen der Rede
hin. So bringt das gute Wort sowohl für den Redenden selbst
als auch für seine Gemeinschaft Leben, Glück, Erfolg usw. Wer
aber die Rede missbraucht, der erntet für sich und die andern
Unglück, Kummer oder sogar den Tod. Somit haben wir ein weiteres Kriterium der richtigen Rede vor uns.

In diesem Kapitel geht es darum, all jene Stellen zusammenzu-
tragen, die vom "Leben" oder ähnlichen Begriffen handeln, und
sich zu fragen, wie diese Ausdrücke zu fassen sind. Erschöpft
sich der Inhalt des Lebensbegriffes etwa in der ausgedehnten
zeitlichen Dauer, also im langen Leben? Oder besagt "Leben",
"Lebensbaum", "Heilung", "Rettung" usw. nichts anderes als
Glück, Sicherheit, Wohlergehen? Ist demnach "Leben" eine ge-
schenkte und verheissene Gabe? Schliesst der Ausdruck auch das
friedliche Zusammensein in der Gemeinschaft mit sich ein? Dass
natürlich diese Begriffe nicht auch die Bedeutung von "ewigem
Glück und Leben" enthalten, wie dies SCHMITT vor Jahren noch
vertrat[1], scheint heute nicht mehr zur Diskussion zu stehen.

1. Leben, Glück, Sicherheit für die andern (gemeinschaftsbezo-
   genes Reden)

10,11   מְקוֹר חַיִּים פִּי צַדִּיק   וּפִי רְשָׁעִים יְכַסֶּה חָמָס:

> Eine Quelle des Lebens   der Mund des Gerechten,
> aber der Mund der Frevler: er verhehlt Gewalttat.

Grammatikalisches und Stilistisches:

In V.11a ist das Subjekt des Nominalsatzes "Mund des Gerech-

---

1 SCHMITT, Leben 149-179.

ten" nachgestellt[1]. V.11b bildet einen zusammengesetzten Nominalsatz.

כסה im Pi'el "bedecken", "zudecken", "verhüllen", "in sich enthalten" drückt ein bleibendes Ergebnis aus (resultativ)[2].

Der Spruch ist chiastisch aufgebaut. Dadurch wird einerseits der krasse Gegensatz der Wirkung zwischen der guten und schlechten Rede deutlich auseinandergehalten und anderseits die strenge Entsprechung betont.

חיים ist ein erklärender Genitiv (Gen. explicativus). Er setzt Quelle und Leben gleich[3].

Die Alliterationen auf מ und ח (bzw. ק u. כ) in מקור חיים und יכסה חמס verdeutlichen den Gegensatz[4].

Auslegung:

מקור חיים tritt mehrmals in den Proverbien auf (10,11; 13,14; 14,27; 16,22). In Spr 13,14 ist die Lehre (תורה) der Weisen[5], in 14,27 die Furcht Jahwes und in 16,22 die Einsicht eine "Lebensquelle".

Was bedeutet nun hier dieser metaphorische Ausdruck? Das Wasser wird in einem Land, wo im allgemeinen Knappheit herrscht, besonders geschätzt. Das zeigt sich auch in Palästina. Ueberall, wo Wasser zur Verfügung steht, gibt es einen Ueberfluss an Nahrung, wo es aber fehlt, da ist kein Leben möglich. Da die Regenzeit nur vom November bis April dauert[6], ist die

---

1 Zur Voranstellung von Metaphern und Vergleichen vgl. oben Kapitel I 38.

2 JENNI, Pi'el 204.

3 Vgl. GESENIUS-KAUTZSCH, Grammatik § 128 k-q.

4 Vgl. ALONSO-SCHOEKEL, Kunstwerk 301f.

5 תורה ist in den Proverbien ganz allg. mit "Unterweisung", "Lehre" zu übersetzen (BAUCKMANN, Proverbien 36ff.).

6 Vgl. DALMAN, AuS I,1,172ff. und I,2,291ff.

ganze Vegetation in der Sommerszeit vom Quellwasser, von
künstlichen Kanälen, Brunnen und Zisternen abhängig[1]. Die
Quelle ist das sicherste Mittel zum Leben. Im Gegensatz zum
Regen, der nur zur Hälfte des Jahres einsetzt und dazu oft
unregelmässig kommt, bieten die Quellen beständig Wasser und
sind für jene, die in der Nähe von ihnen leben ein wichtiges
Element ihrer Existenz und Sicherheit. So ist die Metapher
"Quelle" in erster Linie ein Bild für das zuverlässig vorhandene Leben. Dies wird auch noch durch den Ausdruck חיּים
bekräftigt (vgl. Gen. explicativus).

Im Bild der "Quelle" kommt aber auch noch das sich beständig
Verschenkende zum Ausdruck. Unaufhörlich spendet sie Wasser.
So ähnlich ermöglicht die Rede das Leben der andern. Unter
Leben ist nicht nur an die Existenz, an langes Leben gedacht,
sondern an das Leben im vollen Gehalt, als ein glückliches Leben[2]. Dieses Leben erfährt der altorientalische Mensch besonders dadurch, dass er in einer Gemeinschaft akzeptiert ist und
an ihrem Leben teilnimmt. Wirkliches Leben ist deshalb nur in
der Gemeinschaft möglich[3]. Wer darauf verzichten muss, wer
einsam und verlassen dasteht (vgl. Ps 25,16), kann als Toter
bezeichnet werden (vgl. Ijob 7,6-8)[4]. Das was der Hebräer Leben nennt, ist nur in ungeschwächter Fülle vorhanden[5].

Der Mund des Gerechten spendet insofern Leben, als er sich für
das Glück der andern einsetzt. Er verhilft ihnen zu einer
glücklicheren Existenz oder er macht eine erlittene Schande
wieder gut. Er setzt sich dafür ein, dass andere im vollen

---

1 DALMAN, AuS I,2,524ff.; über die Bedeutung der Quellen vgl.
  NOETSCHER, Altertumskunde 164-167; REYMOND, L'eau 55-66.

2 BAUDISSIN, ḥajjim 158.

3 Vgl. BARTH, Errettung 56-58; KEEL, Feinde 36-39; vgl. auch
  LUTFIYYA, Baytin 30-35.

4 Vgl. WUERTHWEIN, Gott und Mensch 258.

5 Vgl. BAUDISSIN, ḥajjim 158; BARTH, Errettung 107ff.

Sinn Mensch sein können und in der Gemeinschaft integriert werden (vgl. Ps 68,7).

Neben dieser allgemeinen Bedeutung der Metapher "Quelle" ist wahrscheinlich noch ein anderer Sinn wirksam. Denn die Metapher ist eines der wirksamsten Mittel, "den Bedeutungsraum zu weiten und den Aufnehmenden in Bewegung zu setzen. Zugleich wird gerade an der Metapher deutlich, dass es nicht nur auf die Bedeutung ankommt, sondern dass gefühlsmässige Wirkungen und Nebenvorstellungen aller Art beteiligt sind"[1]. Die Quelle hält das frische Wasser nicht verborgen, sondern bringt es an die Oeffentlichkeit. So enthält die Rede des Gerechten nichts Verstecktes und Hinterlistiges. Was immer er spricht, ist aufrichtig und deshalb für das Wohl der Gemeinschaft förderlich. Dass auch dieser Sinn hier eine Rolle spielt, wird in der Antithese V.11b durch das Wort יכסה bestätigt.

DAHOOD fasst das Pi'el von כסה im privativen Sinn "aufdecken" auf: "but the mouth of the wicked uncovers violence" (vgl. Spr 10,18; 26,26)[2]. Doch muss man sich fragen, ob die ursprüngliche Bedeutung nicht auch hier die richtige ist; denn es ist ungewiss, dass man ausgerechnet für diese drei Stellen (Spr 10,6.11.18) eine besondere Bedeutung ("aufdecken") annehmen muss[3].

Das Pi'el mit Akk. steht oft für "etwas verbergen" (vgl. Ps 32,5: "meine Schuld verbarg ich nicht"; vgl. auch 40,11; Jjob 31,33; Spr 28,13). Aehnlich sind die Ausdrücke in Spr 10,11b יכסה חמס und 10,18a מכסה שנאה zu verstehen "Gewalttat (bzw. Hass) verbergen". Somit steht das Verb "verbergen" im Gegensatz zur Quelle, die das Wasser offen zutage trägt. So hat

---

1 KAYSER, Kunstwerk 125.
2 DAHOOD, Proverbs 18f.
3 Vgl. BARUCQ, Proverbes 104; McKANE, Proverbs 418.

der Gerechte, wenn er spricht, nichts zu verbergen. Dagegen
der Frevler versteckt חמס. Er spricht nicht so, wie er denkt.
Er muss seine Rede so drehen, dass seine innere Absicht nicht
ans Licht kommt.

חמס ist besonders in den Psalmen und bei den Propheten ein
verbreitetes Wort und findet sich relativ häufig bei Ezechiel.
Es geht meistens um ein schweres Vergehen, das in Verbindung
mit Bluttat (vgl. Ez 7,23; Hab 2,17), mit Unterdrückung (שד)
(Jer 6,7; 20,8; Ez 45,9; Am 3,10; Hab 1,3) steht[1]. Wer "Gewalttat" begeht, zerstört dadurch das Gemeinschaftsverhältnis
und verübt einen Rechtsbruch[2]. Unter "Gewalttat" muss wohl oft
die Unterdrückung gegenüber den Armen oder Elenden (vgl. Ps
74,20f.; 72,14) gemeint sein. Gerade der Zeter- und Notschrei
חמס, den ein Hilfloser und Bedrohter ausstossen konnte, um den
Schutz der Rechtsgemeinde anzurufen (Gen 16,5; Ijob 19,7; Hab
1,2; vgl. Jer 20,8), weist darauf hin[3].

Was immer hier unter "Gewalttat" gemeint ist, eines ist klar,
dass der Frevler ziemlich treffend charakterisiert wird. Er
beabsichtigt nicht das Wohl (Leben) der andern, sondern geht
darauf aus, seine Nächsten ins Verderben zu stürzen. Dazu benutzt er seine Zunge, um möglichst getarnt andern Unheil zuzufügen. Ganz treffend drückt dies Spr 16,29 aus: "Ein gewalttätiger Mann verlockt seinen Nächsten und führt ihn auf einen
Weg, der nicht gut ist".

Spr 18,4 ist mit 10,11 eng verbunden. Anstelle von "Quelle
des Lebens" steht jedoch "Quelle der Weisheit".

---

1 Vgl. ZIMMERLI, Ezechiel II 1149.
2 FAHLGREN, Gegensätze von ṣᵉdaqa 120-122.
3 Vgl. BOECKER, Redeformen 61-66.

18,4   מַיִם עֲמֻקִּים דִּבְרֵי פִי־אִישׁ   נַחַל נֹבֵעַ מְקוֹר חָכְמָה:

Tiefe Wasser (sind) manches Munds Worte,
ein sprudelnder Bach (ist) die Quelle der Weisheit
od. Tiefe Wasser sind manches Munds Worte,
ᵃein sprudelnder Bach, eine Quelle der Weisheit.

Textanmerkung:

a   Die LXX übersetzt folgendermassen: Ὕδωρ βαθὺ λόγος
    ἐν καρδίᾳ ἀνδρός, ποταμὸς δὲ ἀναπηδύει καὶ πηγὴ ζωῆς.

    "Tiefes Wasser (ist) das Wort (zwar) im Herzen
    eines Mannes, aber als Fluss bricht es hervor
    und als Lebensquelle". Die LXX hat in V.4a den
    Begriff "Mund" mit "Herzen" vertauscht. Ebenso
    steht anstelle von "Quelle der Weisheit" "Lebens-
    quelle". Die griechische Uebersetzung scheint al-
    so einen Gegensatz zu setzen zwischen dem Wort im
    Herzen (V.4a), das noch nicht ausgesprochen in
    der Tiefe verborgen ist, und dem Wort (V.4b), das
    durch den Mund hervorbricht und Leben stiftet.

Grammatikalisches und Stilistisches:

Der Sinn von V.4 ist nicht ganz klar. Es gibt zwei Möglichkei-
ten, wie man das Sprichwort verstehen kann:

a) V.4a und 4b sind je zwei Nominalsätze. In V.4a ist "Reden
   aus dem Munde eines Mannes" Subjekt, "tiefe Wasser" Prädikat. Dieses ist vorangestellt (Emphase) (vgl. Spr 10,11;
   24,26; 25,11.12.18 u.a.)[1].
   In V.4b ist das Subjekt unklar. Wahrscheinlich ist "sprudelnder Bach" (parallel zu "tiefe Wasser") Prädikat und
   wird vorangestellt, um den Ausdruck besonders zu betonen.

b) Noch eine weitere Interpretation ist möglich. Die beiden
   Ausdrücke "sprudelnder Bach" und "Quelle der Weisheit" können als Erweiterung des Prädikats "tiefe Wasser" verstanden
   werden. Die drei Metaphern haben dann steigernde Wirkung.

---

1 Vgl. oben Kapitel I 38.

276

Die drei Metaphern sind durch Alliterationen auf מ, ח (bzw.ק ,
כ) miteinander verbunden: מים עמקים נחל נבע מקור דכמה.

Auslegung:

Die verschiedenen Interpretationen zeigen, dass der Sinn des
Verses nicht ganz klar ist[1]. Mir scheint, dass "tiefe Wasser"
(V.4a) und "sprudelnder Bach" (V.4b), ferner "manches Munds
Worte" (V.4a) und "Quelle der Weisheit" (V.4b) zusammengehö-
ren (resp. einander entgegengesetzt sind).

Das Adjektiv עמק wird im eigentlichen Sinn von der wunden, sich
einsenkenden Vertiefung der Aussatzstelle auf dem Fleisch ausgesagt (Lev13,3f.25.30-34). Im übertragenen Sinne meint das
Wort in Ps 64,7 "unergründliches Herz", in dem Intrigen, Anschläge gehegt werden, die jedem menschlichen Zugang entzogen
sind. Pred 7,24 spricht davon, dass das Vergangene "tief" ist,
so dass man es nicht zurückholen kann, d.h. es ist wie in
einem zu tiefen Brunnenschaft. In der einzigen Parallele zu
18,4 in Spr 20,5 geht es um "tiefes Wasser", das man nicht
schöpfen, bzw. herausholen kann. "Tief" heisst hier nicht
"ein tiefer See" oder "ein tiefes Meer", sondern "tief unten
fliessendes Wasser", zu dem man nicht hinabkommt (vgl. auch
"tiefe Grube"in Spr 22,14 und 23,27; das Herauskommen ist ohne
menschliche Hilfe unmöglich). "Tief", metaphorisch gebraucht,
ist das dem Menschen Unzugängliche, Unerforschliche, Unergründ-
liche.

Mit נחל ist zugängliches Wasser, im Gegensatz zu dem "tief unten liegenden" Wasser, gemeint. נחל bedeutet ein Bachtal (vgl.
1 Kön 17,7, "ausgetrocknet"). Oft steht aber das Wort für
"Bach" (Lev 11,9f., 1 Kön 18,5; Jes 36,6; Ps 74,15; 78,20). In
Jes 36,6 und Ps 74,15 handelt es sich um "Bäche", die hervor-

---

1 Vgl. BARUCQ, Proverbes 150.

brechen, in Ps 78,15 um Wasser, das aus dem Felsen geschlagen
wird. נבע bedeutet im Qal "sprudeln"[1]. נחל נבע ist deshalb ein
"sprudelndes, strömendes" Bachtal (Bach), aus dem man Wasser
trinken kann (vgl. 1 Kön 17,4; Ps 110,7). Das Wasser ist für
alle zugänglich.

"Quelle der Weisheit" steht im Gegensatz zu "manches Munds Reden". Deshalb wird diese Metapher hier das Reden des Weisen
meinen, das unaufhörlich Weisheit zutage bringt. Somit ergibt
sich folgender Sinn: Die Reden manches Menschen sind unzugäng-
liches Wasser; man kann es nicht schöpfen (vgl. Spr 20,5), d.h.
die Worte mancher sind unfruchtbar, weil ihre Nützlichkeit un-
erreichbar ist. Aber die Quelle der Weisheit (= das Reden der
Weisen) ist ein strömendes Bachbett, von dem jeder trinken
kann. Das Charakteristische der Reden der Weisen ist, dass sie
dürres Land, dürre Bachbette befruchten, d.h. sie bringen Leben, Glück, Segen.

Man könnte sich auch fragen, ob hinter dem Begriff מים עמקים
nicht die gleiche Vorstellung vorhanden sein könnte, wie man
sie in den Ausdrücken מים רבים, תהום רבה, תהרם findet. In
diesem Falle würde מים עמקים Chaos bedeuten (vgl. Ps 69,3)[2].
Parallel dazu würde dann נחל נבע die gebändigten Wasser darstellen, die die Erde erfreuen und die Pflanzen und Tiere trän-
ken. Die Doppelnatur des Wassers, ohne das kein Leben entstehen
kann, das aber auch alles zerstören kann, tritt in den Psalmen
oft zutage. Ueberall, wo die chaotischen Wasser in ihrer aufge-
brachten Macht[3] von Jahwe gebrochen und gebändigt sind (Hab
3,8), da erweist sich das Wasser als fruchtbarmachende Kraft[4]

---

1 Im Kausativ heisst נבע "sprudeln, fliessen lassen", "aus der
  Fülle innerer Erregung sprechen" (Ps 78,2; 19,3; Spr 1,23;
  Sir 16,25 usw.) (KEEL, Feinde 171).

2 Vgl. MAY, Connotations 9-21.

3 Vgl. ALONSO-SCHOEKEL, Kunstwerk 336-339.

4 Vgl. ebd. 339-340.

und dient zur Bewässerung des Feldes, zur Reinigung und zum Trunk (Ps 46,4; 65,8-10; 74,15; 104,6-12)[1]. In V.4a wäre dann das Gefährliche der Rede, die nicht unter Kontrolle gebracht ist, beschrieben. Sie stiftet überall Unheil an. Dagegen die Rede der Weisen ist gezügelt und gebändigt.

Zuletzt sei noch auf die Interpretation verwiesen, die von verschiedenen Exegeten vertreten wird[2]. Nach dieser Auffassung ist V.4b eine Erweiterung zum Prädikat in V.4a. Damit werden die Worte aus dem Munde eines Mannes mit drei Metaphern charakterisiert. Im Bild "tiefe Wasser" wird der kostbare Wert der Rede geschildert. Weil sie aus der Tiefe des Menschen kommt, hat sie nichts Momentanes und Oberflächliches an sich[3]. Mit dem Bild "sprudelnder Bach" ist das frische, unverbrauchte, immer wieder sprudelnde und in Fülle vorhandene Wasser gemeint. Die Rede eines solchen Menschen wirkt lebendig und frisch. Sie ist abwechslungsreich und sprüht von Schlagfertigkeit, so dass man gerne zuhört[4]. Mit "Quelle der Weisheit" wird schliesslich das Unerschöpfliche der Rede des Weisen charakterisiert. Seine Worte übersprudeln von Weisheit, so dass sie jeden sättigen können.

Falls diese Auslegung die richtige ist, wird in diesem Proverb die tiefgründige, wertvolle, von Klarheit und Lebendigkeit sprudelnde, von Weisheit überfliessende und unerschöpfliche Rede gepriesen. Es ist aber nicht so leicht für diese oder für die vorletzte Interpretation Stellung zu beziehen. Beide scheinen mir möglich. Gegen die letzte spricht höchstens, dass in die-

---

1 KEEL, Feinde 73f.211-215; ders., AOBPs 39-47, bes. 40.

2 So TOY, Proverbs 356; OESTERLEY, Proverbs 146; DELITZSCH, Spruchbuch 291f.; BUBER, Gleichsprüche 244; REYMOND, L'eau 64; BARUCQ, Proverbes 150.

3 McKANE, Proverbs 513.

4 Noch heute halten im Orient gewisse Leute auf den öffentlichen Plätzen ihre Zuhörer mit ihrer lebendigen Sprache in Bann (vgl. BOMAN, Jesusüberlieferung 11ff.).

sem Fall die formale Struktur von 18,4 etwas ungewöhnlich erscheint, da in der Sammlung 16-22,16 die meisten Proverbien
zweigliedrig aufgebaut sind.

15,4   מַרְפֵּא לָשׁוֹן עֵץ חַיִּים   וְסֶלֶף בָּהּ שֶׁבֶר בְּרוּחַ:

> Die heile[a] Zunge ist ein Lebensbaum,
> aber ihre Falschheit ist Zusammenbruch[b].

Textanmerkungen:

a   Die LXX übersetzt מרפא mit ἴασις "Heilung" (vgl.
Auslegung).

b   Für שבר ברוח wird oft nach Jes 65,14 שֵׁבֶר רוּחַ
vorgeschlagen. Doch ist diese Aenderung nicht notwendig.

Grammatikalisches und Stilistisches:

V.4 enthält zwei Nominalsätze mit normaler Wortstellung.

מרפא hat hier wohl eine resultative Bedeutung. Deshalb wird
nicht übersetzt: "die heilende Zunge", sondern "die heile"
(vgl. Auslegung). Der Ausdruck מרפא לשון ist eine Enallage.
Das Substantiv (מרפא) steht anstelle des Adjektivs.

בה ist ein Instrumentalis und bezeichnet das Mittel, wodurch
die Falschheit bewirkt wird[1].

חיים im Ausdruck עץ חיים ist vielleicht ein erklärender Genitiv[2]. Er setzt Baum und Leben gleich: Ein Baum, welcher Leben
ist.

Die alliterierenden ב und ר in V.4b unterstreichen wahrscheinlich die durch die Zunge (בה) hervorgebrachte schlechte Wirkung: בה שבר ברוח.

---

1 GESENIUS-KAUTZSCH, Grammatik § 119 o.

2 Vgl. ebd. § 128 k-q.

Auslegung:

Das Wort מרפא kann entweder von רפא "heilen" oder von רפה
"schlaff werden, ablassen" abgeleitet werden. KOEHLER und
MANDELKERN nehmen für die drei Stellen (Spr 14,30; 15,4; Koh
10,4) die Wurzel רפה an[1].

Viele Exegeten übersetzen dann die Stelle mit "Sanftheit der
Zunge" oder "Gelindigkeit der Zunge"[2]. In diesem Falle versteht man darunter eine beruhigende, gelassene Zunge. Dem Ausdruck מרפא ist סלף entgegengesetzt. סלף ist nur in den Proverbien gebräuchlich (11,3 und 15,4). Seine Wurzel סלף bedeutet "verdrehen", "verkehren". In Ex 23,8 wird gewarnt, keine
Bestechungsgeschenke anzunehmen, "denn diese machen Klarsehen-
de blind und verdrehen die Sache derer, die im Recht sind"
(vgl. Dtn 16,19). סלף kann man deshalb am besten mit "Verdreht-
heit", "Verkehrtheit", "Falschheit", "Perversion" übersetzen.
Eine linde und eine falsche, verkehrte Zunge bilden aber keinen
guten Gegensatz. Deshalb glaubt McKANE, dass מרפא hier von רפא
abgeleitet werden müsse. Man kann sich dabei auf die LXX stützen, die das Wort mit ἴασις "Heilung" wiedergibt[3]. Man wird
sich aber fragen müssen, ob die Uebersetzung "heilende Zunge"
die richtige ist. BUBER schlägt "die heile Zunge" vor, d.h.
eine gesunde Rede, die nichts Verkehrtes, nichts Falsches in
sich hat, ist ein Lebensbaum[4]. Dadurch entsteht ein guter Gegensatz zwischen מרפא-סלף. Danach ist מרפא resultativ zu verstehen und bedeutet "Gesundheit" (eigentlich "Heilheit")[5].

---

1 KBL 568; MANDELKERN, Concordantiae 1106.

2 DELITZSCH, Spruchbuch 246; COHEN, Proverbs 95; HARTOM, משלי 49;
  RINGGREN, Sprüche 62; GEMSER, Sprüche 68 u.a.

3 McKANE, Proverbs 482f.

4 BUBER, Gleichsprüche 238.

5 Vgl. auch VATTIONI, L'albero 141 Anm. 67, der vermutet, dass
  hier der Ausdruck "lingua sana" bedeutet (vgl. 1 Tim 6,3;
  2 Tim 1,13; Tit 2,8).

Wahrscheinlich ist diese resultative Bedeutung auch in Spr 4,22
gemeint. Dort steht das Wort parallel zu חיים. Die Reden des
Weisen sind schon Leben, sie sind Gesundheit.

Die heile Zunge ist "ein Lebensbaum". Neben dem mythologischen
Gebrauch von "Lebensbaum" (עץ החיים) in Gen 2,9; 3,22.24 erscheint der Ausdruck עץ חיים nur noch in den Proverbien (3,18;
11,30; 13,12; 15,4). In 3,18 steht "Lebensbaum" parallel zu
שלום und zu מאשר[1] "wohlbeglückt". In 11,30 bildet der Ausdruck
den Gegensatz zu חמס und in 13,12 zu מחלה-לב "Krankheit des
Herzens". MARCUS meint, dass "Lebensbaum" die gleiche Bedeutung
habe, wie das spätere סם חיים und "Heilmittel" bedeute[2]. Dem
Sinn nach ist diese Interpretation möglich. In der Rede von der
Tempelquelle (Ez 47,1-12) wird tatsächlich festgestellt, dass
die Früchte der Bäume zur Speise und die Blätter der Bäume als
Heilmittel dienen sollen (לתרופה) (V.12). Man darf aber nicht
einfach eine Metapher von seinem Gegenbegriff (bzw. vom synonymen Wort) her interpretieren, sondern muss sich immer fragen,
was eigentlich der Ausdruck für sich aussagt und welche Vorstellungen er den damaligen Menschen hervorgerufen hat. Wir
werden deshalb im folgenden dem Begriff "Lebensbaum" etwas nachgehen.

Heute wird ganz allgemein die Ansicht vertreten, dass der Ausdruck "Lebensbaum" mit dem Mythos des "Lebensbaumes", dessen
Früchte Leben im Sinne von Unsterblichkeit verleihen, kaum in
irgendeiner Beziehung steht und wohl nicht "mehr als eine Re-
densart, ein Symbol lebensspendender Kraft im allgemeinen"
ist[3]. Wenn auch die bildliche Redeweise nicht mit dem Mythos

---

1 Zum Ausdruck vgl. ebd. 140 Anm. 48.

2 MARCUS, Tree 119.

3 RINGGREN, Sprüche 22; vgl. MARCUS, Tree 117-120; RINGGREN,
  Word 140f.; GEMSER, Sprüche 29; HAAG, BL 1031; McKANE, Proverbs 296; dagegen SCHMITT, Leben 87-93.

des "Lebensbaumes" in Verbindung steht, so haben wir es doch hier nicht nur "mit einer abgeblassten Redeweise zu tun"[1].

Das in der altorientalischen Literatur und in der Ikonographie reich belegte Material vom lebensspendenden Baum zeigt doch, dass hinter diesem Bild mehr als eine "abgeblasste" Redefigur steckt. Für den damaligen orientalischen Menschen war der Baum, in dem das Grün immer wieder hervorsprosst (vgl. Hos 14,8) oder der dem Menschen bei der grossen Hitze Schatten spendet (vgl. Ps 121,5f.[2])[3], ein eindrückliches Zeichen des Lebens[4]. Häufig wird in der Ikonographie die lebensspendende Kraft des Baumes noch dadurch hervorgehoben, dass Wasser, das ebenfalls das Leben symbolisiert, aus diesen Bäumen hervorfliesst[5]. Der Baum ist keine profane Grösse. Er signalisiert das Heilige[6]. In den Psalmen ist Jahwe selbst Quelle des Lebens, von dem ein Bach der Wonnen ausgeht (36,9f.). Die prächtigen Oelbäume, Palmen und Libanonzedern im Tempelbezirk[7] künden mit ihrem kräftigen Grün von der lebensspendenden Segensmacht Gottes[8].

Man wird sich hüten müssen das Bild des "Lebensbaumes" in den Proverbien auf irgendeine bestimmte Vorstellung zurückzuführen.

---

1 KAYATZ, Studien 105.

2 Vgl. KEEL, AOBPs Abb. 182.

3 Literatur zum Lebensbaum: PERROT, Représentation; MOFTAH, Die Heiligen Bäume; de VAUX, Lebensordnungen II 93f.; MOFTAH, Sykomore 40-47; JAROŠ, Stellung 213-257 (mit reicher Literatur).

4 Vgl. JAROŠ, Stellung 220.

5 Vgl. KEEL, AOBPs Abb. 181 und 191.

6 Oft wird der Baum in Verbindung mit verschiedenen Gottheiten gebracht. Er wird im AT und in den ausserbiblischen Belegen am häufigsten mit der Mutter-Fruchtbarkeit und Liebesgöttin assoziiert (JAROŠ, Stellung 222). Vgl. die Vorstellungen der Beziehungen zwischen Baum und seiner Göttin in: KEEL, AOBPs Abb. 253-255.

7 Vgl. KEEL, AOBPs Abb. 191.

8 Vgl. ebd. 118f.164ff.

Der "Lebensbaum" ist ein lebensnahes Symbol, um die lebensspendende Kraft ("der Rede" in Spr 15,4) zu veranschaulichen,
ähnlich wie das "Wasser" oder das "Licht" die lebensspendende
Segensmacht Gottes symbolisiert. Man kann חיים gut als erklä-
renden Genitiv verstehen (vgl. 10,11).

Eine Rede, in der nichts Verdrehtes und Verkehrtes steckt,
fördert das Leben. Sie hilft mit, dass andere zum Glück, zum
Leben in seiner Fülle gelangen.

Dagegen bringt die falsche Zunge Verderben. שבר ברוח kommt nur
noch in Jes 65,14 vor (ohne ב vor רוח). Häufiger steht das
Verb שבר (Nif.) in Verbindung mit רוח (Ps 51,19) und mit לב
(Ps 34,19; 51,19; Jes 61,1; Jer 23,9). In Ps 69,21 und 147,3
wird שבר mit לב im Qal gebraucht. Ps 34,19 und 51,19 zeigen,
dass שבר רוח und שבר לב eng verwandt sind. שבר רוח bedeutet
"Entmutigung", "Verlust der Lebensenergie". Die נשברי־לב sind
jene, die in eine Not geraten sind (Ps 34,18f.), es sind die
Elenden (Ps 147,3; Jes 61,1), die Gefangenen und Gefesselten
(Jes 61,1), jene, die von andern Schmach erleiden (Ps 69,21),
es sind jene, die nicht am vollen Leben teilhaben. שבר רוח
ist die Folge des Lebensentzuges.

McKANE glaubt, dass derjenige, der die Zunge schlecht gebraucht, an den Folgen zu leiden hat. Doch wie schon DELITZSCH
bemerkt, ist auf Grund des Gegenbegriffes "Lebensbaum" anzunehmen, dass die andern diese Lebensminderung erfahren[1]. Durch
die verdrehte Rede ihrer Gegner verlieren sie das Vertrauen in
der Gemeinschaft und geraten dadurch in Isolierung. Dies führt
notwendig zu einem inneren Zusammenbruch.

---

1 DELITZSCH, Spruchbuch 246; TOY, Proverbs 304; vgl. dagegen
  McKANE, Proverbs 483.

10,21   שְׂפָתֵי צַדִּיק יִרְעוּ רַבִּים   וֶאֱוִילִים בַּחֲסַר־לֵב יָמוּתוּ:

Des Gerechten Lippen weiden[a] viele,
aber die Toren sterben durch Unverstand[b]

Textanmerkungen:

a   Die LXX übersetzt: Χείλη δικαίων ἐπίσταται ὑψηλά
"die Lippen der Gerechten wissen Erhabenes".
Deshalb ändert die BH zu יֵדְעוּ. THOMAS schlägt
יוֹדִעוּ vor: "the lips of the righteous instruct
many"[1]. רעה könnte nach ihm auch ein Aramäismus
sein und entspreche dem Hebr. רצה "appease",
"pacify". Doch kann das Verb auch ohne Aenderung
befriedigend erklärt werden.

b   Die LXX lässt in der Uebersetzung לב aus. Anstelle von חֲסַר wird gewöhnlich חֶסֶר oder חֹסֶר vorgeschlagen[2].

Grammatikalisches und Stilistisches:

V.21a/b sind als zusammengesetzte Nominalsätze zu betrachten.
In der Regel schliessen sich nähere Bestimmungen dem Prädikat
an, das dem Subjekt folgt. In V.21b ist aber בחסר in die Mitte zwischen Subjekt und Prädikat gerückt[3]. Wahrscheinlich wird
dadurch die Ursache des Untergangs des Toren besonders hervorgehoben.

חסר ist an dieser Stelle als Substantiv zu verstehen. Gewöhnlich wird deshalb zu חֹסֶר (Dtn 28,48.57; Am 4,6) oder zu חֶסֶר
(Spr 28,22; Ijob 30,3) "Mangel" geändert[4]. GESENIUS sieht aber
in חֲסַר einen cs. von חֶסֶר[5].

---

1 THOMAS, Additional Notes 54-57.
2 Vgl. BH und KBL 320.
3 Zur Wortfolge im Nominalsatz vgl. BROCKELMANN, Syntax § 121.
4 BH; KBL 320; vgl. McKANE, Proverbs 420.
5 GB 248.

Durch die Alliteration auf ‏ר‎ in ‏ירעו רבים‎ wird die Folge der
Rede des Gerechten besonders hervorgehoben: sie weidet viele.

Auslegung:

V.21a muss vom Wort ‏ירעו‎ her interpretiert werden. ‏רעה‎ bedeutet zunächst "abweiden" (Gen 41,2.18; Jes 5,17), dann auch
"Tiere auf die Weide treiben", "weiden lassen" (Gen 37,13).
Das Verb hat an dieser Stelle die zweite Bedeutung "jd. weiden
(lassen)" und es besteht kein Grund, hier eine Korrektur vorzunehmen. In diesem Wort ‏רעה‎ steckt das Bild vom Hirten, der
seine Herde weidet. Dieser bildliche Ausdruck ist über die
ganze Welt von Sumer über Israel und Aegypten bis hin nach
Griechenland und darüber hinaus weit verbreitet[1]. Schon auf
sumerischen Königslisten bezeichnet sich der König als den von
der Gottheit eingesetzten Hirten[2]. Das gleiche Bild bieten die
akkadischen Königsinschriften[3]. Die Könige der damaligen Zeit
empfanden sich durchwegs als Hirten, denen die Menschen von
einem Gotte oder von mehreren Göttern zum Weiden anvertraut
sind[4].

Auch in Aegypten wird seit der frühen Zeit das Hirtenbild auf
die Götter und Könige angewandt[5]. Das ägyptische Königszepter
(ḥḳ3t) ist ursprünglich ein Hirtenstab[6].

---

1 Literatur zum Hirtenmotiv: DUERR, Ursprung 116-124; SCHOTT,
  Vergleiche 70-72; HAMP, Hirtenmotiv 7-20; MUELLER, Hirt
  126-144; GOTTLIEB, Tradition 190-200; SEIBERT, Hirt; ZIMMER-
  LI, Ezechiel II 825-849 (mit Literatur 825); JEREMIAS, ThWNT
  VI 484-501.

2 DUERR, Ursprung 166ff.; FALKENSTEIN-SODEN, Hymnen 29; JERE-
  MIAS, ThWNT VI 485.

3 ZIMMERLI, Ezechiel II 835.

4 Vgl. die Zusammenstellung bei SCHOTT, Vergleiche 70-72.

5 MUELLER, Hirt 126-144.

6 KEEL, AOBPs 243 und Abb. 349.352 u.a.; ANEP 379.

In Griechenland heisst schon seit Homer der Herrscher ποιμὴν λαῶν . Von einem θεῖος νομεύς spricht Platon (Polit. 271 E und 275 C). Die Regierenden, die als Hirten der πόλις genannt werden, müssen auf das Wohl ihrer Untertanen genau so aus sein, wie die Hirten auf das Wohl ihrer Tiere[1].

Das Alte Testament steht in diesem Traditionszusammenhang. Im Gegensatz aber zu den Hirtenbildern in den Grossreichen ist das Bild vom Guten Hirten in Israel nie zur "formelhaften Gottesprädikation" oder zum Königstitel erstarrt[2], sondern behält immer seine volle Anschaulichkeit und Lebendigkeit. Da während der ganzen biblischen Zeit der Hirtenberuf eine grosse Bedeutung spielte[3], bezog Israel die Bilder immer wieder aus der Lebensweise der israelitischen Bauern und Nomaden[4]. So wird die reiche Terminologie "der Hirtensprache" auf Jahwe angewandt und Gott in immer "neuen anschaulichen Abwandlungen des Bildes als Hirte geschildert" (vgl. Ps 23,2-4; 68,8; Jer 50, 19)[5].

Wie Jahwe, so scheint auch der politische Führer, insbesondere der König, unter dem Bild des Hirten[6]. Er wird von Jahwe gegeben, um Israel zu weiden (2 Sam 5,2; 7,7; Jer 23,2; Mich 5,4) und zu führen (Ps 77,21). Deshalb ist er ihm verantwortlich (Jes 44,28). Besonders über die Bildrede (Ez 34,1-31), wo der künftige messianische Davide mit Hirt bezeichnet wird[7], hat das Hirtenmotiv hinübergewirkt auf das Neue Testament mit sei-

---

1 Vgl. JEREMIAS, ThWNT VI 485f. Anm. 16; MUELLER, Hirt 126 Anm. 3.

2 JEREMIAS, ThWNT VI 486; MUELLER, Hirt 127; ZIMMERLI, Ezechiel II 835.

3 Vgl. DALMAN, AuS VI 213-287.

4 HAMP, Hirtenmotiv 9.

5 JEREMIAS, ThWNT VI 486; HAMP, Hirtenmotiv 14-17.

6 Vgl. die Stellen bei HAMP, Hirtenmotiv 10f.

7 Vgl. ebd. 12f.

nen Gleichnissen vom verlorenen Schaf (Mt 18,12-14; Lk 15,4-7)
und Christus als Herren des "eschatologischen Jenseitsgerich-
tes" (Mt 25,32). Er erscheint als der "grosse Hirte" (Hebr
13,20) und "Hirt und Aufseher eurer Seelen" (1 Petr 2,25), ja
er ist der Hirte schlechthin (Joh 10,1-30)[1].

Das Bild des Guten Hirten steht als Symbol treuer Leitung,
wachsamen Schutzes und liebevoller Fürsorge.

Was will nun der Ausdruck רעה in Spr 10,21a ganz konkret aussagen? "Das Zentrale am Hirtenmotiv sind die Sorge des Hirten
für die Herde und das Vertrauen der Herde zu ihm"[2]. Der Hirte
ist mit ganzem Einsatz für seine Herde da (Joh 10,11). Er
denkt an das Wohl der Herde. Er sammelt die zerstreuten Schafe und führt sie zu guten Weiden (vgl. Ez 34,11ff.; Mich 4,6f.;
Jer 23,3f.). Er bringt sie zur rechten Zeit an die Wasserstel-
len, wo er sie ruhen lässt (Ps 23,1ff.) und bringt sie für die
Nacht in den meist eingefriedeten Pferch (Ps 78,70-72). Der
Hirt nimmt sich besonders der Schwächeren in der Herde an. Er
verbindet die Verwundeten und stärkt die Schwachen (Ez 34,16).
All diese Aufgaben gehören zu einem zuverlässigen Hirten. Um
diese Vorstellungen geht es im Verb in V.21a. Die Uebersetzung
"ernähren", "speisen"[3] ist deshalb zuwenig umfassend.

Der Gerechte ermöglicht vielen (רבים) das Leben. Wie ein Hirt
kümmert er sich um das Wohl der andern. Es wäre wohl zu einseitig, vom Bild her beim Gerechten nur an einen einflussreichen Menschen zu denken, der sich für die andern, besonders
für die Armen und Entrechteten, sorgt und einsetzt. Wohl wird
auch ein solcher hier mitgemeint sein und man kann an Ijob
denken, der am Tor das Wort ergreift und durch seine Rede den
Bedrängten und den Verwaisten befreit (Ijob 29,12-17). An je-

---

1 JEREMIAS, ThWNT VI 489-497.
2 GOTTLIEB, Tradition 194.
3 Vgl. TOY, Proverbs 211; McKANE, Proverbs 226.

den ist aber hier gedacht, der durch sein Reden andern zu einem
bessern Leben verhilft.

Beim Ausdruck רעה könnte man natürlich auch an "Führung und
Leitung"[1] denken: "des Gerechten Lippen leiten viele", da das
"Leiten" auch zum Hirtenmotiv gehört. Der Hirte geht seiner
Herde voran (Ps 68,8) und führt sie (Ps 23,3). Man könnte
hier ebenfalls auf Ijob (29,7-10.21-25) hinweisen, wo seine
hervorragende Stellung im sozialen Leben geschildert wird. Er
zeichnete sich durch seine überragende Rede aus und beein-
flusste alle, die am Tor sassen. Alle waren still, weil sie
den Rat Ijobs erwarten und hören wollten. Seine Ansicht und
Empfehlung war entscheidend und drang durch[2]. Doch wird diese
Bedeutung in V.21b durch das Wort ימותו ausgeschlossen. Die
Antithese weist darauf hin, dass es allein um die Sorge der
andern geht.

Der Kontrast der beiden Glieder besteht darin, dass der Gerechte sich um das Leben der Mitmenschen kümmert, der Tor aber
durch sein dummes Reden sein eigenes Leben bedroht. ימותו kann
hier wörtlich gemeint sein. Darin liegt die Tragik des Unver-
standes, dass solches Verhalten bis zum Tode führt. ימותו kann
aber auch als metaphorischer Ausdruck gedeutet werden. Durch
sein aufbegehrendes Reden, macht der Tor sich überall verhasst.
Er verliert dadurch an Ansehen. Nichts ist aber für den orientalischen Menschen schlimmer, als in seiner Gemeinschaft nicht
mehr vollwertig zu gelten. Ein solches Leben ist für ihn überhaupt "kein Leben" mehr[3].

---

1 Vgl. HAMP, Sprüche 449; RINGGREN, Sprüche 44.
2 Vgl. FOHRER, Hiob 406f.
3 Vgl. BAUDISSIN, ḥajjim 158.

10,32   שִׂפְתֵי צַדִּיק יֵדְעוּן רָצוֹן   וּפִי רְשָׁעִים תַּהְפֻּכוֹת׃

Des Gerechten Lippen kümmern sich[a] um Wohlgefallen,
aber der Frevler Mund (kümmert sich) um Verkehrtheit.
oder: aber der Frevler Mund (ist) Verkehrtheit.

Textanmerkungen:

a   Anstelle von יֵדְעוּן schlagen BH, TOY und GEMSER
     יַבִּיעוּן vor[1]. Diese Lesung entspricht der LXX:
     ἀποστάζει.
     Die LXX ist aber in V.31-32 so frei, dass auf sie
     keine Rekonstruktion eines ursprünglicheren Textes
     als MT aufgebaut werden kann.
     THOMAS liest entweder יֹדְעוּן "bekannt machen" (vgl.
     Spr 1,23) oder יִדְעוּן "suchen" nach dem Arab. daʿā[2]
     (דעה "wünschen")[3].
     Nach FRANKENBERG und McKANE hat ידע die Bedeutung
     "sind bedacht auf", "is concerned with"[4]. Wie
     McKANE richtig bemerkt, ist die Lesung des MT
     durchaus möglich (vgl. Auslegung).

Grammatikalisches und Stilistisches:

V.32a erklärt sich am besten als zusammengesetzter Nominalsatz: "die Reden des Gerechten: sie kümmern sich um Wohlgefallen". Auch V.32b kann als zusammengesetzter Nominalsatz aufgefasst werden: "aber der Mund der Frevler: (er kümmert sich) um
Verkehrtheit". In diesem Falle handelt es sich hier um eine
ἀπο- κοινοῦ -Konstruktion, oder aber wir verstehen V.32b als
Nominalsatz: "der Frevler Mund (ist) Verkehrtheit".

Die Alliterationen in V.32a unterstreichen den Gedanken, dass
die Gerechten sich um Wohlgefallen kümmern: צ, ד, ק:
צדיק ידעון רצון.

---

1 GEMSER, Sprüche 52.

2 daʿā bedeute "sought, desired, asked, demanded" (THOMAS,
  Textual and Philological Notes 285).

3 Ebd. 285.

4 FRANKENBERG, Sprüche 71; McKANE, Proverbs 424.

Auslegung:

Einige Exegeten vermuten, dass in V.32a יַבִיעֻוּן zu lesen sei[1]. Doch gibt der MT durchaus einen befriedigenden Sinn. Das Wort ידע wird gelegentlich in der Bedeutung "sich kümmern um" gebraucht (Gen 39,6; Ps 1,6; vgl. auch Ps 31,8; 37,18; Ijob 9,21; Spr 27,23)[2]. Es scheint, dass ידע auch in Spr 10,32 diese Bedeutung hat. Wenn der Gerechte spricht, so kümmert er sich um die רצון.

רצון steht im AT vorwiegend für das Wohlgefallen, die Gnade, den Willen Gottes (40x) und nur in 16 Fällen ist es der Mensch, von dem רצון als Empfindung oder Handlung ausgesagt wird[3]. In der Spruchliteratur wird der Begriff רצון oft zusammen mit תועבה für ein Werturteil verwendet: "Trügerische Waage - Greuel Jahwes, und vollständiger Gewichtstein - sein Wohlgefallen" (Spr 11,1)[4].

GEMSER meint zur Stelle, dass der Gerechte durch sein Reden das Wohlgefallen Jahwes zu gewinnen sucht (vgl. Spr 3,12; 8,35; 11,1.20; 12,2.22; 15,8; 18,22)[5]. Dieser Sinn ist nicht auszuschliessen[6].

Doch scheint es mir wahrscheinlicher, dass רצון in unserem Text die Bedeutung von "Wohlgefallen für jd." hat. So muss Spr 14,9 zu verstehen sein: "Die Toren verspotten Schuld, aber unter den Redlichen ist Wohlgefallen"[7]. "Wohlgefallen" ist hier als gegenseitige Gunst, d.h. wohlwollendes Einvernehmen

---

1 Vgl. TOY, Proverbs 219; GEMSER, Sprüche 52; BARUCQ, Proverbes 106.
2 Vgl. DAHOOD, Psalm I 5.
3 Vgl. SCHRENK, ThWNT II 741.
4 Siehe oben Kapitel II 140f.
5 GEMSER, Sprüche 56.
6 Vgl. auch McKANE, Proverbs 424.
7 Spr 14,9a ist nicht ganz klar (vgl. McKANE, Proverbs 475f.).

unter den Redlichen zu verstehen[1]. In ähnlicher Weise ist auch
Spr 14,35 zu deuten: "des Königs Wohlwollen für den klugen Diener", d.h. der König spricht ihm Wohlwollen zu, er begünstigt
ihn[2] (vgl. Spr 16,15; 19,12; ebenso Gottes Wohlgefallen in der
Bedeutung von Huld gegen jd.: Ps 106,4)[3]. Der Gerechte ist bei
seinem Reden daran interessiert, was dem andern wohlgefallen
wird, was ihm zu seinem Wohl gereicht[4].

Im Gegensatz dazu gehen die Frevler in ihrem Reden auf תהפכות
aus. Der Begriff kommt von הפך, das im Qal "wenden", "auf die
andere Seite legen", "umdrehen", "eine andere Richtung geben",
"verändern" bedeutet. תהפכות kommt neben Dtn 32,20 10x in der
Spruchliteratur vor, davon 4x in Kap. 1-9. An vier Stellen
steht das Wort direkt in Verbindung mit Reden (2,12; 8,13;
10,31.32). Wer תהפכות redet, wird jenen gleichgesetzt, die den
geraden Weg verlassen und auf einem finstern Weg gehen. Sie
freuen sich am bösen Tun und frohlocken über der Bösen Verkehrtheit. Ihre Pfade sind krumm (עקשים) und ihre Geleise ver-
dreht (נלוזים) (2,12-15). Diese Menschen bewegen sich auf einem
gefährlichen Weg. Ihr Reden ist bewusst so ausgerichtet, dass
sie andere täuschen und ebenfalls auf falsche Wege führen. In
6,12-15 wird uns ein Mensch geschildert, der alles versucht,
um Böses zu tun. Er spricht "Verkehrtes" (עקשות), benutzt seine
Körperorgane, um hinterlistig den andern Böses hinzuzufügen.

Im Begriff תהפכות geht es eindeutig um eine Verdrehung und Entstellung. Das Wort steht in der Nähe von עקש "krumm" (vgl.
auch 16,28.30). Man wird deshalb תהפכות am besten mit "Verdrehung", "Verkehrtheit" übersetzen. Wie die entsprechenden Stellen zeigen, steckt in solchen Menschen immer die Absicht, andern zu schaden. So haben die Frevler in ihrem Reden stets das

1 Vgl. KBL 906; SCHRENK, ThWNT II 741.
2 Vgl. ALONSO-SCHOEKEL, Proverbios 75.
3 GB 772.
4 Vgl. DELITZSCH, Spruchbuch 176f.191.228f.

Verlangen, dem Nächsten Unheil zu stiften und stehen dadurch
im Gegensatz zum Gerechten, der sich um das Wohl seiner Mitmenschen kümmert.

Wie wir bereits festgestellt haben, kann V.32b auf zweifache
Art erklärt werden. Man kann das Verb "sich kümmern" auch zu
V.32b beziehen. Es kann sich aber auch um einen einfachen No-
minalsatz handeln: "der Mund des Frevlers (ist) Verkehrtheit".
In dieser einfachen Form kommt ganz unmissverständlich zum
Ausdruck, dass das Reden des Frevlers und die Falschheit und
Verkehrtheit zusammengehören[1].

12,18   יֵשׁ בּוֹטֶה כְּמַדְקְרוֹת חָרֶב   וּלְשׁוֹן חֲכָמִים מַרְפֵּא:

> Es gibt einen unbesonnenen Schwätzer - (das ist)
> wie Schwertstiche,
> aber die Zunge der Weisen (ist) Heilung (Heilkraft).

Grammatikalisches und Stilistisches:

In V.18a ist die Form des Subjektes יֵשׁ בּוֹטֶה etwas merkwürdig.
יֵשׁ mit Part. findet sich noch in Spr 11,24; 13,7; 18,24. An
allen vier Stellen hat יֵשׁ die Bedeutung: "es gibt einen solchen, der...". Wahrscheinlich ist die Form aus יֵשׁ אֲשֶׁר zu erklären (vgl. Neh 5,2-5)[2]. Meistens wird יֵשׁ mit "mancher" übersetzt[3]. Entsprechend den andern Stellen ist aber hier eher an
einen bestimmten Typ (wie etwa an den Frevler) gedacht, der
drauflos schwätzt. So gäbe z.B. Spr 18,24b keinen guten Sinn,
wenn man die Stelle übersetzen würde: "mancher der liebt, der
hängt mehr an als ein Bruder". Auch hier ist an einen bestimmten Menschen gedacht: "es gibt einen Freund" (vgl. auch Spr
11,24; 13,7).

---

1 Vgl. DELITZSCH, Spruchbuch 176f.

2 KBL 408.

3 Vgl. FRANKENBERG, Sprüche 79; BUBER, Gleichsprüche 233;
RINGGREN, Sprüche 52; GEMSER, Sprüche 58.

Analog zu V.18b verstehen wir V.18a auch als Nominalsatz: "ein unbesonnener Schwätzer ist wie Schwertstiche".

Es fällt auf, dass der Vergleich "wie Schwertstiche" nicht wie gewöhnlich am Anfang steht[1]. Offenbar wird die normale Satzstellung bewahrt, weil die Betonung auf "ein unbesonnener Schwätzer" liegt.

Vergleiche sind in den Proverbien weniger häufig als Metaphern. Wahrscheinlich will hier bewusst gezeigt werden, dass zwischen dem Bild und dem, was verdeutlicht wird, nur eine teilweise Aehnlichkeit besteht[2].

Das Prädikat in V.18a wird durch die Alliteration ן (bzw.ק) hervorgehoben: כמדקרות חרב. In V.18b verdeutlicht das Mem, dass die Heilkraft von der Rede des _Weisen_ ausgeht: חכמים מרפא.

Auslegung:

בטה kommt im Qal nur an dieser Stelle vor, sonst steht es im Pi'el (Lev 5,4 [2x] und Ps 106,33). Beim Pi'el ist ein bestimmter Redeinhalt vorgestellt (ähnlich wie bei דבר[3]). Dagegen ist im Qal der Redeinhalt offen gelassen[4]. Das Wort bezeichnet in Spr 12,18 irgendein unbedachtes Geschwätz. DELITZSCH vermutet, dass בטה wie das Griech. βαττᾰρίζειν "stammeln" und βαττολογεῖν "plappern" ein schallnachahmendes Wort ist[5]. Es handelt sich hier um einen Menschen, der gedankenlos dahinredet. Die Rede eines solchen Schwätzers wird mit "Schwertstichen" verglichen. Das Gefährliche der Rede wird oft mit allerhand Waffen und Mordinstrumenten dargestellt[6].

---

1 Siehe oben Kapitel I 38.

2 Vgl. BUEHLMANN-SCHERER, Stilfiguren 65.

3 Vgl. JENNI, Pi'el 164-169.

4 Ebd. 216.

5 DELITZSCH, Spruchbuch 201f.

6 Vgl. KEEL, Feinde 166.

Unter diesen Instrumenten sind "Pfeil" und "Bogen" die gefähr-
lichsten[1]. Während im Bild "Pfeil und Bogen" mehr das Heimtückische und Unberechenbare der falschen Zunge im Vordergrund
steht, kommt im Bild "Schwertstiche" vor allem die tödliche
Wirkung des Schwertstosses zum Ausdruck. Einmal vom Schwert
getroffen und durchbohrt, sind die Lebenschancen nicht mehr
gross (vgl. auch Spr 25,18).

Einer, der unüberlegt daherplappert, kann durch sein Geschwätz
andern das Leben gefährden. Es muss dabei gar nicht ein beab-
sichtigtes schlechtes Reden gemeint sein. Im Gegenteil בטה
scheint eher ein gedankenloses Sprechen zu bezeichnen. Dummes
Gerede ist oft ebenso gefährlich. Es kann zu Misstrauen und
Zänkereien führen. Durch solches Geschwätz verdirbt man andern
das Leben. Ein modernes arab. Sprichwort sieht in diesem Reden
die Ursache von Feindschaft: "Der Schlüssel des Mundes ist ein
Bissen und der Schlüssel der Feindschaft ein Wort"[2].

Anders ist die Zunge der Weisen. מרפא hat hier wohl nicht wie
in Spr 15,4 resultative Bedeutung, sondern meint "Heilkraft"
(Arznei, Medizin). Ueberall, wo die Weisen sprechen, wirkt
ihre Rede versöhnend. Sie verstehen es, durch geschickte Worte
zu vermitteln[3].

---

1 Schon die Aggadisten heben die weit gefährlichere Bedrohung
  durch Pfeil und Bogen gegenüber Schwert und Lanze hervor.
  "Der Zunge als Gleichnis gilt auch der Pfeil. Warum? Weil
  derjenige, der das Schwert zieht, um seinen Nächsten zu
  schlagen, dieser ihn anfleht um Erbarmen, er bereuen und
  sein Schwert zurück in die Scheide bringen kann. Wenn aber
  einer den Pfeil abgeschossen hat und es noch so sehr bereut,
  wiederbringen kann er ihn nicht" (Midraš Šoher Tob, Ps 120
  § 4, 504, zit. nach WEISS, Wege 295 Anm. 1).

2 HAEFELI, Spruchweisheit Nr. 400; vgl. auch Nr. 295 und 399.

3 Vgl. DELITZSCH, Spruchbuch 202; McKANE, Proverbs 446, legt
  diese Stelle treffend aus.

So zeigt dieses Sprichwort eindrücklich, wie die wohldurchdachte Rede in einer Gemeinschaft das Verhältnis zueinander
positiv beeinflussen kann.

Auch die zwei folgenden Proverbien (11,9; 12,6), in denen die
Rettung durch die rechte Rede verheissen wird, sind an dieser
Stelle zu erwähnen.

11,9 בְּפֶה חָנֵף יַשְׁחִת רֵעֵהוּ   וּבְדַעַת צַדִּיקִים יֵחָלֵצוּ:

> Mit dem Mund verdirbt der Heuchler seinen Nächsten,
> aber durch Erkenntnis der Gerechten wird man geret-
> tet[a].
> oder: aber durch Erkennen werden die Gerechten er-
> rettet.

Textanmerkung:

a Die LXX übersetzt etwas anders: Ἐν στόματι ἀσεβῶν
   παγὶς πολίταις, αἴσθησις δὲ δικαίων εὔοδος.

   "Im Mund der Frevler ist eine Schlinge für Bürger,
   aber die Erkenntnis der Gerechten ist ein guter
   Weg". Gestützt auf diese Uebersetzung liest BH anstelle von בְּפֶה בָּפִי und ändert יַשְׁחִת zu יְשָׁחֵת. Oder
   man verbessert in Anlehnung an die LXX יַשְׁחִת רֵעֵהוּ
   zu שַׁחַת רָעָה. Doch sind diese Korrekturen überflüssig.

Grammatikalisches und Stilistisches:

V.9a bildet einen zusammengesetzten Nominalsatz, in welchem
die adverbielle Bestimmung בפה vorangestellt ist (Emphase):
"Der Heuchler: durch den Mund verdirbt er seinen Nächsten".

Aehnlich kann V.9b interpretiert werden: "Die Gerechten: sie
werden durch Erkenntnis gerettet". יחלצו kann aber auch das
unbestimmte Pronomen "man" ausdrücken[1]. Dann bildet die präpositionale Bildung "durch Erkenntnis der Gerechten" das Sub-

---

1 GESENIUS-KAUTZSCH, Grammatik § 144f.

jekt, der Verbalsatz "man wird gerettet" das Prädikat[1].

בדעת צדיקים ist durch die Alliteration auf ד miteinander verbunden.

Auslegung:

Das Substantiv חנף ist häufig in Ijob (8,13; 13,16; 15,34;
17,8; 20,5; 27,8; 34,30; 36,13) anzutreffen. Ausserdem erscheint es bei Jesaja (9,16; 10,6; 33,14) und Ps 35,16. In
Jes 33,14 steht es parallel zu חטאים, in Ijob 8,13 zu שכחי אל
und 20,5 zu רשעים und bedeutet "von Gott entfremdet". Auf
Grund der Antithese חנף-צדיק vermutet McKANE, dass חנף eine
Variante zu רשע ist[2].

Allerdings übersetzen Aquila, Symmachus und Theodotion das
Wort mit ὑποκριτής , Hieronymus mit "simulator". Aehnlich
bedeutet חנף im Mittelhebr. "schmeicheln", "heucheln"[3] und חנף
tritt oft im Talmud als "Heuchler", "Schmeichler"[4] auf. Es ist
durchaus möglich, dass im Gegensatz zu Ijob und Jesaja hier
eher an einen "Heuchler" gedacht ist. Diese Uebersetzung passt
ausgezeichnet zu unserem Text[5].

בפה wird in V.9a durch die Voranstellung besonders betont. Das
Verb שחת bezeichnet in den frühen Texten "das konkrete Verderben einer konkreten Grösse, einer Quelle (Spr 25,26), eines
Auges (Ex 21,26) oder des gesalbten Königs (2 Sam 1,14, 1 Sam
26,9.15)". Meistens aber drückt es "das Verwüsten einer Stadt
oder einer Landschaft aus" (z.B. 1 Sam 6,5; 23,10; 2 Sam 20,20;
24,16 u.o.). "Besonders häufig findet sich der Ausdruck im Zusammenhang mit der Zerstörung Sodoms (Gen 13,10; 18,28.31f.;

1 Vgl. HERMISSON, Studien 159.
2 McKANE, Proverbs 431.
3 KBL 317.
4 JASTROW, Dictionary I 485.
5 Vgl. FRANKENBERG, Sprüche 72; BUBER, Gleichsprüche 231;
  GEMSER, Sprüche 54; PLOEGER, Auslegung 409.

19,13f.)"[1]. Die Mittel, mit denen die Verwüstung herbeigeführt
wird, sind "Feuer und Schwefel" (Gen 19,24), "die Beulenpest"
(2 Sam 24,16), "Ungeziefer und wilde Tiere" (1 Sam 6,5; vgl.
Ex 8,20) oder "der Krieg mit Morden und Brennen" (1 Sam 13,17;
14,15; 2 Sam 20,15)[2]. Mit Ausnahme von Ex 8,20, wo das Mittel
der Zerstörung (מפני הערב) nach dem Verb genannt wird, steht
es an den oben genannten Stellen nicht direkt in Beziehung zum
Verb. Aber es ist aus dem Kontext klar, wodurch das Verderben
verursacht wurde (vgl. z.B. in 2 Sam 1,14 steht בחרב in V.12).

Es muss uns überraschen, dass in Spr 11,9 der "Nachbar" (Näch-
ste) nicht etwa durch das Schwert oder andere Mittel des Ver-
derbens umgebracht wird, sondern "durch den Mund des Heuchlers". Das Reden wird also hier den andern zerstörerischen
Kräften (Feuer, Schwefel, Beulenpest, Waffen) gleichgesetzt.
Der Heuchler bringt durch sein bösartiges Reden seinen Nächsten in schlechten Ruf und verdirbt ihm das Leben.

V.9b kann auf zwei verschiedene Arten interpretiert werden.
Viele Exegeten übersetzen: "aber durch Erkenntnis werden die
Gerechten gerettet"[3]. Dabei wird oft דעת im Sinne von "Vorsicht" aufgefasst[4]. Doch ist der Gebrauch in dieser Bedeutung
nicht belegt. PLOEGER vermutet, dass "vielleicht das Erkennen
des in der ersten Vershälfte Gesagten" gemeint ist. Das Durch-
schauen der Heuchelei behütet die Gerechten vor Schaden, weil
ihnen ein solches Erkennen eigentümlich ist[5].

---

1 KEEL, Erwägungen 423.

2 Ebd. 426.

3 Vgl. FRANKENBERG, Sprüche 72; TOY, Proverbs 224; OESTERLEY,
  Proverbs 84; BUBER, Gleichsprüche 231; RINGGREN, Sprüche
  48; GEMSER, Sprüche 54; BARUCQ, Proverbes 108.

4 Vgl. FRANKENBERG, Sprüche 72; KUHN, Beiträge 23; GEMSER,
  Sprüche 54.

5 PLOEGER, Auslegung 409; vgl. DELITZSCH, Spruchbuch 181.

Auf Grund der Antithese scheint es mir wahrscheinlicher, dass
יהלצו nicht zu צדיקים gehört, sondern unpersönlich mit "man"
übersetzt werden muss. Dann stehen רעהו und "man" einander
gegenüber. Bei רע muss nicht an einen bestimmten Gefährten
oder Freund gedacht sein, sondern an irgend einen Nächsten,
der durch Nachbarschaft, Ortsgemeinschaft oder sonstwie mit
ihm verbunden ist[1]. Somit passen רע und das unpersönliche "man"
gut zueinander[2].

Die Gerechten besitzen דעת, d.h. sie sind jederzeit fähig, die
Sachlage zu beurteilen. Sie fallen nicht auf jedes Gerede ein.
Durch ihre Erfahrung und Einsicht, durch sorgfältiges Erwägen
werden Verleumdung, falsches Gerede, Heuchelei aufgedeckt und
richtig gestellt. Sie entlarven die Lüge und verhindern, dass
ein Unschuldiger nicht in schlechten Ruf gerät. Nach Spr 2,6
ist die דעת eine Gabe Gottes, die dem Gerechten geschenkt
wird.

Das Sprichwort erinnert an Dan 13,1-64. Daniel lässt sich
nicht durch die falschen Anklagen der zwei Aeltesten beeindrucken. Er durchschaut die gemeinen Lügen und bringt durch
kluges Vorgehen Susanna wieder zu Ehren.

12,6   דִּבְרֵי רְשָׁעִים אֱרָב־דָּם   וּפִי יְשָׁרִים יַצִּילֵם:

> Die Worte der Frevler (sind) Lauern auf Blut[a],
> aber der Mund der Redlichen errettet einen.

Textanmerkung:

a   Die BH schlägt für דָּם חַם vor. Die LXX hat den Ausdruck "Lauern auf Blut" ausgetilgt und ihn mit
δόλιοι übersetzt[3].

---

1 Vgl. KBL 897f.; PLOEGER, Auslegung 409.
2 Vgl. auch McKANE, Proverbs 227.
3 Vgl. GERLEMAN, Studies 26f.

Grammatikalisches und Stilistisches:

V.6a ist ein Nominalsatz und V.6b ein zusammengesetzter Nominalsatz (mit normaler Wortfolge).

ארב steht gewöhnlich mit ל (vgl. Dtn 19,11; Ri 16,2), in Verbindung mit לדם (Spr 1,11.18; Sir 11,32). Nur an unserer Stelle ist das Verb mit dem Akk. konstruiert.

ארב ist Inf. cs. und steht als Nominativ[1].

Die Alliterationen auf ר, שׁ, מ in רשעים und ישרים betonen den
Gegensatz. Besonders deutlich sind auch die Alliterationen in
V.6a: דִּבְרֵי אֶרֶב־דָּם (Buchstabenchiasmus). Dadurch wird das Ge-
fährliche der Frevler Worte auch klanglich hervorgehoben.

Das Suffix der 3. Pers. Plur. in יצילם drückt wahrscheinlich
ein unbestimmt persönliches Subjekt aus (vgl. Spr 12,25)[2].

Auslegung:

Gelegentlich wird für דם das ähnlich klingende Wort תָּם vorgeschlagen. Dadurch würde das Suffix in יצילם besser verständlich[3]. Es besteht aber kein zwingender Grund, eine Korrektur
vorzunehmen, da ארב (ל)דם ein gebräuchlicher Ausdruck ist
(vgl. Spr 1,11.18; Sir 11,32)[4].

Im Bild "Lauern nach Blut" wird die heimtückische Gefahr der
Rede der Frevler geschildert. Besonders eindrücklich wird das
"Moment des Auflauerns" in Ps 10,8-10 dargestellt[5].

Im Ausdruck "Auflauern" kann an Banditen gedacht werden, die

---

1 Vgl. GESENIUS-KAUTZSCH, Grammatik § 114 a; JOÜON, Grammaire
  § 124 b.
2 Siehe oben Kapitel I 72.
3 BH; vgl. GEMSER, Sprüche 58.
4 Fast die meisten Kommentare übernehmen den MT.
5 Vgl. KEEL, Feinde 194-198.

aus einem Hinterhalt auf die Reisenden warten (Ps 10,8; Dtn
19,11), an einen im Dickicht lauernden Löwen[1], an Jäger, die
ihre Netze gestellt haben[2] (Ps 10,9b) oder an Feinde, die sich
vor einer Stadt in einem Hinterhalt aufhalten (Jos 8,4.9; Ri
9,35; 16,2; Klgl 4,19). An unserer Stelle meint das Bild wohl
Räuber, die auf ihre Opfer warten. Aehnlich wie man einem, der
sich im Hinterhalt versteckt hat, nicht entweichen kann, so
ist jeder den Reden eines Frevlers ausgeliefert. Dieser ruch-
lose Mensch hat eine perverse Lust, das Glück (Leben) des andern auszulöschen. Dies wird ganz eindrücklich mit dem Wort דם
ausgedrückt. Meistens steht דמים, wenn es das gewaltsam vergossene fremde Blut betrifft (vgl. Gen 4,10; 2 Sam 16,7f.; Ps
5,6)[3].

Dadurch, dass an dieser Stelle das Opfer nicht genannt wird,
sondern bloss auf das Vergehen hingewiesen wird, kommt vor allem das Unheimliche dieser Reden zum Ausdruck. Kein Mensch ist
vor dem Frevler sicher.

In V.6b bereitet das Suffix דָם manchen Erklärern Schwierigkeiten. Einige lassen das Suffix aus[4]. Nach KOENIG bezieht es sich
auf die Frevler[5]. Doch wäre dieser Gedanke in den Proverbien
eher etwas Seltenes. FRANKENBERG und RINGGREN führen es auf
ישרים[6] zurück. Dieser Vorschlag ist durchaus möglich, da in
den Proverbien oft ausgesagt wird, dass jeder von seiner Rede
selber profitieren kann (Spr 12,14; 13,2; 18,20; 21,23 u.a.).
In diesem Sinne ist z.B. Spr 11,6 zu verstehen: "Der Redlichen
Gerechtigkeit errettet sie (תצילם)".

---

1 Vgl. KEEL, AOBPs 78.

2 Ebd. 80f. und Abb. 115.

3 KOCH, Blut 406.

4 TOY, Proverbs 244; OESTERLEY, Proverbs 91; ALONSO-SCHOEKEL,
  Proverbios 66.

5 KOENIG, Stilistik 114.

6 FRANKENBERG, Sprüche 77; RINGGREN, Sprüche 53 Anm. 6.

Doch ist es wahrscheinlicher, dass in Spr 12,6 das Suffix das
unpersönliche Subjekt "man" bezeichnet. Der Mund der ישרים errettet "einen" vor den Fallen, die der Frevler bereitet hat.

Das Reden der ישרים ist dem hinterlistigen Sprechen der Frevler entgegengesetzt. Das wird besonders auch im Wort ישר deutlich, das oft in Verbindung mit דבר steht und "aufrichtig reden" bedeuten kann[1]. Den "Redlichen" geht es um die "Ehrlichkeit, Geradheit und Aufrichtigkeit"[2]. Dadurch, dass sie gegen
das heimtückische Tun der Frevler auftreten, auf die Schliche
und Listen dieser Menschen aufmerksam machen, die Lügen, die
diese vorbringen aufdecken und widerlegen, erretten sie andere vor ihrem Untergang. Durch ihre gewichtigen Worte vermögen
sie andere aus dem Einflussbereich der Frevler zu entziehen.
Das Hif. von נצל nimmt oft im Kontext die Bedeutung von "jd.
aus einer ausweglosen Situation befreien" an[3]. Ueberall, wo
die Frevler versuchen, andere durch Verleumdungen, Geschwätz,
Lügen schlecht zu machen, da setzen sich die "Redlichen" ein,
um den um ihr Ansehen und ihre Ehre Gebrachten zu helfen (vgl.
Spr 14,25 u.a.). Sie sind am Wohl und Glück einer Gemeinschaft
massgebend beteiligt. Deshalb kann von ihnen in Spr 11,11 gesagt werden: "Durch den Segen (d.h. durch ihren wohlwollenden
Einfluss[4]) der Redlichen erhebt sich die Stadt, aber durch den
Mund der Frevler wird sie niedergerissen".

Man könnte sich denken, dass unter den Frevlern falsche Zeugen gemeint sind. Die häufige Erwähnung in so ziemlich allen
Literaturgattungen (in den verschiedenen Schichten der Gesetze,
in der Weisheisliteratur, in der Geschichtsschreibung, bei den
Propheten) "weist wohl darauf hin, dass die falsche Anzeige in

---

1 Siehe oben Kapitel II 102f.
2 CONRAD, Gliederung 69.
3 Siehe oben Kapitel II 162.
4 Vgl. McKANE, Proverbs 431f.: "trough the beneficial influence ('blessing') of upright men a city is raised".

der israelitischen Gesellschaft ein verbreitetes Uebel war"[1].
Die "Redlichen" wären dann jene, welche den ungerecht Ange-
klagten zu ihrem Rechte verhelfen (vgl. Dan 13,1-64).

Auch Spr 12,13 ist den beiden Proverbien (11,9; 12,6) ähnlich:
"In der Verfehlung der Lippen ist eine unheilvolle Falle, doch
der Gerechte entkommt der Bedrängnis". In V.13a wird dargestellt, wie gefährlich ein Vergehen[2] mit den Lippen für andere sein kann. Dagegen fehlt in V.13b der Hinweis, dass durch
die gute Rede den Nächsten das Leben ermöglicht wird. Das
zweite Glied ist nicht als antithetischer Parallelismus zu
deuten, sondern bildet eher eine Weiterführung des bereits
angeschlagenen Gedankens. Der Gerechte durchschaut die Schliche der frevlerischen Rede und entrinnt so der gefährlichen
Falle, die ihm gestellt wurde[3].

Zusammenfassung:

In diesem Abschnitt wurde gezeigt, wie heilbringend die richtige Rede sein kann (Spr 10,11; 18,4; 15,4; 10,21; 10,32;
12,18; 11,9; 12,6). Im Gegensatz zu den verkehrten Worten der
Frevler oder Toren, die andere ins Unglück führen, verhelfen
die Gerechten (bzw. Weisen, Redlichen) ihren Nächsten zu einem
Leben in Fülle, d.h. sie tragen wesentlich dazu bei, dass andere am Glück teilhaben dürfen.

Auch die folgenden Sprichwörter, die an anderer Stelle behandelt wurden, müssen hier eingeordnet werden: 10,10[4]; 14,25[5];

---

1 SEELIGMANN, Terminologie 263.
2 Zum Begriff פשע vgl. KNIERIM, Hauptbegriffe 132.178.
3 Vgl. BARUCQ, Proverbes 116.
4 Siehe oben Kapitel II 109-112.
5 Siehe oben Kapitel II 161-164.

13,17[1]; 25,13[2]; 12,25[3].

Die gute Rede hat seinen Einfluss nicht nur auf das Glück
der andern, sondern verleiht auch dem Sprechenden selber Heil
und Zufriedenheit. Davon handeln die folgenden Sprichwörter.

2. Leben, Glück, Befriedigung für denjenigen, der seine Zunge
   richtig gebraucht

10,31   פִּי־צַדִּיק יָנוּב חָכְמָה   וּלְשׁוֹן תַּהְפֻּכוֹת תִּכָּרֵת:

> Der Mund des Gerechten gedeiht durch Weisheit,
> aber die Zunge der Verkehrtheit wird abgeschnitten.

Grammatikalisches und Stilistisches:

V.31a/b bilden zwei zusammengesetzte Nominalsätze.

"Verkehrtheit" ist ein Abstractum pro concreto. Oft werden
die Guten konkret persönlich, die Bösen abstrakt gefasst
(vgl. Spr 15,26, bes. in den Pss: 107,42; 7,10; 49,6)[4].

נוב wird im Qal. nur intransitiv gebraucht (vgl. Ps 62,11;
92,15: "noch im Alter gedeihen sie").

חכמה ist eine Art Akk. instrumentalis[5] (vgl. 2 Sam 15,23: "sie
weinten mit lauter Stimme: בוכים קול גדול ";   Ps 66,17: "Zu

---

1 Siehe oben Kapitel II 154-157.

2 Siehe oben Kapitel II 157-161.

3 Siehe oben Kapitel I 70-74.

4 Vgl. KEEL, Feinde 70.

5 Die Existenz des Akk. instrumentalis ist zwar für JOÜON,
  Grammaire § 126 1 zweifelhaft. Doch eine Anzahl Beispiele
  weisen darauf hin, dass dieser Akk. durchaus vorkommt (vgl.
  Ps 109,2: "Sie redeten mit mir mit verlogener Zunge"; Spr
  10,4: "wer mit lässiger Hand arbeitet"; Ps 63,6: "mit ju-
  belnden Lippen jauchzt mein Mund" u.a.).

ihm rief ich mit meinem Munde: פִּי־קְרָאתִי וְאֵלָיו)"[1]. Nach EHRLICH
hat man בְחָכְמָה zu lesen. Das בּ sei durch Haplographie verloren
gegangen[2]. Doch ist diese Annahme nicht notwendig.

V.31b ist durch die Alliterationen auf ת , כ , hervorgehoben:
תַהְפֻּכוֹת תִּכָּרֵת. Vielleicht klingen sie auf כָּתַת "hämmern", "zer-
schlagen" an (Lautmalerei)[3].

V.31 ist mit V.32 durch die Stichworte תַהְפֻּכוֹת , פִּי und צַדִּיק verbunden.

Auslegung:

Wie schon TOY bemerkt hat, liegt die Schwierigkeit in V.31 im
Ausdruck נוּב . Nach dem Kontext sollte das Verb kausativen
Sinn haben[4]. Doch es wird in den zwei andern Stellen (Ps 62,11;
95,5) nur intransitiv gebraucht und bedeutet "sprossen", "gedeihen"[5]. Trotzdem übersetzen viele Exegeten נוּב transitiv:
"Der Mund des Gerechten sprosst (bzw. lässt sprossen) Weisheit"[6]. So aufgefasst, ergibt V.31a folgenden Sinn: das Produkt oder die Frucht der Rede des Gerechten ist Weisheit.
ALONSO-SCHOEKEL fasst חָכְמָה als Subjekt auf und übersetzt das
Verb intransitiv: "Vom Munde des Gerechten quellt Weisheit hervor"[7]. Es bleibt jedoch unklar, wie er diese Auffassung grammatikalisch begründet. DAHOOD leitet das Verb von einer andern

---

1 Vgl. BROCKELMANN, Syntax § 93 n.

2 EHRLICH, Randglossen 52.

3 Vgl. BUEHLMANN-SCHERER, Stilfiguren 17.

4 TOY, Proverbs 218.

5 Das Verb wird zwar im po'el mit kausativer Bedeutung "lässt
gedeihen" (Sach 9,17) verwendet.

6 So DELITZSCH, Spruchbuch 176; FRANKENBERG, Sprüche 71; TOY,
Proverbs 218; RINGGREN, Sprüche 45; GEMSER, Sprüche 52;
McKANE, Proverbs 226 u.a.

7 ALONSO-SCHOEKEL, Proverbios 62.

Wurzel ab[1].

Unverständlich scheint mir, dass die wenigsten versuchen, das
Verb im intransitiven Sinne zu lassen, obwohl V.31a auch so
einen guten Sinn ergibt und mit V.31b noch besser übereinstimmt. Soweit ich sehe, erklärt nur BARUCQ die Stelle auf
diese Weise. Er meint, dass es sich hier um das Bild einer
Blume handle, die aufblüht (V.31a) und die man abbricht und
wegwirft (V.31b)[2].

Im metaphorischen Ausdruck נוב ist aber wahrscheinlich an einen
sprossenden Baum gedacht. Wie der Gerechte in Ps 92,14-16 mit
einem wachsenden Baum verglichen wird, so wird in V.31 das Reden selber einem gut gedeihenden Baum gleichgesetzt. Dass auch
in V.31b ein Bild aus der Baumwelt vorliegt, darauf scheint
das Verb כרת hinzuweisen. In Ijob 14,7 wird כרת für "fällen"
verwendet.[3] Es fehlen uns zwar Parallelen, wo vom Reden im
gleichen Sinne gesprochen wird. Zwar wird in Spr 15,4 die
"heile Zunge" mit der Metapher "Lebensbaum" dargestellt. Aber
wie wir gesehen haben, ist dort eine andere Vorstellung wirksam. Allerdings ist an drei Proverbienstellen auch an einen
Baum gedacht. So sprechen Spr 12,14; 13,2 und 18,20 von der
"Frucht" der Rede (מפרי פי). In Spr 18,20 steht parallel zu
מפרי das Wort תבואה, das ebenfalls für den Ertrag von Bäumen
(vgl. Lev 19,25) verwendet wird. Da diese Ausdrücke in allen
drei Proverbien mit den Verben שבע und אכל verbunden sind,
ist es wahrscheinlich, dass sie nicht verblasste Redewendungen
darstellen und einfach "Frucht" im Sinne von einem Ergebnis be-

---

1 DAHOOD setzt das Hebr. נפה mit dem Ugarit. nbt gleich.
Falls נפה von נוף "fliessen" abstammt, folgt daraus, dass
die Wurzel nbt נוב zugrundeliegt und noch hier und wahr-
scheinlich in Jes 57,19 erhalten blieb. Daher übersetzt
DAHOOD: "The mouth of the just will flow with wisdom"
(DAHOOD, Proverbs 20f.).

2 BARUCQ, Proverbs 106.

3 Vgl. DALMAN, AuS VII 44.

306

deuten. Somit wird auch in diesen Proverbien die Rede mit
einem Baum verglichen, der seine Früchte trägt.

Wie ein Baum, so gedeiht das Reden des Gerechten durch Weisheit, d.h. die Reden gelingen ihm, weil sie von Weisheit erfüllt sind und führen zum Erfolg.

Im Gegensatz dazu erntet die verkehrte[1] Rede Fehlschläge. Sie
gleicht einem Baum, der gefällt wird (vgl. Mt 3,10; Lk 3,9).
Eigentlich würde man in V.31b erwarten, dass derjenige, der
verkehrt redet andern Schaden zufügt. Aber in תכרת liegt gerade das Verblüffende, dass die Tat auf den Täter selber zurückwirkt. Durch diese Darstellungsweise erreicht der Weisheitslehrer, dass der Hörer sich von einem solchen Reden distanziert und sich dem rechten Reden zuwendet.

Wie bereits darauf hingewiesen wurde, wird in 3 Proverbien
die Rede mit einem Baum in Beziehung gesetzt, der seine Früchte trägt.

12,14 מִפְּרִי פִי־אִישׁ יִשְׂבַּע־טוֹב   וּגְמוּל יְדֵי־אָדָם ישוב (יָשִׁיב ק') לוֹ:

Von der Frucht des Mundes wird man (einer) mit Gutem[a]
gesättigt,
und die Tat der Hände kehrt zu einem zurück[b].

13,2 מִפְּרִי פִי־אִישׁ יֹאכַל טוֹב   וְנֶפֶשׁ בֹּגְדִים חָמָס:

Von der Frucht des Mundes isst[c] man Gutes,
aber der Treulosen Begierde ist Gewalttat.

18,20 מִפְּרִי פִי־אִישׁ תִּשְׂבַּע בִּטְנוֹ   תְּבוּאַת שְׂפָתָיו יִשְׂבָּע:

Von der Frucht des Mundes wird ein Leib satt,
vom Ertrag seiner Lippen wird er satt.

---

1 Zum Begriff תהפכות siehe oben 291f.

Textanmerkungen:

a   BH und GEMSER streichen טוֹב, da es sich wahrscheinlich von Spr 13,2 hierher eingeschlichen
habe[1]. Aber auch die LXX hat dieses Wort ἀγαθῶν.
KUHN korrigiert zu יַשְׂבִּיעַ בִּטְנוֹ "damit sättigt er
den Bauch" (vgl. Spr 18,20)[2].

b   Wahrscheinlich ist mit Ketib zu lesen יָשׁוּב; das
Qere hat יָשִׁיב; die LXX liest wahrscheinlich falsch:
ἀνταπόδομα δὲ χειλέων αὐτοῦ δοθήσεται αὐτῷ
("Lippen" statt "Hände").

c   Die Syr. Uebersetzung, der Targum, die Vulg. und
9 MSS haben ישׂבע; wahrscheinlich Angleichung an
Spr 12,14. Die LXX hat anstelle von פִּי־אִישׁ δικαιο-
σύνη. Der Vers wirkt stark moralisierend[3].

Grammatikalisches und Stilistisches:

In Spr 12,14 und 18,20 bilden scheinbar beide Glieder je
einen Verbalsatz. In 13,2b ist aber ein Nominalsatz vorhanden.
Rein formal sehen diese Sprüche gar nicht nach Verbalsätzen
aus; denn das finite Verb steht im Verbalsatz immer am Satzan-
fang; lediglich adverbielle Bestimmungen können vor es treten[4]. 13,2b weist darauf hin, dass wahrscheinlich auch das
erste Glied als Nominalsatz aufgefasst werden muss. 13,2b:
der Treulosen Begierde ist Gewalttat; analog dazu 13,2a: die
Frucht des Mundes ist Sättigung. Der Ausdruck "Sättigung"
macht eine Aussage über das Subjekt.

שבע kann mit oder ohne ב stehen; ohne ב in Ps 63,6 (vgl. Spr
12,14); mit ב in Ps 65,5.

אישׁ steht wahrscheinlich für ein unbestimmtes Pronomen (vgl.
Spr 12,25; 13,8; 14,12; 16,2.7.25; 18,4.12; 19,21; 20,5; 29,
26).

---

1 GEMSER, Sprüche 58.

2 KUHN, Beiträge 26.

3 Vgl. GERLEMAN, Studies 36-57, bes. 41.

4 NYBERG, Grammatik § 85 b; MICHEL, Tempora 177f.

13,2b könnte man auch als ἀπο-κοινοῦ-Konstruktion verstehen:
"aber der Treulosen Begierde (sättigt sich) mit Gewalttat"[1].

In den drei Proverbien finden sich folgende Alliterationen:
Mit פ wird der Ausdruck מפרי־פי hervorgehoben (12,14; 13,2;
18,20). Im Ausdruck ידי־אדם findet sich das alliterierende ד.
In 18,20 wiederholen sich die Konsonanten ח (bzw. ט), שׁ (bzw.
שׂ) und ב: איש תשבע בטנו תבואת שפתיו ישבע. Zwischen תשבע u. ישבע
besteht eine Paronomasie (gleiche Worte in verschiedener Funktion)[2].

Auslegung:

12,14

Einzelne Exegeten nehmen an, dass טוב wohl nach 13,2 von einem
Kopisten eingefügt worden sei. In ihrer Begründung stützen sie
sich auf V.14b, wo die Aussage ganz allgemein gehalten sei:
"but this does not give a general statement which we expect
as parallel to second cl., and which is given in 18,20; the
omission of the word good (....) secures the symmetry of the
couplet"[3]. Es bestehen jedoch keine Gründe, das טוב wegzulas-
sen. Allein der Hinweis, dass die Symmetrie gestört werde,
rechtfertigt es nicht, eine Textkorrektur vorzunehmen. Der
synonyme Parallelismus zeichnet sich nämlich nicht dadurch
aus, dass die beiden Glieder Gleiches aussagen müssen, sondern die synonyme Zeile bereichert, vertieft und fügt oft neue
Aspekte hinzu[4].

---

1 Vgl. BARUCQ, Proverbes 118.

2 KUHN, Beiträge 43, versteht die Paronomasie nicht und ändert
  zu יִבְלַע. Allein die Tatsache, dass שׂבע einmal mit מן und das
  andere Mal ohne steht, erlaubt keine Aenderung.

3 TOY, Proverbs 251; vgl. OESTERLEY, Proverbs 94; GEMSER,
  Sprüche 58.

4 Vgl. MUILENBURG, Study 98.

שבע מן kommt in Jes 66,11f.; Ps 104,13; Spr 1,31; 14,14; 18,20;
Ijob 19,22; 31,31; Koh 6,3 vor und wird im negativen Sinn "genug bekommen" (z.B. Spr 1,31; 14,14a; Ijob 19,22; Koh 6,3) wie
auch im positiven "satt werden von" (Ps 66,11; 104,13; Spr 14,
14b) verwendet. Der Ausdruck ישבע־טוב hat hier den Sinn von
"glücklich leben" (vgl. Ijob 21,25 אכל בטובה).

Vom Erfolg einer Rede profitiert der Redende selber. Es wird
aber nicht ausgesprochen, dass auch andere den Gewinn davon-
tragen, wie dies McKANE glaubt[1]. Es ist natürlich McKANE zuzu-
geben, dass sein Reden auch andern dient. Dadurch nämlich,
dass jemand aufrichtig spricht, nichts Hinterlistiges ausdenkt,
kein überflüssiges Geschwätz führt, sondern mit seinem Reden
zum Rechten sieht und andern hilft, geniesst er in der Gesellschaft Ansehen und erlebt somit das volle Glück ("wird mit
Gutem gesättigt"). Das Sprichwort betont nur diese Aussage.

In 12,14 kommt der Tat-Ergehen-Zusammenhang deutlich zum Ausdruck: Gute Worte bringen dem Sprechenden Glück. Dies wird besonders noch durch das zweite Glied hervorgehoben.

Der Ausdruck גמול (oft auch mit ידים verbunden) erscheint häufig zusammen mit den Verben עשה (Ri 9,16; Jes 3,11); שׁלֵּם ל
(Jes 59,18; 66,6; Jer 51,6; Ps 137,8; Spr 19,17); שלם על (Joel
4,4); הֵשִׁיב ל (Ps 28,4; Klgl 3,64; Spr 12,14 [Ql]); הֵשִׁיב על (Ps
94,2) in der Bedeutung "jd. eine Tat vergelten", "heimzahlen"[2].

In unserem Text steht nach dem Ketib ישוב (Qal) "kehrt zu ihm
zurück". In diesem Vers kommt die Ueberzeugung zum Ausdruck,

---

1 McKANE, Proverbs 448f.

2 Nach KOCH, Vergeltungsdogma 130-180, bedeuten die Verba
שוב (Hi.) und שׁלם (Pi'el) nicht "vergelten", sondern bezeichnen das Zurückwenden der Tat auf den Täter, das Wirk-
samwerden und Vollenden der Tat im Täter selbst. SCHARBERT,
ŠLM 300-324, ist der Frage nachgegangen und kam zum Schluss,
dass שׁלם nicht im Sinne KOCHs zu deuten ist und dass das
Verb durchaus den Sinn von "vergelten" hat.

dass von jeder Tat eine Bewegung ausgelöst wird, die über kurz
oder lang auf den Täter zurückwirkt. Wie ein Stein, in ein
Wasser geworfen, einen Kreis nach dem andern auslöst, so zieht
jede Tat eine Bewegung zum Guten oder zum Bösen nach sich, die
erst wieder zur Ruhe kommt, wenn sie den Urheber erreicht hat.
Vom Zusammenhang losgelöst ist V.14b recht allgemein gehalten
und kann sowohl eine gute wie schlechte Tat meinen. Doch zusammen mit V.14a geht es eindeutig um die gute Tat, hier um
die Heilkraft des guten Wortes, das sich auf den Redenden aus-
wirkt. Nicht ganz klar ist der Ausdruck אדם־ידי . Wahrscheinlich verdeutlicht ידי hier die Aussage und meint ein absicht-
liches Handeln (vgl. Jes 3,11; Ri 9,16). אדם steht parallel
zu איש und bezeichnet ein unbestimmtes Pronomen (vgl. Spr
19,11).

Der 2. Halbvers unterstützt und bekräftigt somit das im 1.
Glied Gesagte. Er ist fast im Sinne einer Begründung zu verstehen; denn jede Tat kehrt wieder zurück.

Nach der Lesung des Qere steht ישיב im Hi. Dadurch wird das
Subjekt gewechselt und die Uebersetzung lautet: "Er (Jahwe?)
gibt ihm gemäss der Tat seiner Hände zurück". Nach dieser Auffassung stellt sich die Frage, ob hier von einer Vergeltung
gesprochen werden könne. KOCH und nach ihm auch von RAD haben
dies allgemein verneint. Im Buch der Sprüche sei kein einziger
stichhaltiger Hinweis auf einen Vergeltungsglauben zu finden.
Was sich finde und immer wieder zum Ausdruck komme, sei eine
Auffassung von schicksalwirkender menschlicher Tat. Dazu gehöre die Ueberzeugung, dass Jahwe über den Zusammenhang von
Tat und Schicksal wache und ihn, wenn nötig in Kraft setze, be-
schleunige und vollende[1]. Diese These blieb aber nicht unwidersprochen. Einige haben nachgewiesen, dass man berechtigt

---

1 KOCH, Vergeltungsdogma 130-180; von RAD, Weisheit 170-181.

von einer Vergeltungslehre sprechen dürfe[1]. Es scheint, dass
die Problemstellung KOCHs eher europäischen Denkens entspricht.
Der Hebräer erfasst die Welt intuitiv als von Gott durchwirkt
und gelenkt, während der Abendländer logisch denkt und nach
Erst- und Zweitursache fragt[2].

13,2

GEMSER und RINGGREN stützen sich in V.2a auf die LXX (φάγε-
ται ἀγαθός) und nehmen טוב als Subjekt: "isst der Gute"[3].
Doch ist טוב eher Objekt zu אכל und ist ähnlich zu verstehen
wie ראה טוב (Ps 4,7; 34,13; Ijob 7,7); ראה בטוב (Koh 2,1) und
bedeutet "Glück geniessen" (vgl. auch מצא טוב "Glück finden":
Spr 16,20; 17,20; 18,22; נחל טוב "Glück ererben": Spr 28,10)[4].
Vom Erfolg einer Rede zieht jeder selbst seinen Nutzen (vgl.
Spr 12,14). Durch kluges Reden steht einer in Ehren und Achtung und kann so glücklich leben.

In V.2b hat נפש die Bedeutung von "Begierde", "Lust", "Gier"
(vgl. Ps 78,18; Spr 6,30; 12,10; Jes 56,11)[5].

בגד ist am häufigsten in der prophetischen Literatur anzutreffen[6]. Auch in der poetischen Literatur ist das Verb vertreten: 9x in den Proverbien (immer im Part.: 21,18; 2,22;
11,3.6; 13,2.15; 22,12; 23,28; 25,19), 5x in den Psalmen, ausserdem je 1x in Ijob und in den Klageliedern. Das Verb drückt
ein unbeständiges Verhältnis des Menschen zu einer bestehenden
festen Ordnung aus und kann mit "treulos handeln" übersetzt

---

1 HORST, Recht 181-212; GESE, Lehre 33-50; PAX, Vergeltungsproblem 56-112; SCHARBERT, ŠLM 300-324.

2 PAX, Vergeltungsproblem 112.

3 GEMSER, Sprüche 62; RINGGREN, Sprüche 55, lässt allerdings
  auch die andere Interpretation offen.

4 GB 273.

5 Vgl. DUERR, Hebr. נפש 262-269, bes. 267f.; BECKER, Begrip
  31; WOLFF, Anthropologie 33-35.

6 Ueber die Streuung vgl. ERLANDSSON, ThWAT 508.

werden. Es findet Verwendung, wenn ausgedrückt werden soll,
dass der Mensch eine Vereinbarung nicht einhält, eine Ehe,
einen Bund oder eine andere von Gott gegebene Ordnung bricht[1].
In den Proverbien bezeichnet das Wort einen Menschen, der auf
Verkehrtheit ausgeht (11,3; vgl. 21,18). Die בגדים haben eine
böse Gier (vgl. 10,3, wie die Frevler), um andere zu fangen
(11,6; 13,2). Besser noch als mit "treulos" wird das Wort mit
"tückisch" übersetzt[2]. KOENIG und andere vermuten im Wort
einen Zusammenhang mit בגד "Kleidung"[3]. Von daher liesse sich
"tückisch" gut erklären. Die Grundbedeutung des Verbes wäre
dann "bekleiden", "bedecken", "verhüllen". Dieses Wort hätte
jedoch der übertragenen bildlichen Bedeutung "verdeckt handeln", "etwas verhüllt tun" weichen müssen.

Auch unsere Stelle sieht die בגדים von dieser Seite. Sie sind
von einer unersättlichen Gier nach Gewalt erfüllt. חמס bezeichnet ein schweres Verbrechen, das oft in Verbindung mit
Bluttat oder Unterdrückung steht[4]. Es braucht hier nicht unbedingt die Gier nach Blut gemeint sein, wohl aber die begieri-
ge Lust, andere zu unterdrücken und zu missbrauchen[5].

Wie wir schon festgestellt haben, kann V.2b als gewöhnlicher
Nominalsatz verstanden werden. Die Begierde des "Tückischen"
ist Gewalttat, d.h. die "Tückischen" sind darauf aus, andern
Gewalttat zuzufügen.

Man kann auch יאכל zu V.2b herüberziehen. Somit bedeutet der
2. Halbvers, dass das Unrecht, das die "Tückischen" andern tun
wollen, zu ihnen selbst zurückkehrt; sie müssen gleichsam die
Gewalttat essen, d.h. die üblen Folgen davon tragen (vgl. Spr

---

1 ERLANDSSON, ThWAT 508.
2 Vgl. BUBER, Gleichsprüche 234; McKANE, Proverbs 230.
3 Vgl. ERLANDSSON, ThWAT 508.
4 Siehe oben 274.
5 Vgl. FRANKENBERG, Sprüche 81.

26,6: שתה חמס שׁתה "trinkt Gewalttat")[1].

18,20

TOY und RINGGREN verstehen unser Sprichwort als eine allgemeine Sentenz. Ein Mann müsse die Folgen seines Redens tragen[2].
Doch wie McKANE feststellt, hat פרי auch in V.20 den Sinn von
guten Früchten[3]. Dies bestätigt uns das hier verwendete Bild
(V.20a). Es ist nicht vorzustellen, dass ein Bauch sich an
schlechten Früchten sättigt. Etwas Schlechtes, das jemand ver-
schlingt, muss man wieder erbrechen (Ijob 20,15; vgl. Spr 23,
8)[4]. In Ijob 20,15.17-19 wird der Entzug von Gewinn und Lebensfreude mit diesem derben Vergleich des Erbrechens dargestellt. Umgekehrt bedeutet deshalb "essen", "sich sättigen"
sich am Leben freuen (Lebensfreude). So bezeichnet dieser Ausdruck auch in V.20 einfach "Leben", "Glück". Ein Mann, der gut
und klug redet, geniesst seine Früchte. Er empfindet Zufriedenheit, weil er innerhalb seiner Sippe geachtet wird.

V.20b ist eine Abwandlung des gleichen Gedankens. תבואה bezeichnet häufig "Erzeugnis", "Ertrag der Erde" (Ex 23,10;
Lev 23,29; 25,7.22), "der Bäume" (Lev 19,25), "des Samens"
(Dtn 14,22; Jes 23,3) und "des Getreides" (2 Chr 32,28). In
den Proverbien besagt das Wort oft "Einkunft", "Einkommen"
(14,4; 16,8; 10,16; 15,6), besonders das Einkommen, das sich
der Frevler mit Unrecht erworben hat (10,16; 15,6; 16,8). Im
übertragenen Sinn bedeutet es "Gewinn" (z.B. der Weisheit:

---

1 Vgl. GEMSER, Sprüche 62; dagegen DELITZSCH, Spruchbuch
  209f.; McKANE, Proverbs 460.

2 TOY, Proverbs 365; RINGGREN, Sprüche 75; vgl. auch DELITZSCH,
  Spruchbuch 299.

3 McKANE, Proverbs 514.

4 Das Bild des Erbrechens dürfte aus der ägyptischen Weisheit
  stammen. In Aegypten begegnet das Bild in verschiedenen Ab-
  schattungen (vgl. GRAPOW, Die bildlichen Ausdrücke 120).

Spr 3,14; 8,19).

KUHN vermutet, dass das Wort יִשְׁבַּע im 2. Glied zu יִבְלַע korrigiert werden müsse, da es unwahrscheinlich sei, dass einmal
שׂבע mit מן und ein anderes Mal mit dem Akk. konstruiert werde[1]. Doch ist dies noch kein Grund zu einer Textkorrektur, besonders da שׂבע mit oder ohne מן stehen kann. Die Variationen
finden sich in den verschiedensten Büchern (שׂבע mit dem Akk.
in Spr 12,11; 20,13; 28,19; 30,22; mit der Präposition מן
in 1,31; 14,14; 12,14; 18,20). Abgesehen davon kann sich das
מן in V.20a auch auf V.20b beziehen[2] (ἀπο-κοινοῦ-Konstruktion).

Durch die fast gleiche Wiederholung im 2. Glied wird der Gedanke besonders nachdrücklich hervorgehoben (vgl. auch die
häufigen Alliterationen).

In den drei ähnlich lautenden Proverbien (12,14; 13,2; 18,20)
wird der Tun-Ergehen-Zusammenhang der guten Rede aufgezeigt.
Ein Mann mit fruchtbringendem Munde geniesst auch selber den
Segen seines Redens. Er ist mit seinem Reden erfolgreich und
gewinnt dadurch Ansehen. Er nimmt am vollen Leben seiner Gemeinschaft teil.

Es gibt noch andere Proverbien, die die Wirkung der guten Rede auf den Redenden selber aufzeigen. Da diese schon in anderem Zusammenhang erwähnt wurden, werden sie hier nur aufgezählt (13,3[3]; 21,23[4]; 15,23[5]).

---

1 KUHN, Beiträge 43.
2 Vgl. DAHOOD, Psalm III 435-437.
3 Siehe oben Kapitel III 202-206.
4 Siehe oben Kapitel III 206-211.
5 Siehe oben Kapitel V 261-265.

3. Zusammenfassung

Eine grosse Anzahl Sprichwörter weist vor allem auf die Folgen der rechten Rede hin. Dabei sind verschiedene Begriffe
gewählt: Quelle des Lebens (bzw. der Weisheit) (10,11; 18,4);
Lebensbaum (15,4), das Leben bewahren (13,3; 21,23), Heilkraft
(12,18; 13,17), Frieden stiften (10,10), retten (14,25; 11,9;
12,6), satt werden (bzw. essen) (12,14; 13,2; 18,20), weiden
(10,21), kümmern (10,32), erfreuen (23,15f.; 25,13; 12,25),
Freude (15,23).

Wir haben festgestellt, dass diese Begriffe das Leben im vollen Gehalt, als ein glückliches Leben bezeichnen[1]. Dieses
Glück erlebt der Orientale vor allem dadurch, dass er in den
Verband seiner Familie und damit seines Volkes fest eingeglie-
dert ist[2]. Er ist keineswegs gleichgültig gegenüber seiner Umwelt. Ansehen und Anklang im Kreise seiner Mitbürger sind die
wesentlichen Voraussetzungen für das Leben in Fülle. Deshalb
sind im Orient falsche Reden, Lügen, Verleumdungen und Spott-
worte so verhasst. Solche Worte bringen den altorientalischen
Menschen in die mitmenschliche Entfremdung[3]. Isolierung, Ver-
einsamung bedeuten für ihn soviel wie der Verlust des Lebens.

Damit wird ein wichtiges Kriterium für die richtige Rede gegeben. Sie muss heilbringend sein, d.h. sie muss dem Menschen
das Leben in Fülle ermöglichen. Ueberall da, wo Worte und Reden in die Isolierung führen, da handelt es sich um die falsche Rede.

---

1 Vgl. BAUDISSIN, Ḥajjim 143-161.

2 WAECHTER, Gemeinschaft, bes. 11-21; de VAUX, Lebensordnungen I 20-107; KEEL, Feinde 36-44; WOLFF, Anthropologie 309-
  313.

3 Vgl. SEIDEL, Einsamkeit 52ff.; WOLFF, Anthropologie 313-316.

VII

VON DER MACHT UND OHNMACHT DER ZUNGE

1. Die Macht der Zunge und die Verfügungsgewalt des Menschen

18,21   מָוֶת וְחַיִּים בְּיַד־לָשׁוֹן   וְאֹהֲבֶיהָ יֹאכַל פִּרְיָהּ:

Tod und Leben sind in der Gewalt der Zunge,
und das, was man liebt[a], dessen Frucht isst man[b].

Textanmerkungen:

a   Anstelle des Part. Plur. wird manchmal das Part.
Sing. אֹהֲבָהּ vorgeschlagen[1]. KOEHLER ändert zu
וְאֶחֱזֶיהָ[2]. Doch sind keine Korrekturen notwendig
(vgl. Grammatikalisches und Auslegung).

b   BH liest mit der LXX ἔδονται יֹאכְלוּ.

Grammatikalisches und Stilistisches:

18,21 bildet einen synthetischen Parallelismus. Im 2. Glied
wird der angeschlagene Gedanken weitergeführt[3]. ואהביה und יאכל
haben hier eine unpersönliche Bedeutung und werden mit "man"
übersetzt[4].

Die beiden Feminin-Suffixe in ואהביה und פריה werden meistens
auf לשון bezogen. Doch ist V.21b wahrscheinlich folgendermassen zu verstehen: man isst die Früchte von dem, was man liebt.
Das Suffix in פריה (3. Pers. Sing. fem.) ist als Neutrum aufzufassen und weist zurück auf "Leben und Tod". Es ist ähnlich
zu erklären wie das Suffix der 3. Pers. Sing. fem., das sich
bisweilen zusammenfassend auf einen im Vorhergehenden enthaltenen Tätigkeitsbegriff bezieht (entsprechend unserem "es")

---

1 Vgl. GEMSER, Sprüche 75.

2 KBL 16.29.

3 Vgl. von RAD, Weisheit 45; zur Problematik des Begriffes
Parallelismus vgl. PODECHARD, Notes 299; SELLIN-FOHRER,
Einleitung 47.

4 GESENIUS-KAUTZSCH, Grammatik § 144 i und d.

(z.B. das Verbalsuffix in Num 23,19; vgl. Gen 15,6; 1 Sam 11,2;
1 Kön 11,12; Jes 30,8; Am 8,10)[1].

Das Suffix in אֹהֲבֶיהָ ist ein rückweisendes Pronomen im Relativ-
satze und bezieht sich auf das Suffix in "Früchte"[2].

"Tod und Leben" ist ein Merismus und drückt die Totalität
aus[3].

Auslegung:

בְּיַד bedeutet: was man in der Hand hat, besitzt man und hat es
in seiner Macht (Gen 32,14; Ijob 2,6)[4].

Meistens werden im Ausdruck "Tod und Leben" die Folgen der guten, bzw. schlechten Rede gesehen[5].

In Wirklichkeit handelt es sich aber um einen formelhaften
Ausdruck, durch den die unendliche Macht der Zunge betont
wird. OTTO hat aufgezeigt, dass sich eine solche Formel in
Aegypten vom NR bis in die Kaiserzeit verfolgen lässt. Auf der
Ptah-Stele Ramses II. in Abu Simbel sagt der Gott zum König:
"Du erhältst am Leben, wen du willst; du tötest, wen du willst".
Meistens wird in den verschiedenen Texten das Wortpaar śm3 und
ś'nḫ verwendet. Es scheint, dass es sich bei diesen Verben um
einen formelhaften Ausdruck handelt, in dem die königliche Gewalt über Leben und Tod ihren Ausdruck findet[6]. Aehnlich sind
die Worte an einen hohen ägyptischen Beamten auf den El-Amarnatafeln zu verstehen: "Du gibst mir Leben und du gibst mir

---

1 GESENIUS-KAUTZSCH, Grammatik § 135 p.

2 Ebd. § 155 h.

3 BRONGERS, Merismus 105f.

4 Vgl. WOLFF, Anthropologie 108f.

5 Vgl. FRANKENBERG, Sprüche 109; TOY, Proverbs 365; OESTERLEY,
  Proverbs 151; RINGGREN, Sprüche 75 u.a.

6 OTTO, Formel 150-154.

Tod. Auf dein Antlitz schaue ich; du bist ja mein Herr"[1].

Solche Allmachtsformeln sind im AT häufig und werden oft von Gott ausgesagt: "Der Herr tötet und macht lebendig, er stösst in die Grube und führt heraus" (1 Sam 2,6; vgl. Dtn 32,39; 2 Kön 5,7). "Sondern Gott ist der Richter: den einen erniedrigt, den andern erhöht er" (Ps 75,8; vgl. auch 107,33-41; 138,6; 147,6; Lk 1,52f.)[2].

Dieser Ausdruck wird in unserem Sprichwort auf die Zunge angewendet, der eine ungeheure Macht zugeschrieben wird.

Unklar bleibt, wie das Verb ואהביה in V.21b zu deuten ist. Die meisten Exegeten bringen die beiden Suffixe mit "Zunge" in Beziehung. FRANKENBERG übersetzt die Stelle: "wer sie gern anwendet, wird je nachdem ihre Frucht essen"[3]. OESTERLEY versteht unter אהב "jener, der liebt, sie zu gebrauchen"[4]. RINGGREN fasst den 2. Halbvers im negativen Sinn: "wer viel spricht, wird die Folgen seiner Worte tragen müssen"[5]. Aehnlich auch WALLIS: "er erntet die schlimmen Folgen seiner Geschwätzigkeit"[6].

Dadurch, dass das Suffix in פריה sich auf das Wortpaar "Tod und Leben" bezieht, erhält der ganze Vers einen guten Sinn und es sind keine Korrekturen vorzunehmen. Was man immer liebt (Tod oder Leben), dessen Frucht isst man. Dadurch wird die menschliche Freiheit über die Macht der Zunge betont. Im Ausdruck "was man liebt" zeigt sich diese freie Verfügung deutlich. Der Mensch hat es in der Hand, seine Zunge richtig oder falsch zu

---

1 KNUDTZON, El-Amarnatafeln Nr. 169,7f. 673.

2 Vgl. Lexikon der Alten Welt, Art. Allmachtsformeln 126f.; BARUCQ, Expression 185-188, bes. 301-303.

3 FRANKENBERG, Sprüche 109.

4 OESTERLEY, Proverbs 151.

5 RINGGREN, Sprüche 75.

6 WALLIS, ThWAT 119.

gebrauchen. Er trägt dafür auch die volle Verantwortlichkeit für seine Worte ("dessen Frucht isst er")[1].

Auch in Jak 3,3-6 wird die Macht der Zunge geschildert. In einer Warnung vor Lehrsucht spricht Jakobus von der Gewalt der Rede. Der Lehrende arbeitet ja vor allem mit der Zunge, und gerade dieser Umstand birgt grosse Gefahren in sich; denn der Lehrende ist besonders der Gefahr ausgesetzt, sich häufig "im Wort zu verfehlen"[2].

Im Gegensatz zu Spr 18,21, wo die freie Verfügung des Menschen über die Zunge betont wird, fällt uns auf, dass bei Jakobus zwar die Vergleiche von der Möglichkeit sprechen, die Zunge zu beherrschen, dass aber die Anwendung auf die Zunge sofort in "malam partem" übergeht. Obwohl man mit der Zunge "den ganzen Leib" im Zaum halten könnte, zeigt die Erfahrung das Gegenteil[3].

2. Das Reden untersteht der uneingeschränkten Verfügungsgewalt Gottes

Während es in Spr 18,21 um die Macht der Zunge und um die menschliche Freiheit geht, über diese Gewalt zu verfügen, wird im folgenden Sprichwort (16,1) diese Freiheit insofern begrenzt, dass menschliches Reden der uneingeschränkten Verfügungsfreiheit Gottes untersteht.

---

1 Der Gedanke vom freien Willen des Menschen kommt ganz deutlich bei Jesus Sirach zum Ausdruck. Gott hat am Anfang den Menschen erschaffen und ihn seinen eigenen Triebrichtungen überantwortet (Sir 15,14.16.17).

2 MUSSNER, Jakobusbrief 157.

3 Ebd. 160.

16,1 לְאָדָם מַעַרְכֵי־לֵב וּמֵיהוָה מַעֲנֵה לָשׁוֹן:

> Dem Menschen (gehören) die Entwürfe des Herzens,
> aber von Jahwe (kommt) die Antwort der Zunge[a].

Textanmerkung:

a   Dieser Vers fehlt in der LXX.

Grammatikalisches und Stilistisches:

In den beiden Nominalsätzen sind die Prädikate (לאדם und מיהוה)
zur besonderen Hervorhebung vorangestellt[1].

Die alliterierenden Konsonanten מ und ל verbinden die einander
entsprechenden Wörter und betonen gleichzeitig ihre Gegensätze.

Auslegung:

מערך kommt nur in 16,1 vor und bedeutet eigentlich die "Zu-
rüstungen" von ערך "in Schichten, Reihen legen", "stellen",
"zurüsten" (vgl. Spr 9,2). Das Wort meint hier wohl das Ent-
werfen von Plänen.

Der Sinn dieses Sprichwortes hängt davon ab, wie man V.1b interpretiert. Unter dem Ausdruck מענה לשון versteht man meistens
das, was schlussendlich aus den Ueberlegungen resultiert[2]. Der
Mensch soll eine Frage genau überlegen und durchdenken; die
Kunst aber, eine richtige Antwort zu geben, d.h. immer wieder
das geeignete Wort zu finden, ist aber eine Gabe Gottes[3].

Eine etwas andere Interpretation gibt McKANE. Er bezieht מענה
zu Jahwes Wort[4]. Aehnlich übersetzt auch BARUCQ: "mais de

---

1 Vgl. GESENIUS-KAUTZSCH, Grammatik § 141 b.

2 Vgl. TOY, Proverbs 320.

3 Vgl. DELITZSCH, Spruchbuch 259f.; RINGGREN, Sprüche 68.

4 McKANE, Proverbs 496.

Jahwe vient la décision"[1]. Es geht bei dieser Interpretation
um das Wort Jahwes, das die endgültige Entscheidung trifft.
Diese Deutung entspricht ziemlich genau der Thematik von Spr
16,1-9.33, die von der Allmacht Gottes handelt. Sie kommt vor
allem in V.9 zum Ausdruck: "Das Herz des Menschen erdenkt seinen Weg, aber Jahwe lenkt seinen Schritt". Auch in V.33 wird
dieser Gedanke deutlich. Dort ist von Orakellosen die Rede,
die im Bausch des Gewandes geschüttelt werden. Die Entscheidung hängt immer von Jahwe ab. Diese Verse erinnern ganz an
das Wort: "Der Mensch denkt, Gott lenkt" (vgl. auch Spr 19,21).
Jahwe prüft und behält sich das Urteil auch da vor, wo dem
Menschen sein Weg richtig vorkommen will (Spr 16,2). In Jahwes
Hand ist auch des Königs Herz (21,2).

Unserer Stelle, wie auch den angeführten Parallelen liegt die
menschliche Erfahrung zugrunde, dass menschliches Planen und
Handeln einander nicht selten widersprechen[2]. Dem menschlichen
Denken ist eine Grenze gesetzt[3]. Jahwe kann sich sozusagen zwischen Planen und Ausführung einschalten und das menschliche
Handeln in eine bestimmte Richtung lenken. Dadurch kommt die
absolute Souveränität Jahwes deutlich zum Ausdruck[4].

Hier werden ähnliche Gedanken geäussert, wie sie uns schon in
der altorientalischen Weisheit begegnen. In den Sprüchen
Achikars (5. Jh., Elephantine) ist zu lesen: "Klein ist der
Mensch und macht doch viel seiner Worte, die sich hoch über
ihn erheben (?); denn die Oeffnung seines Mundes ist der Ein-
gang für Götter; und wenn er von den Göttern geliebt wird, legen sie Gutes zu sagen ihm in den Gaumen" (114f.)[5].

---

1 DARUCQ, Proverbes 140.
2 Von RAD, Weisheit 134f.
3 Vgl. ebd. 131-148.
4 SKLADNY, Spruchsammlungen 27.
5 AOT 459; ANET 429 a.

Wahrscheinlich gehört auch die Maxime (44) des Anii (NR) hierher: "Eines ist der Plan (der Menschen), etwas anderes ist der
des Herrn des Lebens" (8,9f.)[1]. GRUMACH glaubt, dass Amenemope
im folgenden Text Anii glossiere: "Eines sind die Worte, die der
Mensch spricht[2], ein anderes ist das, was der Gott tut" (19,16f.)[3].

Die älteste israelitische Weisheit bewegt sich hier offenbar
"ganz innerhalb der gemeinorientalischen Vorstellungs- und Aus-
drucksmöglichkeiten"[4].

In Spr 16,1 greift Gott noch stärker in den "Intimbereich" ein,
als es im Sprichwort "der Mensch denkt und Gott lenkt" zum Ausdruck kommt. Nach 16,1 tritt Gott selbst zwischen die an und
für sich enge Verbindung von Gedanke und Wort.

3. Zusammenfassung

In diesem Kapitel wird einerseits die Macht der Zunge und die
Freiheit des Menschen, der über diese Gewalt verfügt, hervorgehoben, anderseits aber wird spürbar, wie ohnmächtig der Mensch
in seinem Handeln sein kann. Das menschliche Reden untersteht
letztlich der uneingeschränkten Verfügungsfreiheit Gottes.

1 Nach der Uebersetzung von GRUMACH, Untersuchungen 126. Anders SUYS, Sagesse 81: "Un homme seul ne progresse pas
  (quand ses) habitudes seraient toute réponse de vie".

2 Der Aegypter sagt gerne "reden" für "denken" (SETHE, Mensch
  143).

3 Nach der Uebersetzung von GRUMACH, Untersuchungen 127; vgl.
  auch SETHE, Mensch 141-143, der nachweist, dass LANGE's
  Uebersetzung: "Die Worte, die die Menschen sagen, schwinden
  dahin und die Taten des Gottes schwinden dahin" nicht richtig ist.

4 SCHMID, Wesen 148; weitere Belege ebd. 147; dagegen GESE,
  Lehre 45-50, der all diese Proverbienstellen als typisch
  israelitische Bildungen verstehen will.

VIII

SCHLUSSBEMERKUNGEN

1. Die vorliegende Untersuchung hat gezeigt, wie vielfältig
die Kriterien der rechten Rede sind. Da die Zusammenfas-
sungen am Ende der einzelnen Kapitel einen Einblick in die
Ergebnisse geben, genügt hier eine kurze Zusammenstellung
der wichtigsten Aussagen.

Auffallende Aufmerksamkeit wird der schönen Rede geschenkt,
die vor allem mit kostbaren Gegenständen verglichen wird.
Nur wer schöngeformte Worte gebraucht und sie auf angenehme Art vorbringt, findet bei den andern Anklang (Kapitel I).

Grossen Wert wird auf die offene, aufrichtige und zuverlässige Rede gelegt. Sie wird als ordnungsgemässe (צדק), aufrichtige (ישר) Rede umschrieben, die im nötigen Fall nicht
vor offener Kritik zurückschrecken darf. An dieser Stelle
sind auch die mit אמת und אמונה verbundenen Proverbien zu
erwähnen. Wenn von der "wahrhaftigen" Rede gesprochen wird,
ist nicht ein pathetischer Wahrheitsbegriff gemeint, der
das sachbezogene, den Tatsachen entsprechende Reden verlangt, das nicht in Beziehung zum Menschen stehen muss.
Die beiden Begriffe drücken vielmehr die Zuverlässigkeit,
ein loyales Verhältnis aus. Es handelt sich erst dann um
eine "wahrhaftige" Rede, wenn der andere sich auch auf sie
verlassen kann. Wir haben deshalb die beiden Ausdrücke jeweils mit "zuverlässig" übersetzt (Kapitel II).

Daneben wird recht häufig von der vorsichtigen Rede gesprochen. Trotzdem sie offen sein muss, darf sie jedoch andere
nicht verletzen. Man darf nicht vergessen, dass der Hebräer
gegenüber jedem ungeschickt vorgetragenen Wort äusserst
empfindlich reagiert und so verlangt der Umgang eine überlegte und sorgfältig ausgewählte Sprache. Besonders spielt
die vorsichtig formulierte Rede im Beamtenkreise eine grosse Rolle. Im Kontakt mit wichtigen Persönlichkeiten und
auf den Reisen, wo die Beamten die Interessen ihres Landes

zu vertreten haben, müssen sie mit ihren Worten äusserst
geschickt umgehen können (Kapitel III).

In vielen Situationen ist Schweigen das beste Mittel.
Meistens wird es aus Klugheit und Vorsicht motiviert. Ganz
fehlt in den Proverbien das Schweigen als Ausdruck der Einfügung in die göttliche Ordnung und als Akt des Vertrauens
(Kapitel IV).

Obwohl das Reden zur rechten Zeit in der altorientalischen
Weisheit besonders wichtig erscheint, sind die Belege im
Spruchbuch relativ selten. Erst bei Jesus Sirach wird recht
ausgiebig davon gesprochen (Kapitel V).

Ein weiteres wichtiges Kriterium der rechten Rede ist, dass
sie Leben und Heil vermittelt. Erst dann kann von der guten
Rede gesprochen werden, wenn sie zum eigenen und zum Wohl
der andern beiträgt (Kapitel VI).

Schliesslich weist der letzte Abschnitt auf die Macht der
Zunge hin. "Tod und Leben" stehen in ihrer Gewalt und doch
vermag sie der Mensch zu beherrschen. Aber auch ihm sind
durch die uneingeschränkte Verfügungsfreiheit Gottes Gren-
zen gesetzt (Kapitel VII).

2. HERMISSON hat das Thema "rechte Rede" ausschliesslich der
höfischen Bildungsweisheit zugeschrieben[1]. Man kann mit ihm
durchaus einig gehen, dass eine Anzahl Sprichwörter eher für
die Heranbildung von Beamten bestimmt waren (z.B. die Sentenzen über den zuverlässigen Boten). Es war auch naheliegend, dass der Beamte die Rede beherrschen musste. Er hatte
in politischen Angelegenheiten Rat zu erteilen. Dazu musste
er reden und seine Sache in wohlgeformten Worten überzeugend vortragen können. Doch darf man den "Sitz im Leben"

---

1 HERMISSON, Studien 72f.; vgl. von RAD, Theologie I 442ff.

dieser Proverbien nicht so exklusiv sehen. Eine ebenso bedeutende Rolle spielte die rechte Rede auch im alltäglichen Leben, so dass man annehmen kann, dass das Ideal der rechten Rede auch in der Volks- und Sippenweisheit gegolten hat[1]. So sind doch wohl Sprüche, die von der Verleumdung, Heuchelei, vom Geschwätz usw. handeln, eher dem Sippenethos zuzusprechen[2]. Dies heisst natürlich nicht, dass solche in der Sippenweisheit entstandenen Sprichwörter nicht auch in der Hofweisheit Verwendung fanden.

3. Neben den Ergebnissen in Bezug auf die rechte Rede führte diese Arbeit auch zu einigen grundsätzlichen Einsichten zur Proverbienexegese.

a) Es zeigte sich, dass auf Grund einer gründlichen Exegese der MT meistens bewahrt werden konnte. Es seien hier nur einzelne Fälle genannt.

- Es war ein besonderes Anliegen dieser Arbeit, die Proverbien auch grammatikalisch sorgfältig zu überprüfen (vgl. Abschnitt "Grammatikalisches"). Dadurch konnte an mehreren Stellen der Text auch ohne Korrekturen erklärt werden. So lässt sich z.B. die schwierige Stelle in 22,21 deuten, wenn man קשט in V.21a und אמת in V.21b als Akkusative der Art und Weise versteht (vgl. 12,25; 18,21 u.a.).

- Die meisten Kommentare versuchen wenig eindeutige Antithesen im MT durch Textänderungen zu verdeutlichen (vgl. 12,17; 13,17; 14,25 u.a.), besonders dann, wenn die LXX schärfere Gegensätze aufweist (vgl. 17,7 u.a.). Man darf aber nicht vergessen, dass die griech. Ueber-

---

1 Vgl. GERSTENBERGER, Wesen 110-130; WOLFF, Amos'; dagegen HERMISSON, Studien 82-94.

2 Zur Kritik der These von HERMISSON vgl. GERSTENBERGER, Weisheit 40-44.

setzung oft die Tendenz hat, deutlichere Antithesen
zu schaffen. Auch beim synonymen Parallelismus muss
man bedenken, dass die beiden Glieder nicht einfach
dasselbe aussagen, sondern vor allem bereichern, ver-
tiefen und neue Aspekte hinzufügen wollen, so dass
sich die beiden Glieder nicht unbedingt decken müssen
(z.B. 12,14 u.a.).

b) Durch ein systematisches Sammeln der wichtigsten Vorkommen und eine intensive Aufarbeitung der Sekundärlitera-
tur wurde in der Arbeit der typische, dem üblichen deutschen Aequivalent oft wenig genau entsprechende Sinn der
hebr. Vokabel eruiert (vgl. z.B. קר־רוה in 17,27; הדל
in 10,19). Besondere Aufmerksamkeit schenkte ich auch
den typischen (idiomatischen) Wortverbindungen (vgl. die
aussergewöhnliche Verbindung יפיה אמונה in 12,17).
Zu diesem philologischen Instrument konnten oft einzelne
Ausdrücke von der Realienkunde erhellt und beleuchtet
werden (z.B. 25,12; vgl. auch 25,11 u.a.).

c) Bei vielen Uebersetzungen werden auch die stilistischen
Eigenarten zuwenig berücksichtigt.
- Die Bilder müssen als solche genommen werden. Mit be-
sonderer Sorgfalt ist den Metaphern zu begegnen, die
man stets nach ihrem Bedeutungsumfang zu überprüfen
hat (vgl. z.B. 10,21 und 15,14: die Begriffe aus der
Hirtensprache). Gleiche oder ähnliche Bilder sind
nicht immer gleich zu interpretieren, sondern müssen
aus dem Zusammenhang erklärt werden (z.B. 10,20; 20,15;
25,11.12).
- In einzelnen Proverbien finden sich interessante Wortspiele, die unbedingt beachtet werden müssen (vgl.
z.B. die zweifache Bedeutungen von ענה in 26,4f., von
שמר in 21,23, von כבוד in 25,27).

- Sprichwörter sind oft mit viel Witz versehen, den wir
  aus mangelnder Kenntnis der Sprache nicht immer verstehen können. So enthalten in der Uebersetzung scheinbar banale Sprichwörter bei Beachtung der sprachlichen
  Gestaltung des Originals oft interessante Pointen.
  Spr 12,17 scheint ein Musterbeispiel für jene Proverbien zu sein, die auf den ersten Blick nichtssagend
  sind, bei näherem Zusehen aber viele Feinheiten enthalten (vgl. auch 14,5).

Diese und ähnliche Beobachtungen sind für eine zuverlässige Interpretation der Proverbien wichtig und verhindern, dass nicht unnötig verschiedene Textkorrekturen
zu Hilfe gezogen werden müssen.

STELLENREGISTER

STELLENREGISTER

Die Seitenzahlen mit Stern (*) verweisen auf Stellen, die in der Anmerkung zu finden sind.

335

33,10	229	22,14	206	52,4	68
33,18.22.28	205	23,1ff.	287	52,5	92
34,2	173	23,2	42	54,9	162
34,17	222	23,2-4	286	55,15	242
34,30	296	23,3	288	55,22	75 80
35,2	229	24,4	62	56,14	162
35,16	205	25,14	148	57,7b	155
36,13	296	25,16	272	58,2	89 92
36,14	205	26,2	40 100		100
38,32	129 264	27,4	65	58,5	230
40,4	107 197	27,7-13	98	59,8	54 187
	222 226	27,12	27	62,11	303 304
40,8.9	222	28,4	309	63,6	303* 307
41,12	120	31,8	290	63,7	185
41,19	229	31,14	17* 250	64,7	276
41,23	230	31,24	143	65,5	307
41,24	229	32,5	273	65,8-10	278
42,11	120	33,19	162	66,2	182*
		33,16	176	66,3	176
Ps		34,5	162	66,10	40
		34,13	311	66,11	309
1,2	185	34,14	204	66,14	205
1,3	260 264	34,18	162	66,17	303
1,6	290	34,18f.	283	68,7	273
2	91	34,19	283	68,8	286 288
2,12	40	35,10	66	69,3	277
4,7	311	35,16	296	69,14	260
5,5	67	35,19	110	69,18	115
5,6	300	35,21	206	69,21	283
5,10	118	36,3	118	71,9	260
5,11	176	36,9f.	282	72	91
6,3	66	37,18	290	72,14	274
7,7	224	38,13	185	73,1	62
7,10	100 303	39,2	204	73,2	40
9,9	92	40,11	273	73,7	48
10,8	300	41,7	255	73,9	128
10,8-10	299	44,12	131	74,3b	233*
10,11	115	44,23	230	74,15	276 278
12,3	118	44,26	73	74,20f.	274
13,3	73	45	91	75,3	100
14,1	68*	45,10	122	75,8	320
17,3	40	45,13	23	76,11	217
17,10	128	46,4	278	77,9	201*
18,26	248	47,10	145	77,13	185
18,27	233*	49,4	217	77,21	286
19,3	54 277*	49,6	303	78,2	277*
19,9	71	51,5	33	78,5	148
19,11	65 181	51,10	66	78,15	277
21,10	260	51,11	115	78,18	311
22,2	65	51,12	61	78,20	276
22,8	14 205	51,19	283	78,40	77

ABKUERZUNGS- UND LITERATURVERZEICHNIS

ABKUERZUNGSVERZEICHNIS

Die allgemeinen Abkürzungen sind nach dem THEOLOGISCHEN
HANDWOERTERBUCH ZUM ALTEN TESTAMENT I, München 1971, XXVI-
XLI angegeben. Die bibliographischen Abkürzungen sind die-
jenigen von DIE RELIGION IN GESCHICHTE UND GEGENWART VI,
Tübingen ³1962, XX-XXXI. Ausserdem werden folgende Abkür-
zungen verwendet:

Alt KS   A. Alt, Kleine Schriften zur Geschichte
                des Volkes Israel, 3 Bde, München 1959.

AnAeg   Analecta Aegyptiaca, København.

AOBPs   O. Keel, Die Welt der altorientalischen
                Bildsymbolik und das Alte Testament. Am
                Beispiel der Psalmen, Zürich-Neukirchen
                1972.

Aug   Augustinianum, Rom.

AuS   G. Dalman, Arbeit und Sitte in Palästina
                (7 Bände), Gütersloh 1928-1942.

AzTh   Arbeiten zur Theologie, Stuttgart.

Bb   Biblica, Rom.

BHH   Biblisch-historisches Handwörterbuch, hrsg.
                von B. Reicke und L. Rost (3 Bde), Göttingen
                1962-1966.

BL   Bibel-Lexikon, hrsg. von H. Haag, Einsiedeln-
                Zürich-Köln ²1968.

DVj   Deutsche Vierteljahresschrift für Literatur-
                wissenschaft und Geistesgeschichte, Halle.

DVSM   Det Kgl. Danske Videnskabernes Selskab.
                Historiskfilologiske Medelelser, København.

EB   Die Heilige Schrift in deutscher Uebersetzung
                (Echter Bibel) Altes Testament, hrsg. von F.
                Nötscher (zitiert wird nach der vierbändigen
                Ausgabe), Würzburg 1955-1959.

FreibThSt   Freiburger Theologische Studien, Freiburg
                i.Br.

HAL	W. Baumgartner, Hebräisches und aramäisches Lexikon zum Alten Testament. Lieferung 1 u. 2, 1967ff.
LAW	Lexikon der Alten Welt, hrsg. von K. Bartels und L. Huber, Zürich-Stuttgart 1965.
MUB	Mélanges de l'Université St-Joseph, Beyrouth.
OBO	Orbis Biblicus et Orientalis, hrsg. von O. Keel und B. Trémel, Freiburg Schweiz-Göttingen.
SBFLA	Studii Biblici Franciscani Liber Annus, Jerusalem.
SBM	Stuttgarter Biblische Monographien, hrsg. von J. Haspecker und W. Pesch, Stuttgart.
SBS	Stuttgarter Bibelstudien, Stuttgart.
SGV	Sammlung gemeinverständlicher Vorträge und Schriften aus dem Gebiet der Theologie und Religionsgeschichte, Tübingen.
SJT	Scottish Journal of Theology, Edinburgh.
SThU	Schweizerische Theologische Umschau, Walperswil.
THAT	Theologisches Handwörterbuch zum Alten Testament, hrsg. von E. Jenni und C. Westermann, München-Zürich.
ThWAT	Theologisches Wörterbuch zum Alten Testament, hrsg. von G.J. Botterweck und H. Ringgren, Stuttgart.
ThWNT	Theologisches Wörterbuch zum Neuen Testament, begr. von G. Kittel, hrsg. von G. Friedrich, Stuttgart.
TZ	Theologische Zeitschrift, Basel.
VR	Kleine Vandenhoeck-Reihe (Vandenhoeck und Ruprecht), Göttingen.
VTS	Supplements to Vetus Testamentum, Leiden.
WMANT	Wissenschaftliche Monographien zum Alten und Neuen Testament, Neukirchen.

LITERATURVERZEICHNIS

1. Uebersetzungen und Kommentare

HITZIG F., Die Sprüche Salomo's, Zürich 1858.

DELITZSCH F., Das salomonische Spruchbuch (Biblischer Commentar über das Alte Testament IV 3), Leipzig 1873.

WILDEBOER G., Die Sprüche (Kurzer Hand-Commentar über das Alte Testament 15), Freiburg i.Br. 1897.

FRANKENBERG W., Die Sprüche übersetzt und erklärt (Handkommentar zum Alten Testament II 3,1), Göttingen 1898.

TOY C.H., A Critical and Exegetical Commentary on the Book of Proverbs (The International Critical Commentary), Edinburgh 1899.

PEROWNE T.T., The Proverbs (Cambridge Bible), Cambridge 1916.

VOLZ P., Hiob und Weisheit (Die Schriften des Alten Testaments in Auswahl III 2), Göttingen (1911) [2]1921.

STEUERNAGEL C., Die Sprüche, in: Die Heilige Schrift des Alten Testaments II, übersetzt von E. Kautzsch, hrsg. von A. Bertholet, Tübingen [4]1923, 276-323.

WIESMANN H., Das Buch der Sprüche (Die Heilige Schrift des Alten Testaments, "Bonner Bibel" VI 1), Bonn 1923.

OESTERLEY W.O.E., The Book of Proverbs (Westminster Commentaries), London 1929.

RENARD H., Le Livre des Proverbes, in: La Sainte Bible, L. Pirot - A. Clamer, VI, Paris 1946, 25-187.

GREENSTONE J.H., Proverbs with Commentary (The Holy Scriptures), Philadelphia 1950.

PLOEG J. van der, Spreuken (De Boeken van het Oude Testament VIII 1), Roermond 1952.

GISPEN W.H., De Spreuken van Salomo (Korte Verklaring der Heilige Schrift) Kampen I 1952, II 1954.

TUR-SINAI N.H., Mischle - Sprüche, in: Die hl. Schrift im hebr. Urtext und in Uebertragung IV, Jerusalem 1954, 191-254.

HARTOM A.S., ספר משלי(ספרי המקרא) ; Tel Aviv 1954
(Neudruck 1971).

DUESBERG H. - AUVRAY P., Le Livre des Proverbes (La Sainte
Bible, "Bible de Jérusalem"), Paris 1951, [2]1957.

COHEN A., The Proverbs (The Soncino Books of the Bible),
London-Bournemouth [2]1952.

HAMP V., Das Buch der Sprüche, in: Echter Bibel IV, Würzburg 1959, 419-504.

JONES E., Proverbs and Ecclesiastes (Torch Bible Commentaries),
1961.

BUBER M., Das Buch der Gleichsprüche, in: Die Schriftwerke,
Köln-Olten 1962, 211-273.

SCHNEIDER H., Die Sprüche Salomos (Herders Bibelkommentar
"Die Heilige Schrift für das Leben erklärt" VII 1),
Freiburg i.Br. 1962.

RINGGREN H., Sprüche (Das Alte Testament Deutsch XVI 1),
Göttingen 1962.

GEMSER B., Sprüche Salomos (Handbuch zum Alten Testament I 16),
Tübingen [2]1963.

BARUCQ A., Le Livre des Proverbes (Sources Bibliques), Paris
1964.

KIDNER F.D., The Proverbs (The Tyndale Old Testament Commentaries), London 1964.

SCOTT R.B.Y., Proverbs, Ecclesiastes (The Anchor Bible),
Garden City 1965.

ALONSO-SCHÖKEL L., Proverbios y Eclesiastico (Los Libros
Sagrados), Madrid 1968.

McKANE W., Proverbs. A New Approach (The Old Testament Library),
London 1970.

2. Sonstige Literatur

ACKROYD P.R., A note on the Hebrew roots באש and בוש: JTS
43 (1942) 160-161.

AHARONI Y., Tel Beersheba: IEJ 21 (1971) 230-232.

ALBRECHT C., Die Wortstellung im hebräischen Nominalsatze:
ZAW 7 (1887) 218-224.

ALBRIGHT W.F., The Goddess of Life and Wisdom: AJSL 36
(1919-20) 258-294.

ALBRIGHT W.F., An Archaic Hebrew Proverb in an Amarna Letter
from Central Palestine: BASOR 89 (1943) 29-32.

--   Some Canaanite-Phoenician Sources of Hebrew Wisdom:
VTS 3 (1955) 1-15.

ALKIM U.B., Anatolien I. Von den Anfängen bis zum Ende des
Zweiten Jahrtausends v. Chr., Genf 1968.

ALONSO-SCHÖKEL L., Die stilistische Analyse bei den Propheten:
VTS 7 (1960) 154-164.

--   Estudios de Poética Hebrea, Barcelona 1963.

--   Das Alte Testament als literarisches Kunstwerk, Köln
1971.

ALT A., Die Ursprünge des israelitischen Rechts (1934), in:
KS I, 278-332.

--   Die Weisheit Salomos: ThLZ 76 (1951) 139-144.

--   Zur literarischen Analyse der Weisheit des Amenemope:
VTS 3 (1955) 16-25.

ANTHES R., Lebensregeln und Lebensweisheit der Alten Aegypter
(AO 32,2), Leipzig 1933.

AUDET J.-P., Les Proverbes et Isaie dans la tradition juive
ancienne, in: Etudes et Recherches. Cahiers de théolo-
gie et de philosophie 8 (1952) 23-30.

--   Le sens du Cantique des Cantiques: RB 62 (1955) 197-221.

--   Origines comparées de la double tradition de la loi et
de la sagesse dans le proche-orient ancien, in: 25th
International Congress of Orientalists 1960 I, Moscow
1962, 352-357.

BÄCHLI O., Israel und die Völker. Eine Studie zum Deuteronomium (ATANT 41), Zürich-Stuttgart 1962.

BARTA W., Das Gespräch eines Mannes mit seinem BA (Münchner
Aegyptologische Studien 18), Berlin 1969.

BARTH Ch., Die Errettung vom Tode in den individuellen Klage-
und Dankliedern des Alten Testaments, Zollikon 1947.

BARTH J., Vergleichende Studien: ZDMG 41 (1887) 603-641;
42 (1888) 341-358.

--   Die Nominalbildung in den semitischen Sprachen,
Leipzig ²1894 = Hildesheim 1967.

BARTHELEMY D./RICKENBACHER O., Konkordanz zum hebräischen
Sirach, Göttingen 1973.

BARUCQ A., L'Expression de la Louange divine et de la Prière
dans la Bible et en Egypte (Institut Français d'Archéolo-
gie Orientale. Bibliothèque d'Etude 33), Le Caire 1962.

BAUCKMANN E.G., Die Proverbien und die Sprüche des Jesus Sirach. Eine Untersuchung zum Strukturwandel der israelitischen Weisheitslehre: ZAW 72 (1960) 33-63.

BAUDISSIN W.W. Graf, Die alttestamentliche Spruchdichtung. Rectoratsrede 15. Oct. 1893, Leipzig 1893.

-- Alttestamentliches ḥajjim "Leben" in der Bedeutung von "Glück", in: Festschrift E. Sachau, Berlin 1915, 143-161.

BAUER H./LEANDER P., Historische Grammatik der hebräischen Sprache I, Halle 1922.

BAUER H., Etymologica I: ZS 10 (1935) 2-4.

BAUER L., Volksleben im Land der Bibel, Leipzig ^{2}1903.

BAUER-KAYATZ C., Einführung in die alttestamentliche Weisheit (Biblische Studien 55), Neukirchen-Vluyn 1969.

BAUMANN E., Volksweisheit aus Palästina: ZDPV 39 (1916) 153-260.

BAUMGARTNER W., Die literarischen Gattungen in der Weisheit des Jesus Sirach: ZAW 34 (1914) 161-198.

-- Die israelitische Weisheitsliteratur: ThR NF 5 (1933) 259-288.

-- Israelitische und altorientalische Weisheit (SGV 166), Tübingen 1933.

-- Zum Alten Testament und seiner Umwelt, Leiden 1959.

BECKER J.H., Het Begrip nefesj in het Oude Testament, Amsterdam 1942.

BENZINGER I., Hebräische Archäologie, Leizpzig ^{3}1927.

BERTRAM G., Die religiöse Umdeutung altorientalischer Lebensweisheit in der griechischen Uebersetzung des Alten Testaments: ZAW 54 (1936) 153-167.

BICKELL G., Kritische Bearbeitung der Proverbien: WZKM 5 (1891) 79-102.191-214.271-299.

BISSING F.W. von, Altägyptische Lebensweisheit (Die Bibliothek der Alten Welt), Zürich 1955.

BJØRNDALEN A.J., "Form" und "Inhalt" des motivierenden Mahnspruches: ZAW 82 (1970) 347-361.

BLASS F./DEBRUNNER A./FUNK R.W., A Greek Grammar of the New Testament and other Early Christian Literature, Cambridge 1961.

BOECKER H.J., Redeformen des Rechtslebens im Alten Testament (WMANT 14), Neukirchen 1964.

BOER P.A.H. de, The Counsellor: VTS 3 (1955) 42-71.

352

BOMAN Th., Das hebräische Denken im Vergleich mit dem griechischen, Göttingen ³1959.

--   Die Jesusüberlieferung im Lichte der neuen Volkskunde, Göttingen 1967.

BOSSERT H.Th., Altsyrien, Tübingen 1951.

BOSTRÖM G., Paronomasi i den äldre hebreiska maschallitteraturen (LUÅ N.F., Avd. I, Bd. 23,8), Lund 1928.

--   Proverbialstudien. Die Weisheit und das fremde Weib in Spr 1-9 (LUÅ N.F., Avd. I, Bd. 30,3), Lund 1935.

BROCKELMANN C., Grundriss der vergleichenden Grammatik der semitischen Sprachen II, Berlin 1913 = Hildesheim 1966.

--   Hebräische Syntax, Neukirchen 1956.

BRONGERS H.A., Merismus, Synekdoche und Hendiadys in der Bibel-Hebräischen Sprache: OTS 14 (1965) 100-114.

BRUNNER H., Die Lehre des Cheti, Sohnes des Duauf (Aegyptologische Forschungen 13), Glückstadt-Hamburg 1944.

--   Die Weisheitsliteratur, in: B. Spuler, HO I 2. Aegyptologie. Literatur, Leiden 1952, 90-110.

--   Das hörende Herz: ThLZ 79 (1954) 697-700.

--   Das Herz als Sitz des Lebensgeheimnisses: AfO 17 (1954-1956) 140f.

--   Altägyptische Erziehung, Wiesbaden 1957.

--   Gerechtigkeit als Fundament des Thrones: VT 8 (1958) 426-428.

--   Der freie Wille Gottes in der ägyptischen Weisheit, in: Les Sagesses du Proche-Orient Ancien (Bibliothèque des Centres d'Etudes supérieures specialisés), Paris 1963, 103-117.

--   Die "Weisen" ihre "Lehren" und "Prophezeiungen" in ägyptischer Sicht: ZÄS 93 (1966) 29-35.

--   Grundzüge einer Geschichte der altägyptischen Literatur (Grundzüge Bd. 8), Darmstadt 1966.

BRYCE G.E., Another Wisdom-"Book" in Proverbs: JBL 91 (1972) 145-157.

BUBER S., Midrasch Mischle, Wilna 1893.

BUHL M.L., The Goddesses of the Egyptian Tree Cult: JNES 6 (1947) 80-97.

BÜHLMANN W./SCHERER K., Stilfiguren der Bibel. Ein kleines Nachschlagewerk (Biblische Beiträge 10), Fribourg 1973.

BULLINGER E.W., Figures of Speech used in the Bible, London 1898 = Michigan 1971.

BULTMANN R., Geschichte der synoptischen Tradition, Göttingen ²1931, 84-113.

--   Der religionsgeschichtliche Hintergrund des Prologs zum Johannes-Evangelium (1923), in: ders., Exegetica, Tübingen 1967, 10-35.

CANAAN T., Flüche unter den Arabern Jordaniens: SBFLA 13 (1962/63) 110-135.

CAQUOT A., Sur une Désignation vétérotestamentaire de l'Insensé: RHR 155 (1959) 1-16.

CASPARI W., Ueber den biblischen Begriff der Torheit: NKZ 39 (1928) 668-695.

CAZELLES H., Les débuts de la Sagesse en Israël, in: Les Sagesses du Proche-Orient Ancien (Bibliothèque des Centres d'Etudes superieures specialisés), Paris 1963, 27-40.

CHANTILLON F., Sagesse biblique et parallèles profanes dans l'expositio in proverbia de F.C. de Salazar (1618): RevSR 44 (1970) 63-76.

CHRIST F., Jesus Sophia (AThANT 57), Zürich 1970.

CLAUSS L.F., Als Beduine unter Beduinen, Freiburg 1933.

CONRAD J., Die innere Gliederung der Proverbien. Zur Frage nach der Systematisierung des Spruchgutes in den älteren Teilsammlungen: ZAW 79 (1967) 67-76.

--   Die junge Generation im Alten Testament (AzTh I 42), Stuttgart 1970.

COSTAZ L., Dictionnaire syriaque - français, Beyrouth 1963.

COUROYER B., Le chemin de vie en Israel et en Egypte: RB 56 (1949) 412-432.

--   Mettre sa main sur la bouche en Egypte et dans la Bible: RB 67 (1960) 197-209.

COUTURIER G.P., Sagesses Babylonienne et Sagesse Israélite: Sciences Ecclésiastiques 14 (1962) 293-309.

CRENSHAW J.L., The Influence of the Wise upon Amos: ZAW 79 (1967) 42-52.

DAHOOD M., Some Northwest-Semitic Words in Job: Bb 38 (1957) 306-320.

--   Proverbs and Northwest Semitic Philology (Scripta Pontificii Instituti Biblici 113), Roma 1963.

--   Hebrew-Ugaritic Lexicography III: Bb 46 (1965) 311-332.

--   Congruity of Metaphors: VTS 16 (1967) 40-49.

DAHOOD M., The Phoenician Contribution to Biblical Wisdom, in: The Role of the Phoenicians in the Interaction of Mediterranean Civilisations, ed. by W.A. Ward, Beirut 1968, 123-152.

-- Psalms (3 Bde; The Anchor Bible), New York 1966-1970.

DALMAN G. (H.), Palästinischer Diwan, Leipzig 1901.

-- Orte und Wege Jesu, Gütersloh 1924.

-- Arbeit und Sitte in Palästina (7 Bde), Gütersloh 1928-1942.

DANTHINE H., Le palmier-dattier et les arbres sacrés dans l'iconographie de l'Asie occidentale ancienne (2 Bde), Paris 1937.

DEVAUD E., Les Maximes de Ptahhotep, Neuchâtel 1916.

DEVER W.G./LANCE H.D./BULLARD R.G. u.a., Further Excavations at Gezer 1967-71: BA 34 (1971) 94-132.

DIJK J.J. van, La sagesse suméro-accadienne. Recherches sur les genres littéraires des textes sapientiaux, Leiden 1953.

DONALD T., The Semantic field of "folly" in Proverbs, Job, Psalms, Ecclesiastes: VT 13 (1963) 285-292.

-- The semantic field of rich and poor in the wisdom literature of hebrew and accadian: Oriens Antiquus 3 (1964) 27-41.

DONNER H./RÖLLIG W., Kanaanäische und Aramäische Inschriften (3 Bde), Wiesbaden 1966-1969.

DORNSEIFF F., Hesiods Werke und Tage und das Alte Morgenland, in: ders., Kleine Schriften I, Leipzig 21959, 72-95.

DRIOTON E., Sur la sagesse d'Aménémopé, in: Mélanges bibliques rédigés en l'honneur d'André Robert, Paris 1957, 254-280.

-- Le Livre des Proverbes et la Sagesse d'Aménémopé, in: Sacra Pagina I (BEThL 12), Louvain-Paris 1958, 229-241.

DRIVER G.R., Studies in the Vocabulary of the Old Testament I: JTS 31 (1930) 275-284.

-- Problems in "Proverbs": ZAW 50 (1932) 141-148.

-- Hebrew Notes: ZAW 52 (1934) 51-56.

-- Hebrew Notes on Prophets and Proverbs: JTS 41 (1940) 162-175.

-- Hebrew Studies: JRAS 75 (1948) 164-176.

-- Hebrew Notes: VT 1 (1951) 241-250.

DRIVER G.R., Problems in the Hebrew Text of Proverbs: Bb 32 (1951) 173-197.

-- Things old and new in the old Testament: MUB 45 (1969) 465-478.

DRIVER G.R./MILES J.C., The Assyrian Laws, Oxford 1935.

DUBARLE A.M., Les Sages d'Israël (Lectio Divina 1), Paris 1946.

DUESBERG H., Les scribes inspirés I. Le Livre des Proverbes, Paris 1938.

DUESBERG H./FRANSEN I., Les scribes inspirés. Edition remaniée, Maredsous 1966.

DÜRR L., Hebr. נפש = akk. napištu = Gurgel, Kehle: ZAW 43 (1925) 262-269.

-- Ursprung und Ausbau der israelitisch-jüdischen Heilands-erwartung, Berlin 1925.

-- Die Wertung des Lebens im Alten Testament und im antiken Orient, Münster 1926.

-- Das Erziehungswesen im Alten Testament und im antiken Orient (MVAG 36,2), Leipzig 1932.

-- Die Wertung des göttlichen Wortes im Alten Testament und im antiken Orient. Zugleich ein Beitrag zur Vorge-schichte des neutestamentlichen Logosbegriffes (MVAG 42,1), Leipzig 1938.

DUSSAUD R., Les religions des Hittites et des Hourrites, des Phéniciens et des Syriens, Paris 1949.

EBERLING E., Reste akkadischer Weisheitsliteratur (MAOG IV 2), Leipzig 1929.

EHRLICH A.B., Randglossen zur hebräischen Bibel. Psalmen, Sprüche und Hiob VI, Leipzig 1913.

EISSFELDT O., Der Maschal im Alten Testament (BZAW 24), Giessen 1913.

-- Das Alte Testament im Lichte der safatenischen In-schriften: ZDMG 104 (1954) 88-118.

-- Einleitung in das Alte Testament, Tübingen ^{3}1964.

ELLIGER K., Leviticus (HAT I 4), Tübingen 1966.

-- Jesaja II (BK XI), Neukirchen-Vluyn 1970ff.

ENGNELL I., "Knowledge" and "Life" in the creation story: VTS 3 (1955) 103-119.

EPSTEIN I., The Babylonian Talmud. Seder Moʿed I, London 1938.

ERMAN A., Die Geschichte des Schiffbrüchigen: ZÄS 43 (1906) 1-26.

ERMAN A., Die Literatur der Aegypter, Leipzig 1923.

-- Eine ägyptische Quelle der "Sprüche Salomos", in: Sit-zungsberichte der preussischen Akademie der Wissen-schaften, philos.-hist. Klasse 15, Berlin 1924, 86-93.

FAHLGREN K.Hj., Die Gegensätze von ṣ^{e}daqā im Alten Testament (1932), in: K. Koch, Um das Prinzip der Vergeltung in Religion und Recht des Alten Testaments (Wege der For-schung 125), Darmstadt 1972, 87-129.

FALK ZE'EV W., Introduction to Jewish law of the second Commonwealth, Leiden 1972.

FALKENSTEIN A./SODEN W. von, Sumerische und akkadische Hymnen und Gebete, Zürich-Stuttgart 1953.

FAULKNER R.O., The Ancient Egyptian Pyramid Texts (2 Bde), Oxford 1969.

FICHTNER J., Die altorientalische Weisheit in ihrer israeli-tisch-jüdischen Ausprägung (BZAW 62), Giessen 1933.

-- Jesaja unter den Weisen: ThLZ 74 (1949) 75-80.

FOHRER G., Das Buch Hiob (KAT 16), Gütersloh 1953.

-- Die Weisheit im Alten Testament, in: Studien zur alt-testamentlichen Theologie und Geschichte (BZAW 115), Berlin 1969, 242-274.

-- Geschichte der israelitischen Religion, Berlin 1969.

FOX M.V., Aspects of the Religion of the Book of Proverbs: HUCA 39 (1968) 55-69.

FRAZER J.G., Folklore in the old Testament, London 1919.

FREEDMAN H., Midrash Rabbah. Genesis II, London ^{3}1961.

FREYTAG G.W., Arabum Proverbia sententiaeque proverbiales (3 Bde). Bonn 1838-1843.

GALLING K., Biblisches Reallexikon (HAT I 1), Tübingen 1937.

-- Das Rätsel der Zeit im Urteil Kohelets: ZThK 58 (1961) 1-15.

GAMPER A., Gott als Richter in Mesopotamien und im Alten Testament. Zum Verständnis einer Gebetsbitte, Innsbruck 1966.

GARBINI G., La congiunzione semitica *pa: Bb 38 (1957) 419-427.

GARDINER A.H., The admonitions of an Egyptian Sage, from a hieratic Papyrus in Leiden (Pap. Leiden 344 Recto), Leipzig 1909.

-- New Literary Works from Ancient Egypt: JEA 1 (1914) 100-106.

GARDINER A.H., The Eloquent Peasant: JEA 9 (1923) 5-25.

GASTER T.H., Proverbs: VT 6 (1954) 77-79.

GEMSER B., The Rîb- or Controversy-Pattern in Hebrew Mentality: VTS 3 (1955) 120-137.

--   The Instructions of Onchsheshonqy and Biblical Wisdom Literature: VTS 7 (1960) 102-128.

GERLEMAN G., The Septuagint Proverbs as a Hellenistic Document: OTS 8 (1950) 15-27.

--   Studies in the Septuagint, III, Proverbs (LUÅ N.F., Avd. I, Bd. 52,3), Lund 1956.

--   Ruth. Das Hohelied (BK XVIII), Neukirchen 1965.

GERSTENBERGER E., Wesen und Herkunft des "apodiktischen Rechts" (WMANT 20), Neukirchen-Vluyn 1965.

--   Zur alttestamentlichen Weisheit: Verkündigung und Forschung 14 (1969) 28-44.

GESE H., Lehre und Wirklichkeit in der alten Weisheit, Tübingen 1958.

--   Art. Weisheit, in: RGG[3] VI, 1574-1577.

--   Art. Weisheitsdichtung, in: RGG[3] VI, 1577-1581.

GESENIUS W./KAUTZSCH E., Hebräische Grammatik, Leipzig [26]1896.

GISPEN W.H., De stam NBL: GThT 55 (1955) 161-170.

GLANVILLE S.R.K., The Instructions of Onchsheshonqy, Catalogue of Demotic Papyri in the British Museum II, London 1955.

GLUECK N., Das Wort ḥesed im alttestamentlichen Sprachgebrauche als menschliche und göttliche gemeinschaftsgemässe Verhaltensweise (BZAW 47), Giessen 1927.

GODBEY A.H., The Hebrew Mašal: AJSL 39 (1922/23) 89-108.

GOEDICKE H., The report about the dispute of a man with his Ba. Papyrus Berlin 3024, Baltimore-London 1970.

GORDIS R., Quotations in Wisdom Literature: JQR NS 30 (1939) 123-147.

GORDON C.H., Ugaritic Textbook (Analecta Orientalia 38), Roma 1965.

GORDON E.J., Sumerian Proverbs "Collection Four": JAOS 77 (1957) 67-79.

--   Sumerian Proverbs. Glimpses of Everyday Life in Ancient Mesopotamia. Museums Monographs, Philadelphia 1959.

GOTTLIEB H., Die Tradition von David als Hirten: VT 17 (1967) 190-200.

GRAPOW H., Die bildlichen Ausdrücke des Aegyptischen, Leipzig 1924.

--   Wie die alten Aegypter sich anredeten, wie sie sich grüssten und wie sie miteinander sprachen, in: Abhandlungen der Preussischen Akademie der Wissenschaften, philos.-hist. Klasse, 4 Hefte, Berlin 1939-1942.

GREENFIELD J.C., Lexicographical Notes II. IX The Root שׁמם : HUCA 30 (1959) 141-151.

GRELOT P., Les Proverbes araméens d'Aḥiqar: RB 68 (1961) 178-194.

GRESSMANN H., Die neuaufgefundene Lehre des Amenemope und die vorexilische Spruchdichtung Israels: ZAW 42 (1924) 272-296.

--   Israels Spruchweisheit im Zusammenhang der Weltliteratur (Kunst und Altertum 6), Berlin 1925.

GRINTZ Y.M., The "Proverbs" of Salomo: L^{e}šon^{e}nu (לשוננו) 33 (1969) 243-269.

GROLLENBERG L., A propos de Prov 8,6 et 17,27: RB 59 (1952) 40-43.

GRUMACH I., Untersuchungen zur Lebenslehre des Amenemope (Münchner Aegyptologische Studien 23), Berlin 1972.

GUNKEL H., Aegyptische Parallelen zum Alten Testament: ZDMG 63 (1909) 531-539.

--   Die Psalmen, Göttingen [5]1968.

HAEFELI L., Ein Jahr im heiligen Land, Luzern 1924.

--   Spruchweisheit und Volksleben in Palästina, Luzern 1939.

HAMP V., Das Hirtenmotiv im Alten Testament, in: Festschrift Kardinal Faulhaber zum 80. Geburtstag, München 1949, 7-20.

--   Das Buch Sirach oder Ecclesiasticus, in: Echter Bibel IV, Würzburg 1959, 569-717.

HARRIS R.L., A Mention of Pottery Glazing in Proverbs: JAOS 60 (1940) 268f.

HASPECKER J., Gottesfurcht bei Jesus Sirach. Ihre religiöse Struktur und ihre literarische und doktrinäre Bedeutung (Analecta Biblica 30), Roma 1967.

HAUPT P., Biblische Liebeslieder, Leipzig 1907.

HEMPEL J., Die althebräische Literatur und ihr hellenistisch-jüdisches Nachleben, Potsdam 1930.

--   Pathos und Humor in der israelitischen Erziehung, von Ugarit nach Qumran (BZAW 77), Berlin [2]1961.

HENNINGER J., Neuere Forschungen zum Verbot des Knochenzerbre-
    chens, in: Studia Ethnographica et Folkloristica in hono-
    rem Béla Gunda, Debrecen 1971, 673-702.

HERBERT A.S., The Parable (māšāl) in the Old Testament: SJT 7
    (1954) 180-196.

HERMISSON H.J., Sprache und Ritus im altisraelitischen Kult.
    Zur Spiritualisierung der Kultbegriffe im Alten Testament
    (WMANT 19), Neukirchen-Vluyn 1965.

--   Studien zur israelitischen Spruchweisheit (WMANT 28),
    Neukirchen-Vluyn 1968.

--   Weisheit und Geschichte, in: Probleme biblischer Theolo-
    gie. Gerhard von Rad zum 70. Geburtstag, Hrsg. H.W. Wolff,
    München 1971, 136-154.

HERTZBERG H.W., Die Samuelbücher (ATD 10), Göttingen 1956.

HOFMANN K.M., Philema hagion (Beiträge zur Förderung christ-
    licher Theologie, 2. Reihe, Sammlung wissenschaftlicher
    Monographien 38), Gütersloh 1938.

HOFTIJZER J., David and the Tekoite Woman: VT 20 (1970)
    419-444.

--   (Rez.), The nominal clause reconsidered: VT 23 (1973)
    446-510.

HOLLENBERG W./BUDDE K./BAUMGARTNER W., Hebräisches Schulbuch,
    Basel-Stuttgart 22 1957.

HORST F., Recht und Religion im Bereich des Alten Testaments
    (1956/1961), in: K. Koch (Hrsg.), Um das Prinzip der Ver-
    geltung in Religion und Recht des Alten Testaments (Wege
    der Forschung 125), Darmstadt 1972, 181-212.

--   Art. Gerechtigkeit Gottes, II. Im AT und Judentum, in:
    RGG3 II, 1403-1406.

--   Hiob (BK XVI 1), Neukirchen 1968.

HOSSFELD F.L./MEYER I., Prophet gegen Prophet. Eine Analyse
    der alttestamentlichen Texte zum Thema: wahre und falsche
    Propheten (Biblische Beiträge 9), Fribourg 1973.

HUDAL A., Die religiösen und sittlichen Ideen des Spruchbuches
    (Scripta Pontificii Instituti Biblici 2), Roma 1914.

HUMBERT P., Recherches sur les sources égyptiens de la littéra-
    ture sapientiale d'Israël (Mém. de l'Université de Neuchâ-
    tel 7), Neuchâtel 1929.

--   Le substantif toᶜēbā et le verbe tᶜb dans l'Ancien Testa-
    ment: ZAW 72 (1960) 217-237.

HUMMEL H.D., Enclitic Mem in Early Northwest Semitic, especial-
    ly Hebrew: JBL 76 (1957) 85-107.

JACOB B., Erklärungen einiger Hiob-Stellen: ZAW 32 (1912) 278-287.

JAMES E.O., The Tree of Life, Leiden 1966.

JAMES F., Some Aspects of the Religion of Proverbs: JBL 51 (1932) 31-39.

JAROŠ K., Die Stellung des Elohisten zur kanaanäischen Religion (OBO 4), Freiburg Schweiz-Göttingen 1974.

JASTROW M., A Dictionary of the Targumim, the Talmud Babli and Yerushalmi, and the Midrashic litterature (2 Bde), Philadelphia 1903 = New York 1950.

JENNI E., Faktitiv u. Kausativ von אבד "zugrunde gehen": VTS 16 (1967) 143-157.

--   Das hebräische Piʕel, Zürich 1968.

JEPSEN A., צדק und צדקה im Alten Testament, in: Gottes Wort und Gottes Land, H.W. Hertzberg ... dargebracht, Hrsg. H. Graf Reventlow, Göttingen 1965, 78-89.

JEREMIAS J., ποιμήν , in: ThWNT VI, 484-501.

JOHNSON A.R., משל: VTS 3 (1955) 162-169.

JOÜON P., Notes Philologiques sur le texte hébreu de Proverbes: Bb 11 (1930) 183-187.

--   Grammaire de l'Hébreu Biblique, Rom 1923.

KARAGEORGIS V., The Ancient Civilization of Cyprus. An Archaeological Adventure, New York 1969.

KAYATZ C., Studien zu Proverbien 1-9 (WMANT 22), Neukirchen-Vluyn 1966.

KAYSER W., Das sprachliche Kunstwerk, Bern [11]1965.

KEEL O., Feinde und Gottesleugner. Studien zum Image der Widersacher in den Individualpsalmen (SBM 7), Stuttgart 1969.

--   Die Welt der altorientalischen Bildsymbolik und das Alte Testament, Zürich-Einsiedeln-Köln 1972.

--   Erwägungen zum Sitz im Leben des vormosaischen Pascha und zur Etymologie von פסח: ZAW 84 (1972) 414-434.

--   Die Weisheit spielt vor Gott (OBO 5), Freiburg Schweiz-Göttingen 1974.

KLOPFENSTEIN M.A., Die Lüge nach dem Alten Testament, Zürich 1964.

--   Scham und Schande nach dem Alten Testament (AThANT 62), Zürich 1972.

KNIERIM R., Die Hauptbegriffe für Sünde im Alten Testament, Gütersloh 1965.

KNUDTZON J.A., Die El-Amarnatafeln (2 Bde), Aalen [2]1964.

KOCH K., Gibt es ein Vergeltungsdogma im Alten Testament (1955), in: ders. (Hrsg.) Um das Prinzip der Vergeltung in Religion und Recht des Alten Testaments (Wege der Forschung 125), Darmstadt 1972, 130-180.

-- Wesen und Ursprung der "Gemeinschaftstreue" in Israel der Königszeit: ZEE 5 (1961) 72-90.

-- Der Spruch "Sein Blut bleibe auf seinem Haupt" und die israelitische Auffassung vom vergossenen Blut: VT 12 (1962) 396-416.

-- Was ist Formgeschichte? Neue Wege der Bibelexegese, Neukirchen 1964.

-- Der hebräische Wahrheitsbegriff im griech. Sprachraum, in: H.R. Müller-Schwefe (Hrsg.), Was ist Wahrheit? (Ringvorlesung der Evangelisch-Theologischen Fakultät der Universität Hamburg), Göttingen 1965, 47-65.

KÖHLER L., Miscellen: ZAW 32 (1914) 240.

-- Hebräische Gesprächsformen: ZAW 40 (1922) 36-46.

-- Der hebräische Mensch. Eine Skizze, Tübingen 1953.

-- Die hebräische Rechtsgemeinde, in: ders., Der hebräische Mensch, Anhang, Tübingen 1953, 143-171.

KÖNIG E., Stilistik, Rhetorik, Poetik in Bezug auf die Biblische Literatur, Leipzig 1900.

KOPF L., Arabische Etymologien und Parallelen zum Bibelwörterbuch: VT 8 (1958) 161-215.

KRAUS H.J., Psalmen (BK XV), Neukirchen [2]1961.

-- Wahrheit in der Geschichte, in: H.R. Müller-Schwefe (Hrsg.), Was ist Wahrheit? (Ringvorlesung der Evangelisch-Theologischen Fakultät der Universität Hamburg), Göttingen 1965, 35-46.

KUHN G., Beiträge zur Erläuterung des Salomonischen Spruchbuches (BWANT 3,16), Stuttgart 1931.

LAMBERT W.G., Babylonian Wisdom Literature, Oxford 1960.

LANCZKOWSKI G., Reden und Schweigen im ägyptischen Verständnis vornehmlich des Mittleren Reiches: Deutsche Akademie der Wissenschaften zu Berlin. Institut für Orientforschung 29 (1955) 186-196.

LANDE I., Formelhafte Wendungen der Umgangssprache im Alten Testament, Leiden 1949.

LANG B., Die weisheitliche Lehrrede (SBS 54), Stuttgart 1972.

LANG B., Anweisungen gegen die Torheit. Sprichwörter - Jesus Sirach (Stuttgarter Kleiner Kommentar AT 19), Stuttgart 1973.

-- Frau Weisheit. Deutung einer biblischen Gestalt, Düsseldorf 1975.

LANGE H.O., Das Weisheitsbuch des Amenemope (Kgl. Danske Videnskabernes Selskab. Historiskfilologiste Meddelelser XI 2), Kopenhagen 1925.

LECLANT J., Document nouveaux et points de vue récents sur les Sagesses de l'Egypte ancienne, in: Les Sagesses du Proche-Orient Ancien (Centres d'Etudes supérieures spécialisés), Paris 1963, 5-26.

LEWIN M., Aram. Sprichwörter und Volkssprüche, Berlin 1895.

LEXA F., Papyrus Insinger. Les enseignements moraux d'un scribe égyptien du premier siècle après J.-C. (2 Bde), Paris 1925.

L'HOUR J., Les interdits toʿeba dans le Deutéronome: RB 71 (1964) 481-503.

LOFTHOUSE W.F., Hen and Ḥesed in the Old Testament: ZAW 51 (1933) 29-35.

LOHFINK N., Enthielten die im AT bezeugten Klageriten eine Phase des Schweigens?: VT 12 (1962) 260-277.

LÖW J., Aramäische Pflanzennamen, Leipzig 1881.

LÖWENSTAMM S.E., יפיח , יפח,יפח : Lešonenu 26 (1962) 205-208. 280.

LUTFIYYA A.M., Baytin. A Jordanian Village. A study of social institutions and social change in a folk community, The Hague 1966.

MACINTOSH A.A., A Note on Proverbs XXV 27: VT 20 (1970) 112-114.

MALRAUX A./SALLES G. (Hrsg.), Universum der Kunst I/II, München 1960/61.

MANDELKERN S., Veteris Testamenti Concordantiae Hebraice atque Chaldaice, Jerusalem-Tel Aviv 81969.

MANDRY S.A., There ist no God! A Study of the Fool in the Old Testament, Particularly in Proverbs and Qoholet, Rom 1972.

MARBÖCK J., Weisheit im Wandel. Untersuchungen zur Weisheitstheologie bei Ben Sira (BBB 37), Bonn 1971.

MARCUS R., The Tree of Life in Proverbs: JBL 62 (1943) 117-120.

MARTI K./BEER G., ʾAbôt (hrsg. von Beer G./Holtzmann O.), Giessen 1927.

MARZAL A., La Enseñanza de Amenemope, Madrid 1965.

MAY H.G., The sacred Tree on Palestine painted Pottery: JAOS 59 (1939) 251-259.

--   Some Cosmic Connotations of mayim rabbîm "many Waters": JBL 74 (1955) 9-21.

McKANE W., Prophets and Wise Men (Studies in Biblical Theology 44), London 1965.

--   (Rez.), W.A. van der Weiden, Le livre des Proverbes: notes philologiques (Biblica et Orientalia XXIII) 1960, in: JSS 16 (1971) 222-236.

McKENZIE J., Reflections on Wisdom: JBL 86 (1967) 1-9.

MEIER H., Die Metapher, Winterthur 1963.

MEINHOLD J., Die Weisheit Israels in Spruch, Sage und Dichtung, Leipzig 1908.

MEISSNER B., Babylonien und Assyrien (2 Bde), Heidelberg 1920-1925.

--   Der Kuss im Alten Orient: Sitzungsberichte der Preuss. Akademie der Wissenschaften, phil.-hist. Klasse 28, Berlin 1934, 914-930.

MELAMED E.Z., Break-up of Stereotyped Phrases as an Artistic Device in Biblical Poetry, in: Studies in the Bible (Scripta Hierosolymitana 8), ed. C. Rabin, Jerusalem 1961, 115-153.

MERENDINO R.P., Das Deuteronomische Gesetz (BBB 31), Bonn 1965.

MERLE RIFE J., A Note on Prov. 25,15: JBL 56 (1937) 118-119.

MICHEL D., Tempora und Satzstellung in den Psalmen, Bonn 1960.

MOFTAH R., Die heiligen Bäume im alten Aegypten (Diss.), Göttingen 1959.

--   Die uralte Sykomore und andere Erscheinungen der Hathor: ZÄS 92 (1965) 40-47.

MORENZ S., Die aegyptische Literatur und die Umwelt, in: B. Spuler, HO I 2. Aegyptologie. Literatur, Leiden 1952, 194-206.

--   Gott und Mensch im alten Aegypten, Heidelberg 1965.

MOWINCKEL S., Psalmenstudien I. Awän und die individuellen Klagepsalmen, Amsterdam [2]1961.

MUILENBURG J., A study in Hebrew Rhetoric: Repetition and Style: VTS 1 (1953) 97-111.

MÜLLER D., Der gute Hirte. Ein Beitrag zur Geschichte ägyptischer Bildrede: ZÄS 86 (1961) 126-144.

MURPHY R.E., Assumptions and Problems in Old Testament Wisdom
    Research: CBQ 29 (1967) 407-418.

MUSIL A., Arabia Petraea III: Ethnologischer Reisebericht,
    Wien 1908.

MUSSNER F., Der Jakobusbrief (HThK 13,1), Freiburg 1967.

NÖTSCHER F., Biblische Altertumskunde, Bonn 1940.

--   Gotteswege und Menschenwege in der Bibel und in Qumran
    (BBB 15), Bonn 1958.

NOTH M., Das zweite Buch Mose. Exodus (ATD 5), Göttingen [3]1965.

--   Das dritte Buch Mose. Leviticus (ATD 6), Göttingen 1962.

--   Könige I (BK IX 1), Neukirchen 1968.

NOWACK W., Richter, Ruth und Bücher Samuelis (Handkommentar
    zum AT I 4), Göttingen 1902.

NYBERG H.S., Hebreisk Grammatik, Uppsala 1952.

NYSTRÖM S., Beduinentum und Jahwismus, Lund 1946.

OESTERLEY W.O.E., The Wisdom of Egypt and the Old Testament
    in the light of the newly discovered Teaching of Amene-
    mope, London 1927.

--   The Teaching of Amenemope and the Old Testament: ZAW 45
    (1927) 9-24.

ORNI E./EFRAT E., Geography of Israel, Jerusalem [3]1971.

OTTO E., Biographien, in: B. Spuler, HO I 2. Aegyptologie.
    Literatur, Leiden 1952, 148-157.

--   Die biographischen Inschriften der ägyptischen Spätzeit
    (Probleme der Aegyptologie 2), Leiden 1954.

--   Bildung und Ausbildung im alten Aegypten: ZÄS 81 (1956)
    41-48.

--   Aegypten. Der Weg des Pharaonenreiches (Urban Bücher 4),
    Stuttgart [4]1966.

--   Geschichte einer religiösen Formel: ZÄS 87 (1962) 150-154.

PARROT A., Assur. Die Mesopotamische Kunst vom XIII. vorchrist-
    lichen Jahrhundert bis zum Tode Alexanders des Grossen,
    München 1961.

PASCHEN W., Rein und Unrein (Studien zum Alten und Neuen Testa-
    ment 24), München 1970.

PAX E., Studien zum Vergeltungsproblem der Psalmen: SBFLA 11
    (1960/61) 56-112.

--   Spuren sog. "Erlebter Rede" im Neuen Testament: SBFLA 14
    (1963/64) 339-354.

PAX E., Palästinensische Volkskunde im Spiegel der Kindheits-
        geschichte: Bibel und Leben 9 (1968) 287-299.

--   Dialog und Selbstgespräch bei Sirach 27,3-10: SBFLA 20
        (1970) 247-263.

--   Bethel/Baytin. Gedanken zu einem ungewöhnlichen Buch:
        SBFLA 21 (1971) 316-326.

--   Biblische Stilfiguren: SBFLA 23 (1973) 359-373.

--   Versuch über Paulus: SBFLA 24 (1974) 359-378.

PAYNE SMITH R., Thesaurus Syriacus (2 Bde), Oxford 1868-1897.

PEDERSEN J., Israel, its Life and Culture (4 Teile in 2 Bän-
        den), London-Kopenhagen 1926 und 1940.

--   Seelenleben und Gemeinschaftsleben (1934), in: K. Koch,
        Um das Prinzip der Vergeltung in Religion und Recht des
        Alten Testaments (Wege der Forschung 125), Darmstadt
        1972, 8-86.

PERLES F., Analekten zur Textkritik des Alten Testaments.
        Neue Folge, Leipzig 1922.

PERROT N., La représentation de l'arbre sacré sur les monu-
        ments de Mésopotamie et d'Elam, Paris 1937.

PFEIFFER R.H., Edomitic Wisdom: ZAW 44 (1926) 13-25.

PIE Y NINOT S., La palabra de Dios en los Libros Sapienciales
        (Colectanea S. Paciano 17), Barcelona 1972.

PLOEG J. van der, Les chefs du peuple d'Israël et leurs titres:
        RB 57 (1950) 40-61.

PLÖGER O., Wahre die richtige Mitte; solch Mass ist in allem
        das Beste!, in: Gottes Wort und Gottes Land, H.W. Hertz-
        berg ... dargebracht, Hrsg. H. Graf Reventlow, Göttingen
        1965, 159-173.

--   Zur Auslegung der Sentenzensammlungen des Proverbienbu-
        ches, in: Probleme biblischer Theologie. Gerhard von Rad
        zum 70. Geburtstag, Hrsg. H.W. Wolff, München 1971,
        402-416.

PODECHARD E., Notes sur les Psaumes: RB 15 (1918) 297-335.

POLAČEK A., Gesellschaftliche und juristische Aspekte in alt-
        ägyptischen Weisheitslehren: Aegyptus 49 (1969) 14-34.

POULSEN F., Der Orient und die frühgriechische Kunst, Leipzig
        1912.

PREUSS H.D., Erwägungen zum theologischen Ort alttestamentli-
        cher Weisheitsliteratur: Ev Th 30 (1970) 393-417.

PRIJS L., Miszellen: Eine schwierige grammatikalische Form in
        Prov 14,3: ThZ 5 (1949) 395.

RABIN C., Judges V,2 and the "Ideology" of Deborah's war: JJS 6 (1955) 125-134.

RAD G. von, Der Heilige Krieg im alten Israel (ATANT 20), Zürich 1951.

-- Josephgeschichte und ältere Weisheit: VTS 1 (1953) 120-127.

-- Die ältere Weisheit Israels: KuD 2 (1956) 54-72.

-- "Gerechtigkeit" und "Leben" in der Kultsprache der Psalmen, in: ders., Gesammelte Studien zum AT (ThB 8), München 1961, 225-247.

-- Theologie des Alten Testaments (2 Bde). München [4]1962.

-- Art. Sprüchebuch, in: RGG[3] VI, 285-288.

-- Das erste Buch Mose. Genesis (ATD 2-4), Göttingen [7]1964.

-- Das fünfte Buch Mose. Deuteronomium (ATD 8), Göttingen 1964.

-- Weisheit in Israel, Neukirchen 1970.

RANKIN O.S., Israel's Wisdom Literature, Edinburgh 1936.

REYMOND Ph., L'eau, sa vie et sa signification dans l'Ancien Testament (VTS 6), Leiden 1958.

RICHARDSON H.N., Some Notes on ליץ and its derivatives: VT 5 (1955) 163-179.

-- Two addenda to "some notes on ליץ and its derivatives": VT 5 (1955) 434-436.

RICHTER W., Recht und Ethos. Versuch einer Ortung des weisheitlichen Mahnspruches (SANT 15), München 1966.

-- Exegese als Literaturwissenschaft. Entwurf einer alttestamentlichen Literaturtheorie und Methologie, Göttingen 1971.

RICKENBACHER O., Weisheitsperikopen bei Ben Sira (OBO 1), Freiburg Schweiz-Göttingen 1973.

RINGGREN H., Word and Wisdom, Lund 1947.

ROBERT A., Les attaches littéraires bibliques de Prov. I-IX: RB 43 (1934) 42-68.172-204.374-384; 44 (1935) 344-365. 502-525.

ROTH W.M.W., NBL: VT 10 (1960) 394-409.

RUDOLPH W., Jeremia (HAT I 12), Tübingen 1947.

-- Das Buch Ruth. Das Hohelied. Die Klagelieder (KAT XVII 1-3), Gütersloh 1962.

-- Hosea (KAT XIII 1), Gütersloh 1966.

RYLAARSDAM J.C., Revelation in Jewish Wisdom Literature, Chicago [2]1951.

SAEBØ M., hkm = weise sein, in: THAT I, 557-567.

SAUER G., Die Sprüche Agur. Untersuchungen zur Herkunft, Verbreitung und Bedeutung einer biblischen Stilform unter Berücksichtigung von Proverbia c.30 (BWANT 84), Stuttgart 1963.

SCHARBERT J., ŠLM im Alten Testament (1961), in: K. Koch (Hrsg.), Um das Prinzip der Vergeltung in Religion und Recht des Alten Testaments (Wege der Forschung 125), Darmstadt 1972, 300-324.

SCHMID H.H., Hauptprobleme der altorientalischen und alttestamentlichen Weisheitsliteratur: SThU 35 (1965) 68-73.

-- Wesen und Geschichte der Weisheit (BZAW 101), Berlin 1966.

-- Gerechtigkeit als Weltordnung, Tübingen 1968.

-- Schöpfung, Gerechtigkeit und Heil: ZThK 70 (1973) 1-19.

SCHMIDT J., Studien zur Stilistik der alttestamentlichen Spruchliteratur (ATA 13,1), Münster 1936.

SCHMIDT W., Anthropologische Begriffe im Alten Testament. Anmerkungen zum Hebräischen Denken: EvTh 24 (1964) 374-388.

SCHMITT E., Leben in den Weisheitsbüchern Job, Sprüche und Jesus Sirach (FreibThSt 66), Freiburg 1954.

SCHOTT A., Die Vergleiche in den akkadischen Königsinschriften (MVAG 30), Leipzig 1925.

-- Das Gilgameschepos (Reclams Bücherei 7235/35a), Stuttgart 1958.

SCHÜNGEL-STRAUMANN H., Der Dekalog - Gottes Gebote? (SBS 67) Stuttgart 1973.

SCOTT R.B.Y,, Meteorological Phenomena and Terminology in the Old Testament: ZAW 64 (1952) 11-25.

-- Solomon and the Beginnings of Wisdom in Israel: VTS 3 (1955) 262-279.

-- The study of the Wisdom Literature: Interpretation 24 (1970) 20-45.

SEELIGMANN I.L., Voraussetzungen der Midraschexegese: VTS 1 (1953) 150-181.

-- Zur Terminologie für das Gerichtsverfahren im Wortschatz des biblischen Hebräisch: VTS 16 (1967) 251-278.

SEIBERT I., Hirt-Herde-König (Deutsche Akademie der Wissenschaften zu Berlin. Schriften der Sektion für Altertumswissenschaft 53), Berlin 1969.

SEIDEL H., Das Erlebnis der Einsamkeit im Alten Testament (Theologische Arbeiten 29), Berlin 1969.

SELLIN E./FOHRER G., Einleitung in das Alte Testament, Heidelberg ^{10}1965.

SETHE K., "Der Mensch denkt, Gott lenkt" bei den alten Aegyptern: Nachrichten von der Gesellschaft der Wissenschaften zu Göttingen, philologisch-historische Klasse, Berlin 1924, 141-147.

SKEHAN P.W., Studies in Israelite Poetry and Wisdom (CBQ Monograph Series 1), Washington 1971.

SKLADNY U., Die ältesten Spruchsammlungen in Israel, Göttingen 1962.

SMEND R., Die Weisheit des Jesus Sirach erklärt, Berlin 1906.

SMITH H.P., A Critical and Exegetical Commentary on the books of Samuel (The International Critical Commentary), Edinburgh 1912.

SNIJDERS L.A., The Meaning of זר in the Old Testament; an exegetical Study: OTS 10 (1954) 1-154.

SOCIN A., Arabische Sprichwörter und Redensarten, Tübingen 1878.

SODEN W. von, Grundriss der akkadischen Grammatik (AnOr 33), Rom 1952.

SPIEGEL J., Die Präambel des Amenemope und die Zielsetzung der ägyptischen Weisheitsliteratur, Glückstadt 1935.

SPRONDEL G., Untersuchungen zum Selbstverständnis und zur Frömmigkeit der alten Weisheit Israel (Diss. masch.), Göttingen 1962.

STÄHLIN G., Skandalon. Untersuchungen zur Geschichte eines biblischen Begriffs, Gütersloh 1930,

STECHER R., Die persönliche Weisheit in den Proverbien: ZKTh 75 (1953) 565-580.

STOEBE H.J., Die Bedeutung des Wortes Ḥäsäd im Alten Testament: VT 2 (1952) 244-254.

--   Das erste Buch Samuelis (KAT VIII 1), Gütersloh 1973.

STORY C.J.K., The Book of Proverbs and Northwest Semitic Literature: JBL 64 (1945) 319-337.

STREHLE H., Mienen, Gesten und Gebärden, München-Basel 1954.

SUYS E., La sagesse d'Ani (AnOr 11) Rom 1935.

THOMAS D.W., Textual and Philological Notes on some Passages in the Book of Proverbs: VTS 3 (1955) 280-292.

369

THOMAS D.W., Additional Notes on the Root ydᶜ in Hebrew: JTS 15 (1964) 54-57.

TORCZYNER H., Proverbialstudien: ZDMG 71 (1917) 99-118.

TOURNAY R., Relectures bibliques concernant la vie future et l'angélologie: RB 69 (1962) 481-505.

TUR-SINAI N.H., Sēper ᵓjob, Jerusalem 1957.

VATTIONI F., Ancora il vento del nord di Proverbi 25,23: Bb 46 (1965) 213-216.

--   L'albero della vita: Aug 7 (1967) 133-144.

--   Studi sul libro dei Proverbi: Aug 12 (1972) 122-168.

VAUX R. de, La troisième campagne de fouilles a Tell el-Farᶜah, près Naplouse: RB 58 (1951).

--   Das Alte Testament und seine Lebensordnungen (2 Bde), Freiburg i.Br. 1960-1962.

--   Histoire Ancienne d'Israel. Des Origines a l'installation en Canaan (Etudes Bibliques), Paris 1971.

VOGELS W., Le Prophète, un homme de Dieu (Hier-Aujourd'hui 14), Paris-Tournai-Montréal 1973.

VOLTEN A., Studien zum Weisheitsbuch des Anii (DVSM XXIII 3), Kopenhagen 1937/38.

--   Das demotische Weisheitsbuch (AnAeg 2), Kopenhagen 1941.

--   Zwei altägyptische politische Schriften (AnAeg 4), Kopenhagen 1945.

--   Der Begriff der Maat in den ägyptischen Weisheitstexten, in: Les Sagesses du Proche-Orient Ancien (Centres d'Etudes supérieures spécialisés), Paris 1963, 73-101.

VORWAHL H., Gebärdensprache im AT, Berlin 1932.

WÄCHTER L., Gemeinschaft und Einzelner im Judentum. Eine Skizze (Aufsätze und Vorträge zur Theologie und Religionswissenschaft 16), Berlin 1961.

--   Der Tod im Alten Testament (AzTh II 8), Stuttgart 1967.

WAGNER M., Die lexikalischen und grammatikalischen Aramaismen im alttestamentlichen Hebräisch (BZAW 96), Berlin 1966.

WALKER N., The renderings of Rāṣôn: JBL 81 (1962) 182-184.

WALLIS G., Zu den Spruchsammlungen Prov 10,1-22,16 und 25-29: ThLZ 85 (1960) 147f.

WEIDEN W.A. van der, Le Livre des Proverbes: Notes philologiques (Biblica et Orientalia 23), Rom 1970.

WEINFELD M., The Dependence of Deuteronomy upon the Wisdom Literature, in: Yehezkel Kaufmann Jubilee Volume, Jerusalem 1960, 89-108.

WEINFELD M., Deuteronomy and the Deuteronomic School, Oxford 1972.

WEINRICH H., Semantik der kühnen Metapher: DVj 37 (1963) 325-344.

--   Linguistik der Lüge, Heidelberg 1966.

--   Semantik der Metapher: Folia Linguistica 1 (1967) 3-17.

--   u.a., Die Metapher. Bochumer Diskussion: Poetica 2 (1968) 100-130.

WEISE M., Kultzeiten und kultischer Bundesschluss in der "Ordensregel" vom Toten Meer (Studia Post-Biblica 3), Leiden 1961.

WEISER A., Das Buch Hiob (ATD 13), Göttingen 1951.

--   Das Buch des Propheten Jeremia (ATD 20), Göttingen 1952.

WEISS M., Wege der neuen Dichtungswissenschaft in ihrer Anwendung auf die Psalmenforschung: Bb 42 (1961) 255-302.

--   The Bible and Modern Literary Theory (hammiqra' kidmuto), Jerusalem 1962.

--   Einiges über die Bauformen des Erzählens in der Bibel: VT 13 (1963) 456-475.

--   In the footsteps of one Biblical Metaphor: Tarpiz 34 (1965) 107-128.211.303-318.

--   Weiteres über die Bauformen des Erzählens in der Bibel: Bb 46 (1965).

--   Methodologisches über die Behandlung der Metapher: ThZ 23 (1967) 1-25.

WHYBRAY R.N., Wisdom in Proverbs (Studies in Biblical Theology 45), London 1965.

WIDENGREN G., The King and the Tree of Life in Ancient Near Eastern Religion, Uppsala Universitets Årsskrift 1951.

WILCH J.R., Time and Event, Leiden 1969.

WILDBERGER H., Jesaja 1-12 (BK X 1), Neukirchen 1965.

WILLIAMS R.J., Hebrew Syntax. An Outline, University of Toronto Press 1967.

WOLFF H.W., Dodekapropheton 1, Hosea (BK XIV 1), Neukirchen 1961.

--   Amos' geistige Heimat (WMANT 18), Neukirchen 1964.

--   Dodekapropheton 2, Joel/Amos (BK XIV 2), Neukirchen 1969.

--   Anthropologie des Alten Testaments, München 1973.

WOOD J., Wisdom Literature. An Introduction (Studies in Theology 64), London 1964.

WÜNSCHE A., Der Kuss in Bibel, Talmud und Midrasch, Breslau 1911.

WÜRTHWEIN E., Gott und Mensch im Dialog und Gottesreden des Buches Hiob (1938), in: ders., Wort und Existenz, Studien zum Alten Testament, Göttingen 1970, 217-295.

-- Die Weisheit Aegyptens und das Alte Testament (Schriften der Philipps-Universität Marburg 6), Marburg 1960.

ŽÁBA Z., Les Maximes de Ptahhotep, Prag 1956.

ZERWICK M., Graecitas Biblica, Rom ³1955.

ZIMMERLI W., Zur Struktur der alttestamentlichen Weisheit: ZAW 51 (1933) 177-204.

-- Prediger (ATD 16,1), Göttingen 1962, 123-253.

-- Die Weisung des Alten Testaments zum Geschäft der Sprache, in: ders., Gottes Offenbarung. Gesammelte Aufsätze zum Alten Testament (ThB 19), München 1963, 277-299.

-- Ort und Grenze der Weisheit im Rahmen der alttestamentlichen Theologie, in: Les Sagesses du Proche-Orient Ancien (Centres d'Etudes supérieures spécialisés), Paris 1963, 121-136.

-- Der Mensch und seine Hoffnung im Alten Testament (VR 272 S), Göttingen 1968.

-- Ezechiel (BK XIII) (2 Bde), Neukirchen 1969.

ZIMMERMANN F., Notes on some difficult Old Testament passage: JBL 55 (1936) 303-308.